D0655491

AFGESCHREVEN

Ruth Rendell

Simisola

OPENBARE BIBLIOTHEEK
DIENST DEN HAAG
HAAGSE HOUT

Zwarte Beertjes
Utrecht

Oorspronkelijke titel: Simisola
© 1994 by Kingsmarkham Enterprises
Vertaling: J. de Vries
Omslagontwerp: De Weijer Design BNO bv
© 2008 A.W. Bruna Uitgevers B.V., Utrecht

Dit is een uitgave van A.W. Bruna Uitgevers B.V.
in samenwerking met Zwarte Beertjes.

ISBN 978 90 461 1333 2
NUR 313

Behoudens de in of krachtens de Auteurswet van 1912 gestelde uitzonderingen mag niets uit deze uitgave worden verveelvoudigd, opgeslagen in een geautomatiseerd gegevensbestand, of openbaar gemaakt, in enige vorm of op enige wijze, hetzij elektronisch, mechanisch, door fotokopieën, opnamen of enige andere manier, zonder voorafgaande schriftelijke toestemming van de uitgever. Voor zover het maken van reprografische verveelvoudigingen uit deze uitgave is toegestaan op grond van artikel 16 h Auteurswet 1912 dient men de daarvoor wettelijk verschuldigde vergoedingen te voldoen aan de Stichting Reprorecht (Postbus 3060, 2130 KB Hoofddorp, www.reprorecht.nl). Voor het overnemen van gedeelte(n) uit deze uitgave in bloemlezingen, readers en andere compilatiewerken (artikel 16 Auteurswet 1912) kan men zich wenden tot de Stichting PRO (Stichting Publicatie- en Reproductierechten Organisatie, Postbus 3060, 2130 KB Hoofddorp, www.cedar.nl/pro).

Dankbetuiging

De auteur wil Bridget Anderson bedanken voor haar toestemming om in deze roman passages te citeren uit haar boek *Britain's Secret Slaves*, gepubliceerd door Anti-Slavery International en Kalayaan.

1

Behalve hijzelf zaten er vier mensen in de wachtkamer, en geen van hen zag er ziek uit. De blonde vrouw met de olijfkleurige huid en het designer-trainingspak straalde van gezondheid; haar lichaam was één en al spieren en haar handen leken wel goudbruine pezen, op de felrode nagels en de nicotinevlekken op haar rechterwijsvinger na. Ze was van plaats veranderd en een stoel opgeschoven toen een moeder met een tweejarig kind was binnengekomen. Nu zat de blonde vrouw in het trainingspak in de verste hoek van de ruimte, twee stoelen van hem vandaan en drie van de oude man, die met stijf tegen elkaar gedrukte knieën en met z'n geruite pet stevig in z'n handen geklemd strak naar het naambordje van een arts zat te staren.

Boven de naam van elke arts was een lampje aangebracht met daaronder een haak waaraan gekleurde ringetjes hingen: een rood lampje en rode ringetjes voor dokter Moss, groen voor dokter Akande en blauw voor dokter Wolf. De oude man had een rood ringetje gekregen, zag Wexford, de moeder van het kind een blauw ringetje, die, zoals hij al verwachtte, na de oude man aan de beurt zou zijn. De vrouw in het trainingspak had helemaal geen ringetje. Of ze wist niet dat je je eerst bij de receptie moest melden, of ze had er de moeite niet voor genomen. Wexford vroeg zich af waarom ze niet voor later op de ochtend een afspraak had gemaakt, zodat ze hier niet zo ongeduldig en nerveus op haar stoel hoefde te zitten draaien.

Het kind had er genoeg van gekregen om over de lege stoelzittingen te lopen. Ze richtte haar aandacht op de tijdschriften op tafel en begon er de omslagen af te scheuren. Wie van beiden zou ziek zijn, het kleine meisje of haar bleke, veel te zware moeder? Niemand zei een woord over de bezigheden van het kind, hoewel de oude man het met een woedende blik gadesloeg. De vrouw in het trainingspak deed iets wat hier volstrekt ondenkbaar en onvergeeflijk was: ze stak haar hand in haar krokodillenleren handtas, nam er een plat gouden doosje uit dat de meeste mensen onder de dertig niet thuis zouden kunnen brengen, nam er een sigaret uit en stak die aan met een gouden aansteker.

Wexford, die met succes van zijn eigen angstgevoelens was afgeleid, raakte nu werkelijk gefascineerd. Onder niet minder dan drie vermaningen aan de muur – een om een condoom te gebruiken, een om kinderen te laten inenten, en een om te waarschuwen tegen overgewicht – hing de mededeling dat roken hier verboden was. Wat zou er gebeuren? Was er een of andere rookdetector die bij de receptie of de Eerstehulp zou melden dat er in de wachtkamer werd gerookt?

De moeder van het kind reageerde door luidruchtig te snuiven, terwijl ze het kleine meisje met de ene hand hardhandig naar zich toe trok en haar met de andere een klap gaf. Het kind begon te schreeuwen. De oude man schudde meewarig zijn hoofd. Tot Wexfords verrassing keerde de rokende vrouw zich naar hem toe en zei zonder enige inleiding: 'Ik heb de dokter gebeld, maar hij weigerde bij me thuis te komen. Dat is toch niet te geloven? Nou moest ik wel zelf hiernaartoe komen.'

Wexford antwoordde iets in de trant van dat huisartsen geen huisbezoeken meer aflegden, tenzij het om een ernstig zieke ging. 'Hoe kan hij nou weten hoe ernstig het is als hij niet komt kijken?' Ze moest Wexfords ongelovige blik begrepen hebben. 'O, het gaat niet om mij,' en tot zijn verbazing voegde ze eraan toe: 'Het gaat om een van de bedienden.'

Hij wilde graag meer horen, maar kreeg er de kans niet toe. Er gebeurden twee dingen tegelijk. Het blauwe lampje van dokter Wolf ging branden en de doktersassistente verscheen in de deuropening. Ze zei op kordate toon: 'Maakt u die sigaret uit, alstublieft. Hebt u de bordjes niet gezien?'

De vrouw in het trainingspak had haar misdrijf nog verergerd door as op de grond te laten vallen. Ongetwijfeld zou ze de peuk daar met haar hak hebben uitgedrukt als de verpleegster hem niet van haar had afgenomen en hem tussen duim en wijsvinger naar tot dusver niet vervuilde regionen had gebracht. De vrouw in het trainingspak voelde zich niet aangesproken, maar haalde haar schouders even op en glimlachte Wexford onbekommerd toe. Moeder en kind liepen de wachtkamer uit toen het lampje van dokter Wolf ging branden. Op het moment dat twee nieuwe patiënten binnenkwamen, ging het lichtje boven dokter Akandes naam aan. Het is zover, dacht Wexford, en zijn angst kwam weer terug, nu zal ik het weten. Hij hing het groene ringetje aan de haak en liep de wachtkamer uit zonder om te kijken. Het was direct alsof die mensen daar nooit gezeten hadden, alsof daar niets was gebeurd.

Stel dat hij weer viel terwijl hij door de korte gang naar dokter Akandes kamer liep? Hij was die ochtend al twee keer gevallen. Waar kan ik dan beter zijn dan in de spreekkamer van de dokter? Nee, verbeterde hij zichzelf, ik moet met m'n tijd meegaan, dit heet een medisch centrum. De beste plaats om ziek te worden. Stel dat het iets in mijn hoofd is, een gezwel, een bloedprop... Hij klopte op de deur, hoewel de meeste patiënten dat niet deden.

'Binnen,' riep Raymond Akande.

Dit was pas de tweede keer dat Wexford hem ontmoette sinds Akande na de pensionering van dokter Crocker tot de praktijk was toegetreden. Dat eerste bezoek was voor een antitetanusinjectie geweest toen hij zichzelf gesneden had in de tuin. Hij had toen graag willen geloven dat er een soort band tussen hen was ontstaan, dat ze elkaar direct hadden gemogen. Maar daarna had hij die gedachte weer van zich afgezet, want hij wist heel goed dat het hem weinig had kunnen schelen of ze elkaar lagen of niet als Akande niet zijn arts was geweest.

Vanochtend had hij dit soort overpeinzingen echter niet. Hij was alleen maar bang vanwege die afschuwelijke symptomen. Hij probeerde ze zo kalm en onaangedaan mogelijk te beschrijven: hoe hij die morgen was gevallen toen hij opstond, hoe hij z'n evenwicht was verloren en z'n benen onder zich had voelen wegzakken.

'Last van hoofdpijn?' vroeg dokter Akande. 'Misselijkheid?'

Nee, daar had hij niets van gemerkt, zei Wexford, terwijl hij een sprankje hoop voelde groeien. En ja, hij was een beetje verkouden geweest. Maar weet u, een paar jaar geleden had hij trombose in z'n oog gehad en sindsdien was hij... nou ja, was hij altijd op alles voorbereid geweest, misschien een beroerte, mocht God het verhoeden.

Hij was zo onverstandig om te zeggen: 'Ik dacht dat het misschien het syndroom van Ménière zou kunnen zijn.'

'Ik ben er geen voorstander van om boeken te verbieden,' zei de arts, 'maar als het aan mij lag werden alle medische naslagwerken verbrand.'

'Nou ja, ik heb er inderdaad een op nageslagen,' gaf Wexford toe. 'Maar de symptomen klopten niet met de mijne, behalve dat vallen dan.'

'Waarom laat u het oordeel niet aan de experts over en de diagnose aan mij?'

Hij deed niets liever. Akande onderzocht zijn hoofd, zijn borst en een paar reflexen. 'Bent u zelf hiernaartoe komen rijden?'

Wexford knikte, het hart klopte hem in de keel.

'Nou, u kunt maar beter een paar dagen niet zelf achter het stuur gaan zitten. Natuurlijk kunt u gerust naar huis rijden. De halve bevolking van Kingsmarkham heeft last van dit virus. Ik heb het zelf ook gehad.'

'Virus?'

'Dat zei ik, ja. Het is iets heel raars, het schijnt de halfcirkelvormige kanalen in het oor aan te tasten die het evenwicht besturen.'

'Is dat alles? Een virus? Door een virus kun je zomaar op elk willekeurig moment op de grond vallen? Gisteren ben ik ineens in de tuin onderuitgegaan.'

'En geen visioenen gezien, mag ik aannemen? Niemand horen zeggen de verzenen niet langer tegen de prikkels te slaan?'

'Wilt u zeggen dat visioenen ook tot de symptomen behoren? O, ik begrijp het, u doelt op de weg naar Damascus. U gaat me toch niet vertellen dat Paulus gewoon een virus had?'

Akande lachte. 'Er wordt algemeen aangenomen dat hij een epilepticus was. Nee, u hoeft niet zo te kijken. Dit is gewoon een virus, neem dat maar van me aan, en geen geval van spontane epilepsie. Ik ga u er niets tegen geven. Het is binnen een dag of twee weer over. Het zou me niets verbazen als het op ditzelfde moment weer zou verdwijnen nu u weet dat u geen hersentumor hebt.'

'Hoe wist u... Nou ja, u zult wel gewend zijn aan patiënten die meteen het ergste denken.'

'Ik kan ze ook wel begrijpen. En als het de medische handboeken niet zijn dan zijn het wel de kranten die mensen constant met hun neus op ziektes drukken.'

Akande stond op en stak z'n hand uit. Wexford vond het een prettige gewoonte dat artsen hun patiënten de hand schudden, net als ze jaren geleden deden toen ze nog op huisbezoek kwamen en rekeningen stuurden.

'Mensen zijn rare wezens,' zei de arts. 'Moet u nagaan, ik verwacht vanmorgen iemand die komt vanwege haar *kokkin*. Laat die dan zelf komen, zeg ik, maar dat ging kennelijk niet. Ik heb zo'n gevoel – maar dat is ongegrond moet ik erbij zeggen, het is meer intuïtie – dat ze niet zo blij zal zijn als ze ontdekt dat ik een "kleurling" ben, zoals de baas van mijn schoonvader het altijd uitdrukt.'

Wexford was sprakeloos.

'Heb ik u in verlegenheid gebracht? Dat spijt me. Dit soort dingen blijven altijd onder de oppervlakte en komen af en toe opborrelen.'

'U brengt me niet in verlegenheid,' zei Wexford. 'Ik kon alleen niet zo gauw iets bedenken dat nou ja... als tegenargument of troost zou klinken. En toen bedacht ik dat dat helemaal niet op z'n plaats zou zijn.'

Akande gaf hem een klopje op de schouder, of iets wat op z'n schouder gericht was maar op z'n bovenarm terechtkwam. 'Hou een paar dagen rust, dan is er tegen donderdag niets meer aan de hand.'

Halverwege de gang kwam Wexford de blonde vrouw tegen die op weg was naar Akandes spreekkamer. 'Ik weet dat ik mijn kokkin kwijtraak, ik zie het gewoon aankomen,' zei ze toen ze langs hem liep. Er hing een geur van Paloma Picasso en Rothman kingsize om haar heen. Ze zou toch niet bedoelen dat haar kokkin doodging?

Opgelucht duwde hij de dubbele deuren open en liep naar buiten. Er kon maar één auto op de parkeerplaats van haar zijn: de Lotus Elan met het persoonlijke kenteken AK 3. Daar zou ze een hoop geld voor hebben moeten betalen. Annabel King, speculeerde hij. Anne Knight? Alison Kendall? Er waren niet zo heel veel Engelse achternamen die met een K begonnen, maar ze was dan ook beslist niet van Engelse afkomst. Anna Karenina, dacht hij in een dwaze opwelling.

Akande had gezegd dat hij naar huis mocht rijden, maar Wexford was het liefst naar huis gewandeld. Het was zo'n heerlijk gevoel om weer gewoon te kunnen lopen nu hij niet meer bang hoefde te zijn dat hij zou vallen. Wat zat de menselijke geest toch wonderlijk in elkaar, wat kon die je lichaam niet allemaal aandoen. Hij zou de auto hier kunnen laten staan en hem later ophalen.

De jonge vrouw waggelde het lage bordes van het medisch centrum af, het kind huppelde naast haar. In opperbeste stemming draaide Wexford het autoraampje naar beneden en vroeg of hij hun een lift kon aanbieden. Maakte niet uit waarheen, al moest hij er kilometers voor omrijden.

'We nemen geen lift van vreemden aan.' Tegen het kind zei ze op schreeuwerige toon: 'Nee toch, Kelly?'

Met een terechtgewezen gevoel trok Wexford zijn hoofd terug. Ze had natuurlijk gelijk. Zij was verstandig geweest en hij niet. Hij had wel een verkrachter en kinderlokker kunnen zijn die een bezoekje aan de dokter als voorwendsel gebruikte om z'n ware motieven te maskeren. Terwijl hij wegreed zag hij een auto staan die hij de parkeerplaats had zien oprijden toen hij aankwam: een oude Ford Escort die knalroze was gespoten. Knalroze auto's zag je niet vaak. Van wie was deze ook weer? Meestal had hij een fenomenaal en fotografisch geheugen, waardoor hij zich gezichten en landschappen in kleur voor de geest kon halen, maar de namen die erbij hoorden vergat hij weer.

Hij reed South Queen Street in. Hij verheugde zich erop om het goede nieuws aan Dora te vertellen. Even dacht hij eraan dat het anders had kunnen lopen: hoe ze dan alle twee hun afschuw en angst hadden moeten verbergen wanneer hij moest zeggen dat hij in het ziekenhuis een afspraak had gemaakt voor een hersenscan. Dat zou nu allemaal anders gaan. Maar stel dat dat niet zo was, zou hij zich dan groot tegenover haar hebben gehouden? Zou hij tegen haar gelogen hebben?

In dat geval zou hij nu tegen drie mensen hebben moeten liegen. Terwijl hij de oprit naar zijn garage opreed, zag hij dat Neils auto er al stond en dat die tactvol aan de uiterste linkerkant was geparkeerd zodat hij er nog langs kon. Hij kon zich maar beter aanwennen om te zeggen: Neils *en* Sylvia's auto, want ze deelden hem nu samen nadat zij de hare had weggedaan sinds ze haar baan was kwijtgeraakt. Zoals de zaken er nu voorstonden konden ze zich deze misschien niet eens veroorloven.

Ik zou juist dankbaar moeten zijn, dacht hij, ik zou me juist gevleid moeten voelen. Niet alle kinderen zouden naar het ouderlijk nest terugvliegen wanneer ze in moeilijkheden zaten. De zijne hadden dat altijd wel gedaan. Hij zou niet, iedere keer dat hij Sylvia zag, steeds weer ogenblikkelijk diezelfde vraag moeten voelen opkomen: wat nu weer?

Voor sommige huwelijken kan tegenspoed heilzaam zijn. Het echtpaar zet de conflicten opzij en neemt het als één man op tegen de rest van de wereld. Soms. En voordat dit gebeurt moet het huwelijk er slecht aan toe zijn geweest. Het huwelijk van Wexfords oudste dochter was er al heel lang slecht aan toe, en het enige verschil met andere slechte huwelijken was dat zij en Neil hardnekkig bij elkaar bleven en vanwege hun twee zoontjes steeds nieuwe lapmiddelen bleven zoeken.

Ooit had Neil tegen zijn schoonvader gezegd: 'Ik hou van haar, ik hou echt van haar,' maar dat was lang geleden. Sindsdien waren er heel wat tranen vergoten en heel wat harde woorden gevallen. Vaak had Sylvia de twee jongens naar Dora gebracht en net zo vaak had Neil een motelkamer genomen aan de weg naar

Eastbourne. Dat ze zich had laten bijscholen en werk had gevonden bij de sociale dienst had geen enkel probleem opgelost, en hun luxevakanties in het buitenland of hun intrek in steeds grotere en mooiere huizen evenmin. In elk geval was geld of geldgebrek nooit een probleem geweest. Er was altijd geld genoeg, meer dan genoeg.

Tot kort geleden. Totdat het architectenbureau van Neils vader (met twee partners: vader en zoon) voor het eerst de recessie voelde, vervolgens een venijnige klap kreeg en daarna volledig instortte en failliet ging. Neil zat nu vijf weken zonder werk, Sylvia al bijna zes maanden.

Wexford liep het huis binnen en stond even naar hun stemmen te luisteren: die van Dora klonk zacht en beheerst, die van Neil verontwaardigd, nog steeds ongelovig, die van Sylvia snijdend en agressief. Hij twijfelde er niet aan dat ze op hem zaten te wachten, dat ze verwacht hadden dat hij allang weer terug was om hem van zijn hersentumor of embolie af te leiden met hun waslijst aan klachten: over hun werkloosheid, hun gebrek aan vooruitzichten en hun groeiende hypotheekschuld.

Hij deed de deur naar de woonkamer open. Sylvia rende op hem af en sloeg haar armen om z'n nek. Ze was een stevige, grote vrouw, die hem makkelijk kon omhelzen zonder ergens bij zijn middel uit te komen. Even dacht hij dat dit gebaar werd ingegeven door haar bezorgdheid over zijn gezondheid, over zijn leven. 'Pap,' zei ze, nee, zeurde ze, 'pap, wat denk je dat er is gebeurd? Met ons, bedoel ik. Je zult het niet geloven, maar toch is het zo. Neil is van plan om van *de steun te gaan leven!*'

'Niet van de steun, lieverd,' zei Neil, een koosnaam gebruikend die Wexford al in jaren niet meer over z'n lippen had horen komen. 'Niet van de steun, van een uitkering.'

'Het komt toch allemaal op hetzelfde neer. Bijstand, steun, werkloosheidsuitkering, wat maakt het uit? Het is niet te geloven dat juist óns zoiets moet overkomen.'

Het was fascinerend hoe Dora's zachte stem dat schrille geklaag kon overstemmen. Alsof ze met een heel fijne draad een homp stevige kaas doorkliefde. 'Wat heeft dokter Akande gezegd, Reg?'

'Dat het een virus was. Het schijnt nogal te heersen. Ik moet een paar dagen rust houden, dat is alles.'

'Wat een geruststelling,' zei Dora luchtig. 'Een virus.'

Sylvia snoof. 'Dat had ik je ook wel kunnen vertellen. Ik heb er vorige week zelf last van gehad, ik kon nauwelijks op m'n benen staan.'

'Jammer dat je me dat niet eerder hebt gezegd, Sylvia.'

'Ik heb wel wat anders aan m'n hoofd, dacht je niet? Ik zou dolblij zijn als een beetje duizeligheid het enige was dat ik aan m'n hoofd had. Maar pap, nu je terug bent, moet je hem ervan af zien te brengen. Mij lukt het niet, naar mij luistert hij nooit. Ieder ander heeft meer invloed op hem dan zijn eigen vrouw.'

'Waar moet ik hem van af zien te brengen?' vroeg Wexford.

'Dat zég ik toch net. Dat hij naar het hoe-heet-het gaat, het ASB of hoe ze het ook noemen. Een soort combinatie van de sociale dienst en het arbeidsbureau geloof ik...'

'Het arbeidsbureau heet al jaren niet meer zo,' zei Neil. 'Dat heet nu Banencentrum.'

'Waarom zou ik hem tegenhouden?' vroeg Wexford.

'Omdat het zo vreselijk vernederend is voor mensen zoals wij.'

'Wat doen mensen zoals wij dan wel?' vroeg Wexford op een toon die haar had moeten waarschuwen.

'Die letten op vacatures in *The Times*.'

Neil begon te lachen en Wexford, wiens woede was omgeslagen in medelijden, glimlachte meewarig. Neil had de afgelopen weken niet anders gedaan dan dagelijks de advertenties te spellen. Hij had zijn schoonvader verteld dat hij meer dan driehonderd sollicitatiebrieven had geschreven, en allemaal tevergeefs.

'Van *The Times* krijg je geen geld,' zei Neil. Wexford kon de bitterheid in z'n stem horen, voorzover Sylvia die niet zou zijn opgevallen.

'Maar misschien dat zij weten hoe het verder moet met de hypotheek. Misschien dat zij weten hoe je de hypotheekbank kunt tegenhouden je huis in beslag te nemen. Ik zou het in elk geval niet weten. Misschien dat zij weten waar ik de kinderen naar school kan sturen, al was het maar naar de scholengemeenschap van

Kingsmarkham. Maar ik krijg hoe dan ook geld – noemen ze dat geen postcheque die je toegestuurd krijgt? Eén ding, Reg, ik zal het gauw genoeg weten. Hoe eerder hoe beter. Er staat nog maar tweehonderdzeventig pond op onze gezamenlijke bankrekening en dat is de enige rekening die we hebben. Misschien maar goed ook, want het schijnt dat ze altijd naar je spaargeld vragen voordat ze besluiten om je een uitkering te geven.'

Wexford vroeg rustig: 'Wil je wat lenen? We kunnen best wat missen.' Hij dacht na, slikte en zei: 'Wat dacht je van duizend pond?'

'Bedankt, Reg, heel aardig van je, maar liever niet. Het lost toch niets op. Maar bedankt voor het aanbod. Een lening moet je terugbetalen en ik weet niet hoe we je zouden kunnen terugbetalen, nog in geen jaren.' Neil keek op z'n horloge. 'Ik moet ervandoor,' zei hij. 'Ik heb om halfelf een afspraak met de aanvraagconsulent.'

Dora moest niet hebben nagedacht voordat ze zei: 'O, kun je daar tegenwoordig een afspraak mee maken?'

Gek, hoe een glimlach een gezicht zo bedroefd kon maken. Neil zei: 'Zie je nou hoe je degradeert wanneer je geen werk hebt? Ik ben niet eens meer iemand met wie je rekening hoeft te houden. Ik sta nu met al die anderen in de rij wachtenden die geluk hebben als ze door wie dan ook worden opgemerkt, die met niets naar huis worden gestuurd behalve met de mededeling morgen weer terug te komen. Vermoedelijk ben ik ook al mijn beroep en achternaam kwijtgeraakt. Iemand zal zeggen: "Neil, je kunt nu terecht bij meneer Stanton." Om tien voor een, terwijl ik daar om halfelf moest zijn.'

'Neil, sorry, het was echt niet mijn bedoeling...'

'Nee, natuurlijk bedoelde je het niet zo. Zoiets gaat onbewust. Of liever gezegd: je bewustzijn moet zich aanpassen aan het gegeven dat het op het ene moment te maken heeft met een architect die meer opdrachten heeft dan hij aankan, en het volgende moment dat die man zonder werk zit. Ik moet weg.'

Hij ging niet met de auto, die had Sylvia nodig. Hij kon die ene kilometer naar het ASB heus wel lopen en daarna...

'Moet hij de bus maar nemen,' zei Sylvia. 'Waarom niet? Ik ga bijna altijd met de bus. En als er maar vier per dag gaan, jammer dan. We moeten ons benzineverbruik in de gaten houden. Hij kan heus wel zeven kilometer lopen. Je hebt zelf altijd gezegd dat opa naar school en naar huis zeven kilometer heen en zeven kilometer terug moest lopen toen hij nog maar tien was.'

Er klonk een soort wanhoop in haar stem die Wexford niet graag hoorde, hoezeer haar zelfmedelijden en prikkelbaarheid hem ook irriteerden. Hij hoorde hoe Dora aanbood de jongens voor het weekend te nemen, zodat Sylvia en Neil er even uit konden, al was het maar naar Londen, waar Neils zuster woonde, en hij stemde er maar al te gretig mee in.

'En dan moet je bedenken,' zei Sylvia op klaaglijke toon, 'hoe ik me heb afgebeuld om sociaal werkster te kunnen worden.' Met haar hoofd gebaarde ze naar haar man die net de kamer uit was gelopen. Terwijl hij nog op gehoorsafstand was, vervolgde ze: 'Neil heeft nooit iets aan zijn levenswijze veranderd om me een beetje te helpen. Ik moest altijd zorgen dat de jongens ergens werden ondergebracht. Ik heb vaak tot diep in de nacht doorgewerkt. En wat heeft het allemaal opgeleverd?'

'Het zal heus wel weer beter gaan, lieverd,' zei Dora.

'Ik krijg nooit meer een andere baan bij de sociale dienst, ik vóél het gewoon. Weet je nog van die kinderen in Stowerton, pap? Die kinderen die altijd alleen thuis waren?'

Wexford dacht na. Twee agenten hadden de ouders opgewacht toen ze op Gatwick met een vliegtuig uit Tenerife waren geland. Hij zei: 'Heetten die geen Epson? Hij was zwart en zij was blank...'

'Wat heeft dat er nou mee te maken? Wat heeft racisme hier nou weer mee te maken? Nou, een van mijn laatste taken was voor de opvang van die kinderen te zorgen, totdat ze gingen bezuinigen. Ik had nooit kunnen vermoeden dat ik weer huisvrouw zou zijn voordat die kinderen naar hun ouders teruggingen. Vind je het echt niet vervelend om dit weekend voor de jongens te zorgen, mam?'

Dat was de vrouw die hij in de roze auto had zien rijden: Fiona

Epson. Niet dat het belangrijk was. Wexford stond in tweestrijd of hij naar boven zou gaan om even een dutje te doen of de arts te trotseren en weer aan het werk te gaan. Hij besloot tot het laatste. Terwijl hij de kamer uitliep, kon hij Sylvia tegen haar moeder een verhandeling horen houden over politieke correctheid.

2

Toen de familie Akande ongeveer een jaar geleden naar Kingsmarkham was verhuisd, hadden de twee buren aan weerszijden
van Ollerton Avenue 27 hun huis te koop aangeboden. Hoe be-
ledigend dit ook was voor Raymond en Laurette Akande en hun
kinderen, praktisch gezien was dit in hun voordeel. De recessie
was op haar hoogtepunt, waardoor het moeilijk was om huizen
te verkopen zonder regelmatig de vraagprijs te laten zakken.
Toen de nieuwkomers arriveerden bleken ze net zo aardig, vriendelijk en ruimdenkend te zijn als alle andere bewoners van Ollerton Avenue.

'Let op mijn woordkeus,' zei Wexford. 'Ik zei "vriendelijk", ik zei
"ruimdenkend", maar "antiracistisch" heb ik niet gezegd. In dit
land zijn we allemaal racisten.'

'Ach kom,' zei inspecteur Michael Burden. 'Ik ben geen racist en
jij bent geen racist.'

Ze zaten in Wexfords eetkamer aan de koffie, terwijl Robin en
Ben, de jongens van Neil en Sylvia, en Burdens zoon Mark in de
kamer ernaast met Dora op de televisie naar Wimbledon zaten te
kijken. Wexford was zelf over dit onderwerp begonnen, hij wist
niet precies waarom. Misschien vanwege Sylvia's beschuldiging
toen ze het over de Epsons hadden. Hij had er in elk geval aan
zitten denken.

'Mijn vrouw is het niet en de jouwe evenmin,' zei Burden, 'en
onze kinderen zijn het ook niet.'

'Wij zijn allemaal racisten,' zei Wexford, alsof Burden niets had
gezegd. 'Zonder uitzondering. Het enige dat je erbij kunt aante-
kenen is dat mensen boven de veertig het ergst zijn. Jij en ik zijn
grootgebracht met het idee dat we superieur waren aan het zwarte ras. O, misschien niet zo expliciet, maar het was wel zo. Zo
zijn we geconditioneerd en het zit in ons vastgeroest. Mijn
vrouw had een zwarte pop die ze Moriaantje noemde en de witte

noemde ze Pamela. Zwarte mensen noemde je negers. Heb je ooit iemand het blanke ras horen aanduiden met Indo-Europeanen behalve sociologen zoals mijn dochter Sylvia?'

'Mijn moeder noemde kleurlingen altijd "zwartjes", en dat vond ze keurig uitgedrukt. "Neger" was grof, en "zwartje" was beleefd. Maar dat is al zo lang geleden, er is wel het een en ander veranderd.'

'Nee, er is niks veranderd. Niet veel in elk geval. Er zijn nu veel meer zwarte mensen om ons heen. Mijn schoonzoon zei gisteren tegen me dat het verschil tussen een zwart en een blank iemand hem niet eens meer opviel. Ik zei: zie je dan ook het verschil niet meer tussen blond en donker haar? Zie je dan ook niet meer dat de een dik is en de ander mager? Alsof we daarmee het racisme kunnen bestrijden. We komen pas ergens wanneer de een tegen een ander over een zwart iemand zegt: "Wie bedoel je?" en wanneer de ander zegt: "Die knaap met die rode das."'

Burden glimlachte. De jongens kwamen binnen en sloegen de deur achter zich dicht met de mededeling dat Martina haar eerste set gewonnen had en Steffi de hare. Achternamen bestonden niet waar het henzelf en hun tijdgenoten betrof.

'Krijgen we nou die chocoladekoekjes?'

'Vraag maar aan je oma.'

'Die is even gaan liggen,' zei Ben. 'Maar ze heeft gezegd dat we ze na de lunch konden krijgen en dat is het nu. Het zijn die van chocola met chocoladekorrels erop en we weten waar ze liggen.'

'Zolang jullie mij maar met rust laten,' zei Wexford, en hij voegde er op ernstige toon en met iets bestraffends erin aan toe: 'Maar als jullie eraan beginnen moeten jullie het hele pak opeten. Is dat begrepen?'

'*Kein Problem,*' zei Robin.

Nadat de jongens de kamer weer waren uitgelopen, nam Wexford de folder op die z'n schoonzoon voor hem had achtergelaten, de ES 461. Of liever gezegd: de fotokopie van de folder. Het origineel had Neil mee teruggenomen voor zijn afspraak met het ASB. Neil – die zijn tegenslagen te lijf ging door er zich met de uiterste zelfvernedering in rond te wentelen – had de moeite genomen alle negentien bladzijden van wat het uitkeringskantoor een 'formulier' noemde te kopiëren. Hij had de hele verzameling groenblauwe, blauwe, groene, gele en oranje papieren naar de sneldrukkerij in Kingsmarkham gebracht waar ook in kleur kon worden gekopieerd, zodat Wexford de ES 461 in volle glorie (zijn woorden) kon bekijken en de eisen bestuderen die een liefdadige regering aan haar werkloze burgers stelde.

De eerste pagina droeg het opschrift: 'Banenonderzoek'. Eerst moesten er drie pagina's met aantekeningen worden gelezen voordat het 'formulier' kon worden ingevuld, daarna volgden vijfenveertig vragen, waarvan de meeste meerledig, die Wexfords hoofd deden duizelen. Sommige waren onbenullig, sommige stemden uitermate treurig, sommige waren onheilspellend. Wordt uw arbeidsvermogen bedreigd door uw gezondheid? vroeg nummer dertig, die volgde op die van negenentwintig: Wat is het laagste loon waarvoor u bereid bent te werken? Weinig verwachting werd gekoesterd bij de vraag: Bent u academisch gevormd (bijvoorbeeld einddiploma hoger of middelbaar algemeen vormend onderwijs, of vakopleiding)? Beschikt u over eigen vervoer? vroeg nummer negen. Vraag vier wilde weten: Indien u de afgelopen twaalf maanden niet hebt gewerkt, hoe hebt u uw tijd dan doorgebracht?

Deze vraag maakte hem woedend. Wat ging dat deze 'consulenten' aan, deze onbeduidende ambtenaartjes, wat ging het deze hele regering aan? Hij vroeg zich af wat ze voor ander antwoord verwachtten behalve 'zoeken naar werk'. Dat ze twee weken op de Bahama's hadden gezeten? Gedineerd hadden in Les Quat' Saisons? Dat ze Chinees porselein hadden verzameld? Hij duwde de gekleurde vellen van zich af en liep de woonkamer binnen waar Navratilova op Centre Court nog steeds van zich af stond te slaan.

'Schuif eens op,' zei hij tegen Robin die op de bank zat.

'*Pas de problème.*'

Vroeger zei de huisarts tegen je dat je volgende week terug moest komen of wanneer 'de symptomen verdwenen zijn'. Tegenwoordig hebben ze het daar meestal te druk voor. Ze ontvangen liever geen patiënten die geen symptomen meer hebben, die mogen wat hen betreft wegblijven. Er zijn te veel anderen die eigenlijk in bed moeten blijven en thuis bezocht moeten worden, maar die noodgedwongen naar het medisch centrum wankelen en hun bacillen in de wachtkamer verspreiden.

Wexfords virus was kennelijk op de vlucht geslagen op het moment dat dokter Akande zijn magische woorden had uitgesproken. Wexford was niet van plan om terug te gaan voor controle en had zelfs het advies om een paar dagen rust te nemen naast zich neergelegd. Van tijd tot tijd dacht hij na over die vraag hoe het slachtoffer van 'banenonderzoek' zijn of haar tijd had doorgebracht, en hij vroeg zich af wat hijzelf zou hebben geantwoord. Wanneer hij bijvoorbeeld niet aan het werk was, maar vakantie had en was thuisgebleven. Lezen, met de kleinkinderen praten, nadenken, afdrogen, met een kennis een borreltje pakken in de Olive, en lezen. Zouden ze daarmee tevreden zijn? Of wilden ze juist iets heel anders horen?

Toen dokter Akande hem een week later opbelde, voelde hij zich eerst schuldig en daarna bang. Dora had de telefoon opgenomen. Het liep tegen negenen in de avond, een woensdag begin juli, de zon was nog niet onder. De dubbele ramen stonden open en Wexford zat bij het venster de Engelse vertaling van Camus' *l'Etranger* te lezen, voor het eerst weer in dertig jaar, en naar muggen te slaan met de *Kingsmarkham Courier*.

'Wat wil hij?'

'Dat heeft hij niet gezegd, Reg.'

Heel misschien was Akande zo'n grondige en zorgvuldige huisarts dat hij de moeite nam om zelfs patiënten die nauwelijks ziek waren geweest nog even te checken. En anders – Wexford voelde zijn hart in zijn keel kloppen – was die 'vallende ziekte' van hem niet de kleinigheid die Akande had vastgesteld, was die niet het gevolg van een algemeen heersend maar onbeduidend virus, was het in feite iets veel ernstigers, waren zijn symptomen de voorbode van...

'Ik kom eraan.'

Hij nam de hoorn op. Uit Akandes eerste woorden begreep hij dat hem niets *verteld* werd, maar dat hem iets *gevraagd* werd; de dokter deelde geen geleerdheid uit, maar hield zelf de hand op; deze keer was hij het, de politieman, die de diagnose moest stellen.

'Het spijt me dat ik u hiermee moet lastigvallen, meneer Wexford, maar ik had gehoopt dat u me misschien kon helpen.'

Wexford wachtte.

'Het heeft waarschijnlijk niets te betekenen.'

Deze woorden, hoe vaak hij ze ook had gehoord, bezorgden hem altijd even een rilling. Hij had de ervaring dat ze bijna altijd wel wat te betekenen hadden, en als ze tegen hem werden gezegd meestal weinig goeds.

'Als ik echt ongerust zou zijn was ik wel naar het politiebureau gegaan, maar zo erg is het niet. Mijn vrouw en ik kennen niet zoveel mensen in Kingsmarkham, we wonen hier nog maar betrekkelijk kort. Maar omdat u een patiënt van me bent...'

'Wat is er gebeurd, dokter?'

Na een korte aarzeling en een verontschuldigend lachje zei Akande, een eigenaardige woordkeus gebruikend: 'Ik probeer tevergeefs mijn dochter te vinden.' Hij pauzeerde even. 'Ik bedoel: ik weet niet waar ze is. Natuurlijk, ze is tweeëntwintig jaar. Ze is een volwassen vrouw. Maar als ze niet bij ons thuis had gewoond en eigen woonruimte had gehad zou ik niet eens geweten hebben dat ze niet was thuisgekomen en zou ik niet...'

Wexford onderbrak hem. 'Bedoelt u dat uw dochter wordt vermist?'

'Nee, nee, dat is te sterk uitgedrukt. Ze is niet thuisgekomen en gisteravond was ze niet waar ze werd verwacht, dat is alles. Maar zoals ik zei, ze is volwassen. Als ze van gedachten is veranderd en ergens anders naartoe is gegaan... nou ja, dat is haar goed recht.'

'Maar u had wel verwacht dat ze het u zou laten weten?'

'Dat dacht ik wel. Niet dat ze wat dat betreft erg betrouwbaar is, dat zijn de meeste jongelui niet zoals u misschien wel weet, maar we hebben nog nooit meegemaakt dat ze... nou ja, dat ze ons om de tuin leidt. Dat ze niet doet wat ze gezegd heeft. Nou ja, zo zie ik het. Maar mijn vrouw maakt zich zorgen, nee, dat is te zwak uitgedrukt, ze is dodelijk ongerust.'

Het waren altijd hun vrouwen, dacht Wexford. Ze projecteerden hun emoties op hun vrouw. Mijn vrouw is nogal ongerust. Het zit mijn vrouw dwars. Dat ik dit doe komt doordat die hele zaak mijn vrouw zo aangrijpt. Zelf waren het sterke mannen, macho's die je graag lieten geloven dat ze geen angst of onrust kenden, en ook geen begeerten, verlangens, hartstochten of behoeften.

'Hoe heet ze?' vroeg hij.

'Melanie.'

'Wanneer hebt u Melanie voor het laatst gezien, dokter Akande?'

'Gistermiddag. Ze had een afspraak in Kingsmarkham en zou daarna met de bus naar Myringham gaan naar het huis van haar vriendin. Haar vriendin gaf gisteravond een feestje vanwege haar eenentwintigste verjaardag. Melanie zou ernaartoe gaan en daarna bij haar vriendin blijven slapen. Het waren eigenlijk twee feestjes, een vanwege een eenentwintigste verjaardag en een vanwege een achttiende, wanneer ze meerderjarig worden, weet u wel?'

Wexford wist het. Hij was meer geïnteresseerd in de onderdrukte paniek die hij in Akandes stem kon horen, een paniek die de arts met opgewektheid probeerde te verbergen. 'We verwachtten haar pas tegen de middag weer thuis. Als het even kan staan ze niet voor twaalf uur op. Mijn vrouw was aan het werk en ik ook. We dachten dat ze weer terug zou zijn toen we thuiskwamen.'

'Misschien is ze thuisgekomen en weer weggegaan?'

'Ja, dat kan natuurlijk. Ze heeft haar eigen sleutel. Maar ze is helemaal niet bij Laurel geweest, die vriendin dus. Mijn vrouw heeft daarnaartoe gebeld. Melanie was helemaal niet op komen dagen. Dus het is te begrijpen dat ze ongerust is. Maar Laurel en Melanie hadden ruzie gehad... nou ja, onenigheid. Ik hoorde Melanie aan de telefoon tegen haar zeggen, ik weet niet meer precies hoe ze het uitdrukte: "Ik ga nu ophangen en je hoeft woensdag niet op me te rekenen."'

'Heeft Melanie een vriend, dokter?'

'Niet meer, nee. Ze hebben het twee maanden geleden uitgemaakt.'

'Maar misschien hebben ze zich weer verzoend?'

'Misschien wel, ja.' Hij zei het met tegenzin. Toen hij het weer zei, klonk het hoopvol. 'Ja, misschien wel. U bedoelt dat ze gisteren samen ergens naartoe zijn gegaan? Dat zou mijn vrouw niet prettig vinden. Die heeft nogal strenge opvattingen over dit soort dingen.'

Maar ze zal toch liever met ongehoorzaamheid te maken hebben dan met verkrachting of moord, dacht Wexford wrang, maar dat zei hij natuurlijk niet. 'Dokter Akande, waarschijnlijk hebt u gelijk en heeft dit niets te betekenen. Melanie zit natuurlijk ergens waar geen telefoon in de buurt is. Wilt u me morgenochtend nog even bellen? Zo vroeg als u wilt.' Hij aarzelde. 'Nou ja, liefst na zessen. Doet u dat, of ze nu thuiskomt of opbelt of niet?'

'Ik heb het gevoel dat ze ons nu probeert te bellen.'

'Laten we in dat geval de lijn niet langer bezet houden.'

Zijn telefoon ging om vijf over zes.

Hij sliep niet meer, hij was net wakker geworden. Misschien omdat hij zich onbewust had beziggehouden met het meisje Akande. Voordat hij de hoorn opnam en Akande begon te spreken, dacht hij: ik had niet moeten wachten, ik had gisteravond iets moeten doen.

'Ze is niet teruggekomen en ze heeft niet gebeld. Mijn vrouw is heel erg ongerust.'

En jij ook, dacht Wexford. Ik zou het ook zijn. 'Ik kom naar u toe. Ik ben over een halfuur bij u.'

Sylvia was bijna direct nadat ze van school kwam getrouwd. Er was geen gelegenheid geweest om zich zorgen te maken over waar ze was of wat er met haar was gebeurd. Maar zijn jongste dochter Sheila had hem slapeloze nachten bezorgd, verschrikkelijke nachten. Als ze thuis was tijdens haar vakanties van de toneelschool had ze er een gewoonte van gemaakt er met vriendjes vandoor te gaan, zonder te bellen of aanwijzing achter te laten waar ze heen was, totdat ze drie of vier dagen later uit Glasgow, Bristol of Amsterdam opbelde. En hij had er nooit aan kunnen wennen. Hij zou de Akandes geruststellende verhalen over zijn eigen ervaringen vertellen, dacht hij terwijl zich douchte en aankleedde, maar ook zou hij Melanie als vermist laten opgeven. Ze was een vrouw, ze was jong en daarom zouden ze een opsporing in gang zetten.

Op sommige dagen wandelde hij naar zijn werk ter wille van zijn gezondheid, maar dan was het wel twee uur later dan nu. Het was een heiige ochtend, alles nog stil, met aan een witte hemel een nog wittere zon. Er lag dauw op het gras in de berm, dat de felle zomerzon tot stro had gedroogd. In de eerste twee straten was alles uitgestorven, maar toen hij Mansfield Road uitliep, kwam hij een oude dame tegen met een piepkleine yorkshireterriër aan de lijn. Verder niemand. Er reden twee auto's voorbij. Een kat met een muis in z'n bek stak bij Ollerton Avenue tweeëndertig over naar nummer vijfentwintig en dook het luikje in de voordeur binnen.

Wexford hoefde niet aan te bellen bij nummer zevenentwintig. Dokter Akande stond op de stoep op hem te wachten.

'Fijn dat u bent gekomen.'

De verleiding weerstaand om in een van Robins vele versies 'geen probleem' te zeggen, liep Wexford achter hem het huis in. Een niet onaardig, saai, gewoon huis. Hij kon zich niet herinneren eerder in een van de vrijstaande vierkamerwoningen aan Ollerton Avenue te zijn geweest. De straat zelf was omzoomd door bomen, die in deze tijd van het jaar zware schaduwen wierpen. Daardoor zou het hier binnenshuis donker blijven totdat de zon naar binnen scheen. Pas toen hij in de kamer was, zag hij de vrouw bij het raam staan. Ze stond naar buiten te kijken.

De klassieke houding, de aloude positie van de moeder, de echtgenote of de minnares die wacht en wacht. *Zuster Anna, zuster Anna, ziet gij nog niemand komen? Ik zie slechts het groene gras en het gele zand...* Ze draaide zich om en liep op hem af. Ze was een lange, tengere vrouw van een jaar of vijfenveertig en gekleed in het uniform van een zaalverpleegster van het Stowerton Royalziekenhuis: marineblauwe jurk met korte mouwen, marineblauwe ceintuur met een nogal barokke zilveren gesp en twee of drie insignes die op de linkerborst waren gespeld. Nooit had Wexford verwacht hier zo'n mooie, markante en elegante verschijning aan te treffen. Waaróm eigenlijk niet?

'Laurette Akande.'

Ze stak haar hand uit, een lange, slanke hand, waarvan de palm maïskleurig was en de rug van een diep koffiebruin. Ze glimlachte even. Hij dacht: wat een prachtige tanden hebben ze toch, en direct voelde hij het bloed naar z'n wangen schieten, heviger dan ooit sinds hij een puber was. Hij wás een racist. Vanaf het moment dat hij die kamer was binnengelopen, had hij gedacht: merkwaardig, het ziet er hier hetzelfde uit als bij wie dan ook: hetzelfde soort meubels, dezelfde lathyrus in hetzelfde soort vaas... Hij schraapte zijn keel en zei op vastberaden toon: 'Maakt u zich ongerust over uw dochter, mevrouw Akande?'

'Wij alle twee. Ik denk dat we er ook reden voor hebben, vindt u ook niet? Het duurt nu al twee dagen.'

Het viel hem op dat zij niet zei dat het niets te betekenen had, dat ze niet zei dat jongeren dit soort dingen nu eenmaal deden.

'Gaat u zitten, alstublieft.'

Haar houding had iets gebiedends, iets hooghartigs. Ze had niets van het 'Engelse' dat haar man had, noch van zijn geruststellende dokterstoontje. Dit was niet het moment, vond hij, om over Sheila's vroegere uitstapjes te beginnen.

Op energieke toon zei Laurette Akande: 'Ik geloof dat het tijd wordt om de officiële weg te bewandelen. Dat we haar als vermist moeten opgeven, bedoel ik. Bent u niet te hoog om dit af te handelen?'

'Op dit ogenblik niet,' zei Wexford. 'Misschien kunt u me wat bijzonderheden geven. Laten we beginnen met naam en adres van die mensen bij wie ze de nacht zou doorbrengen. En die van haar vriend. O ja, wat voor afspraak had ze in Kingsmarkham voordat ze naar Myringham zou gaan?'

'Bij het arbeidsbureau,' zei dokter Akande.

Zijn vrouw corrigeerde hem nauwgezet. 'Bij het Algemeen Sociaal Banencentrum, bij het ASB, zoals het genoemd wordt. Melanie was op zoek naar werk.'

'Al lang voor ze haar opleiding had afgemaakt probeerde ze werk te vinden,' zei Laurette Akande. 'In Myringham. Ze is deze zomer afgestudeerd.'

'Aan de Universiteit van het zuiden?' vroeg Wexford.

'Nee,' antwoordde haar echtgenoot, 'aan de Universiteit van Myringham, de voormalige Polytechnische School, die is nu een academie geworden, net als zoveel andere. Ze studeerde er muziek en dans, "performancekunst" wordt het genoemd. Ik had haar liever iets anders zien doen. Op school was ze altijd goed in geschiedenis – waarom is ze geen geschiedenis gaan studeren?'

Wexford kon zijn bezwaar tegen muziek en dans wel begrijpen. 'Ze kunnen zo fantastisch dansen' – 'Ze hebben van die fantastische zangstemmen...' Hoe vaak had hij dat soort overdreven gulle complimenten niet gehoord?

Laurette zei: 'Misschien weet u dat zwarte Afrikanen tot de hoogst opgeleide burgers van de Britse samenleving behoren. Dat is statistisch bewezen. Vandaar dat we hoge verwachtingen hebben van onze kinderen. Ze had zich beter op een beroep kunnen voorbereiden.' Ineens scheen ze zich te herinneren dat deze crisis niets met Melanies opleiding had te maken. 'Nou ja, het doet nu ook niet ter zake. Voor het soort werk dat zij wilde gaan doen waren geen vacatures. Dat had haar vader haar al voorspeld, maar ze luisteren toch niet. Je zult een cursus bedrijfseconomie moeten gaan volgen, zei ik tegen haar. Ze is naar het ASB gegaan om een formulier op te halen en een afspraak te maken voor dinsdag om halfdrie.'

'Dus wanneer is ze van huis gegaan?'

'Mijn man had zijn middagspreekuur. Ik had mijn vrije dag. Melanie nam een weekendtas mee. Ze zei dat ze dacht tegen vijven bij Laurel te zijn en ik weet nog dat ik zei: reken er maar niet op. Dat je om halfdrie een afspraak hebt betekent nog niet dat je direct terecht kunt, waarschijnlijk moet je wel een uur wachten. Ze is hier om tien over twee weggegaan om ruim op tijd te kunnen zijn. Dat weet ik omdat het van hier naar High Street vijftien minuten lopen is.'

Wat een indrukwekkende getuige zou Laurette Akande zijn!

Wexford hoopte dat ze nooit hoefde te worden opgeroepen. Haar stem was koel en beheerst. Ze verspilde geen woorden. Ergens, onder het accent van Zuidoost-Engeland, bespeurde hij een vleug van het Afrikaanse land dat ze misschien had verlaten toen ze nog studente was.

'Had u de indruk dat ze vanaf het ASB rechtstreeks naar dat huis in Myringham zou gaan?'

'Dat weet ik zeker. Met de bus. Ze hoopte die van kwart over vier te kunnen halen nadat ik gezegd had dat ze misschien wel op haar afspraak zou moeten wachten. Ze wilde mijn auto nemen, maar dat ging niet. Die had ik de volgende morgen zelf nodig. Ik moest om acht uur in het ziekenhuis zijn, wanneer de dagploeg begint.' Ze keek op haar horloge. 'Vanochtend ook. Door het verkeer rond die tijd ben ik een halfuur onderweg voor een ritje van tien minuten.'

Dus ze ging naar haar werk? Wexford had gewacht op een teken van de dodelijke ongerustheid waaronder zijn vrouw volgens dokter Akande zo gebukt ging. Hij had er niets van gemerkt. Of ze was helemaal niet bezorgd, of ze wist zich met ijzeren wilskracht te beheersen.

'Waar denkt ú dat Melanie is, mevrouw Akande?'

Ze liet een luchtig lachje horen, nogal een huiveringwekkend lachje. 'Ik hoop van harte dat ze niet is waar ze waarschijnlijk wél naartoe gegaan is. Naar Euans flat, meer een kamer eigenlijk, naar hém.'

'Dat zou Melanie ons nooit aandoen, Letty.'

'Ze zou er geen idee van hebben dat ze ons iets aandeed. Ze heeft zich van onze bezorgdheid om haar veiligheid en toekomst nooit iets aangetrokken. Ik zei tegen haar: wil je net zo worden als al die meisjes die door dat soort jongens zwanger worden gemaakt en die er nog trots op zijn ook? Euan heeft al twee kinderen bij twee verschillende meisjes en hij is nog niet eens tweeëntwintig. Je weet toch nog wel dat ze ons over die kinderen heeft verteld?'

Ze waren vergeten dat Wexford bij hen was. Hij kuchte. Dokter Akande zei op gekwelde toon: 'Daarom heeft ze het uitgemaakt. Ze was net zo geschokt als wij. Ze is niet naar hem terug, dat weet ik zeker.'

'Dokter Akande,' zei Wexford, 'Ik wil graag dat u met me meegaat naar het politiebureau om Melanie als vermist aan te geven.
Ik geloof dat dit een ernstige zaak is. We moeten uw dochter
gaan zoeken en blijven zoeken tot we haar gevonden hebben.'
Dood of levend, maar dat zei hij er niet bij.

Er was niets Indo-Europees aan het gezicht op de foto. Melanie
Elizabeth Akande had een laag voorhoofd, een brede, nogal platte neus en volle, dikke, gezwollen lippen. Een gezicht dat niets
van haar moeders klassieke gelaatstrekken had. Haar vader was
een Afrikaan uit Nigeria, wist Wexford nu, haar moeder kwam
uit Freetown in Sierra Leone. Het meisje op de foto had enorm
grote ogen en een dikke massa dicht krullend zwart haar. Terwijl
Wexford naar de foto keek, deed hij een vreemde ontdekking.
Hoewel ze hem niet mooi voorkwam, zag hij wel dat ze naar andere maatstaven, naar die van miljoenen Afrikanen, Afro-Caraïbiërs en Afro-Amerikanen, buitengewoon knap was. Waarom
waren het altijd de blanken die de norm stelden?
Het vermissingsformulier dat haar vader had ingevuld beschreef
haar als een meter zeventig lang, zwart haar, donkerbruine ogen,
leeftijd tweeëntwintig jaar. Hij had zijn vrouw in het ziekenhuis
gebeld om te weten te komen dat Melanie vierenzestig kilo
woog, een blauwe spijkerbroek had gedragen met een witte
blouse en een lang vest met borduurwerk toen ze voor het laatst
werd gezien.

'U hebt ook een zoon, meen ik?'
'Ja, die studeert medicijnen in Edinburgh.'
'Nu toch niet? In juli?'
'Nee, nu is hij naar Zuidoost-Azië voorzover ik weet. Hij is onge-
veer drie weken geleden met twee vrienden in een auto vertrok-
ken. Ze zouden naar Vietnam gaan, maar daar kunnen ze na-
tuurlijk nog niet zijn aangekomen...'
'In elk geval kan zijn zusje niet naar hem toe zijn gegaan,' zei
Wexford. 'Ik moet u dit vragen, dokter. Hoe was de verstandhou-
ding tussen u en uw vrouw en Melanie? Was er wel eens ruzie?'

'We konden het goed met elkaar vinden,' zei de arts snel. Hij aarzelde even en preciseerde: 'Mijn vrouw houdt er strenge opvattingen op na. Daar is natuurlijk niets verkeerds aan, en ongetwijfeld hadden we hoge verwachtingen van Melanie die ze misschien niet kon waarmaken.'

'Vindt ze het prettig om thuis te wonen?'

'Ze heeft niet zoveel keus. Ik kan me niet veroorloven om andere woonruimte voor haar te betalen en bovendien zou Laurette niet willen... Ik bedoel, Laurette verwacht dat Melanie thuis blijft wonen totdat ze...'

'Totdat ze wat, dokter?'

'Nou ja, neem dat geval van die omscholing. Laurette wil dat Melanie tijdens haar nieuwe opleiding thuis blijft wonen totdat ze genoeg verdient en voldoende verantwoordelijkheidsgevoel toont om ergens iets voor zichzelf te kopen.'

'Ik begrijp het.'

Ze was bij die vriend, dacht Wexford. Volgens haar vader had ze hem ontmoet toen ze beiden in het eerste jaar zaten van wat toen nog de Polytechnische School in Myringham was, voordat zulke instituten een academische status werd toegekend. Euan Sinclair kwam uit het East End van Londen, was tegelijk met Melanie afgestudeerd, hoewel ze toen al door hooglopende ruzie van elkaar verwijderd waren geraakt. Toen Euan en Melanie meer dan een jaar met elkaar waren omgegaan, werd een van Euans kinderen geboren, een jongetje dat nu bijna twee jaar was.

Akande wist het huidige adres van de vriend. Hij zei het alsof het met bitterheid in zijn hart was gegrift. 'We hebben geprobeerd hem te bellen, maar het nummer is niet te bereiken. Dat betekent dat het is afgesloten omdat hij de rekening niet heeft betaald, denkt u niet?'

'Waarschijnlijk.'

'Hij is een West-Indiër.' Dus snobisme stak ook in deze kringen de kop op? 'Een Afro-Caraïbiër, moeten we tegenwoordig zeggen. Haar moeder beschouwt hem als iemand die Melanies leven zal ruïneren.'

Het was brigadier Vine die Euan Sinclair in Londen ging opzoeken in diens gehuurde kamer in Stepney Street. Akande had hem gezegd dat het hem niet zou verbazen als Euan daar met een van de moeders van zijn kinderen zou wonen, en waarschijnlijk ook met het kind. Daardoor lag het niet voor de hand dat Melanie zich daar ook bevond, maar dat zei Vine niet. De politie van Myringham had een agent naar het huis van Laurel Tucker gestuurd. 'Ik ga zelf wel naar het ASB toe,' zei Wexford tegen Burden.

'Het wat?'

'Het Algemeen Sociaal Banencentrum.'

Even bleef Burden zwijgen. Met stijgend ongeloof las hij een perscommuniqué van een bedrijf dat garandeerde personenauto's inbraakvrij te kunnen maken.

'De dief wordt in een blikken kooi opgesloten. Na twee minuten stopt de auto en is niet meer aan de gang te krijgen. Dan begint dat bloedstollende geloei van het alarm. Stel je dat even voor op de M2 om halfzes. De opstoppingen, de levensgevaarlijke...' Burden keek op. 'Waarom jij?' vroeg hij. 'Dat kan Archbold toch doen, of Pemberton?'

'Natuurlijk kunnen ze dat,' zei Wexford. 'Ze komen er vaak genoeg als iemand weer eens zo'n ambtenaar heeft aangevallen of de boel kort en klein heeft geslagen. Ik ga ernaartoe omdat ik wel eens wil zien hoe het daar toegaat.'

3

Het beloofde een prachtige dag te worden, als je tenminste tegen vochtige warmte kon. Er stond geen zuchtje wind, het was alsof de lucht bijna tastbaar was. Je zou je longen met frisse lucht willen vullen, maar andere lucht dan deze was er niet. De hete zon werd gefilterd door een roerloze, draderige massa van vederwolken in een lucht die de kleur had van een bleke opaal, maar waarachter de hemel diep- en strakblauw moest zijn.

De uitlaatgassen van het verkeer bleven hangen onder het wolkendek en in de bewegingloze lucht. Terwijl hij over het trottoir liep, kon Wexford ruiken waar iemand had staan roken, in de meeste gevallen sigaretten, waaronder een Franse sigaret en in een enkel geval een sigaar. Hoewel het nog vroeg was, nog geen tien uur, dreef een verschaalde vislucht uit de viswinkel op hem af. Gelukkig kwam hij af en toe een vrouw tegen die een lichte bloemengeur of een muskusachtig parfum achter zich liet. Bij het nieuwe Indiase restaurant Nawab bleef hij even staan om het menu dat aan het raam hing te bestuderen: Kip Korma, Lamsvlees Tikka, Kip Tandoori, Garnalen Biryani, Murghe Raja – allemaal niets bijzonders, maar dat kon je ook zeggen van biefstuk met frites; het hing er maar van af hoe het werd klaargemaakt. Hij en Burden konden er vanmiddag gaan lunchen als ze tijd hadden. Anders zou het er wel weer op uitdraaien dat ze wat afhaalden bij de Moonflower Instant Cantonese Cuisine.

Het Algemeen Sociaal Banencentrum was aan deze kant van Kingsbrook Bridge, iets verderop op Brook Road tussen de supermarkt van Marks and Spencers en de Nationale Hypotheekbank. Niet bepaald een tactvolle locatie, dacht Wexford, nu hij erover nadacht. De mensen die zich hier lieten inschrijven zouden hartkloppingen krijgen bij alles wat aan loodzware hypotheken en in beslag genomen huizen deed denken, en ze zouden er ook niet vrolijker van worden wanneer ze aan de overkant mensen naar buiten zagen stappen met tassen vol exclusieve etenswaren die zij zich niet meer konden veroorloven. Daar had kennelijk niemand bij stilgestaan toen de vestigingsplaats moest worden gekozen, maar misschien had het ASB er wel eerder gestaan. Hij wist het niet meer.

Een parkeerterrein naast het gebouw – 'Strikt verboden voor onbevoegden, alleen bestemd voor ASB-personeel' – gaf toegang tot High Street. Stoeptreden met afgeschilferde stenen balustrades leidden naar dubbele deuren van aluminium en glas. Binnen was het benauwd. Het was moeilijk te zeggen waar het precies naar rook. Wexford zag twee bordjes hangen met 'Strikt verboden te roken', en niemand was in overtreding. Het waren ook geen lichaamsgeuren die het hier zo bedompt maakten. Als hij zijn verbeelding had moeten laten spreken, wat hij hier maar liever niet deed, dan zou hij gezegd hebben dat het de geur van uitzichtloosheid was, van verslagenheid.

De grote ruimte was in twee secties onderverdeeld. In de grootste ruimte was het Bureau Uitkeringen gevestigd, waar je door je in te schrijven getuigenis aflegde over je leven, je nabije toekomst en je werkloosheidsstatus; in het andere deel werden banen aangeboden, een overvloed aan banen leek het wel. Op een van de grote, vrijstaande mededelingenborden hingen kaartjes met advertenties voor administratief personeel, op een ander voor werk in de huishouding en in de horeca, op een derde voor winkelpersoneel, chauffeurs, barpersoneel en diversen. Een nauwkeuriger blik zei hem dat in alle gevallen ervaring vereist was – er werden referenties en getuigschriften gevraagd, CV's, diploma's, bijzondere bekwaamheden – hoewel uit alles bleek dat alleen jonge mensen in aanmerking kwamen. Niet dat op een van de kaartjes met zoveel woorden stond: 'Leeftijd tot 30 jaar', maar 'energiek' behoorde altijd tot de gevraagde eigenschappen, evenals een daadkrachtige en vitale persoonlijkheid.

De wachtenden zaten over drie rijen stoelen verspreid. Ze moesten allemaal onder de vijfenzestig zijn geweest, maar degenen die van middelbare leeftijd waren zagen er ouder uit. Vooral de jonge mensen boden een verslagen aanblik. De stoelen waar ze op zaten waren van een neutrale grijze kleur. Hij zag nu dat in de hele ruimte aan een kleurenschema was vastgehouden: een nogal ongelukkige combinatie van een boterachtige crèmekleur, marineblauw en dat onbestemde grijs. Aan het eind van elke rij stoelen stond een plastic kamerplant in een plastic Griekse pot op het vlekkerige tapijt. Op verschillende deuren aan de zijkant hingen bordjes met 'Privé' en op één, die naar het parkeerterrein scheen te leiden, stond 'Strikt Privé'. Ze hadden hier iets met striktheid.

Kennelijk moest je hier bij aankomst een nummertje uit een automaat trekken. Wanneer jouw nummer op een van de bureaus in rood oplichtte, dan liep je ernaartoe om over je uitkering te praten. Het leek wel een beetje op het systeem bij de dokter. Wexford aarzelde tussen de balie voor de 'Banenzoekers' en de bureaus. Aan elk daarvan zat of stond een cliënt met een medewerker te praten. Het grijs-met-blauwe insigne dat de vrouw achter het dichtstbijzijnde bureau op haar blouse droeg vermeldde dat zij Ms I. Pamber, admin. medewerker, was.

Het bureau daarnaast kwam even vrij. Wexford liep naar Ms W. Stowlap, admin. medewerker, en vroeg beleefd of hij iemand van de leiding kon spreken. Ze keek even op en zei nors: 'U moet uw beurt afwachten. Weet u niet dat u een nummertje uit de automaat moet trekken?'

'Dit is het enige nummer dat ik heb.' Hij voelde zich kwaad worden. Hij liet haar zijn legitimatie zien en snauwde: 'Politie.'

Ze was een magere, sproetige vrouw met witte wenkbrauwen. De blos die zich van haar wangen tot aan de inplanting van het vale rossige haar verspreidde, flatteerde haar niet. 'Sorry,' zei ze. 'Dan moet u de manager hebben – meneer Leyton.'

Terwijl ze opstond om hem te gaan halen, vroeg Wexford zich af wat de reden kon zijn van al die formaliteit, dat gedoe met 'Ms' en 'Mr' en die initialen in plaats van voornamen. Het was zo uit de toon met de omgangsvormen van deze tijd. Niet dat hij er bezwaar tegen had; hij dacht aan Ben en Robin, die iedereen bij de voornaam aanspraken, zelfs dokter Crocker, die bijna zestig jaar ouder was dan zij.

Zo discreet mogelijk observeerde hij de mensen die zaten te wachten. Heel wat vrouwen, minstens de helft. Voordat zijn vrouw hem te lijf was gegaan met scheldwoorden als seksist en achtergebleven fossiel met opvattingen uit de oertijd, had Mike Burden gewoonlijk de mening verkondigd dat als al die getrouwde vrouwen gewoon thuis zouden blijven, de werkloosheidscijfers gehalveerd konden worden. Hij zag een zwarte man, iemand ergens uit Zuidoost-Azië en twee of drie Indiërs. Kingsmarkham werd met de dag kosmopolitischer. Toen zag hij op de achterste rij de dikke jonge vrouw zitten die hij in de wachtkamer van het medisch centrum had gezien. Ze droeg een rood-met-wit gebloemde legging en een strak, wit T-shirt. Ze zat met gespreide benen onderuitgezakt in haar stoel en staarde naar de poster die onder een tekening van een vrolijk gekleurde ballon de 'Banenplan-workshop' aanprees en mogelijke kandidaten adviseerde: 'Breng je jacht op een baan naar een hoger plan'.

Het was alsof ze met nietsziende ogen zat te kijken, dacht Wexford. Ze zag eruit alsof ze met een voorhamer apathisch was geslagen, alsof ze geen gedachten meer had, geen rancune voelde, alleen maar volslagen wanhoop. Vandaag was Kelly niet bij haar, het kleine meisje dat over de stoelen had gerend en de tijdschriften had verscheurd. Waarschijnlijk bij een andere moeder of bij een buurvrouw ondergebracht, en hopelijk niet in zo'n dagverblijf waar kinderen in wandelwagentjes werden vastgebonden en voor video's met vernietigende monsters werden neergeplant. Maar liever dat, dacht hij, dan dat ze alleen werden gelaten. De vrouw stak meedogenloos af tegen het knappe, goed verzorgde meisje dat twee lege stoelen verderop zat. Het prototype van een dochter uit het gegoede middenstandsmilieu, vanaf het lange, glanzende goudblonde haar dat even gelijkmatig neerhing als een zorgvuldig gezoomd gordijn, tot de blauwe spijkerrok en de bruine lage schoenen. Een soort Melanie Akande, dacht Wexford, ook iemand die net was afgestudeerd en had ontdekt dat je daardoor niet automatisch een baan kreeg...

'Kan ik u helpen?'

Hij draaide zich om. De man was rond de veertig. Hij had een rood gezicht, zwart haar en grove gelaatstrekken. Hij zag eruit alsof zijn bloeddruk te hoog was. Op zijn grijze tweedjasje was het insigne met zijn naam en functie gespeld: Mr C. Leyton, Manager. Hij had een irritante, raspende stem en het accent van ergens ten noorden van de Trent.

'Wilt u dat we apart gaan zitten?'

Leyton vroeg het alsof hij verwachtte dat het antwoord 'nee' of 'nee, doet u geen moeite' zou zijn.

'Ja,' zei Wexford.

'Waar gaat het over?' Hij vroeg het over zijn schouder terwijl hij Wexford voorging langs de balies en de hokjes voor Nieuwe Aanvragen.

'Dat kan wel wachten tot we in uw kantoor zijn.'

Leyton haalde zijn schouders op. Een zwaargebouwde man met een kogelrond gezicht die bij de deur geposteerd stond, stapte opzij toen ze dichterbij kwamen. Het Bureau Uitkeringen had dringender behoefte aan bewaking dan de meeste banken, en voor zijn geüniformeerde collega's was het een nachtmerrie. Wanhoop, paranoia, woede, angst en vernedering waren broeinesten van geweld. En de meeste mensen die hier kwamen waren kwaad of bang.

Nogal laat na hun ontmoeting zei de manager: 'Ik ben Cyril Leyton.' Hij sloot de deur achter zich. 'Wat is er aan de hand?'

'Niets, hoop ik. Ik wil van u weten of een bepaalde... eh cliënt hier afgelopen dinsdag een van uw medewerkers heeft gesproken in verband met een eerste aanvraag tot uitkering. Dinsdag, zes juli om halfdrie.'

Leyton tuitte zijn lippen en trok zijn wenkbrauwen op. Hij zag eruit als een directeur van een inlichtingendienst aan wie net door een schoonmaker of chauffeur om inzage in geheime dossiers was gevraagd.

'Ik vraag niet om schriftelijke gegevens,' zei Wexford ongeduldig. 'Ik wil alleen maar weten of ze hier is geweest. En dan wil ik graag de consulent spreken met wie ze een afspraak had.'

'Tja, ik...'

'Meneer Leyton, dit betreft een politioneel onderzoek. U weet waarschijnlijk dat ik binnen een paar uur een machtiging kan krijgen, dus waarom zouden we de zaak langer ophouden dan nodig is?'

'Wat is haar naam?'

'Melanie Akande. A.K.A.N.D.E.'

'Als ze hier dinsdag is geweest,' zei Leyton met tegenzin, 'dan moet het nu in de computer staan. Ik zal even kijken.'

Zijn hele optreden was kil, afwijzend en nors. Wexford vermoedde dat zijn grootste plezier in het leven bestond uit het dwarszitten van anderen. Wat voor effect zou hij op uitkeringsaanvragers hebben? Misschien zag hij die nooit, misschien was hij daar 'te hoog' voor (om de woorden van Laurette Akande te gebruiken). Alles in het kantoortje was grijs, ook de dossierkasten langs de muren. Er stond net zo'n grijze stoel als in de wachtruimte en een klein, grijs, metalen bureau met daarop een grijze telefoon. Hierbij leek het uitzicht buiten van een bonte kleurenpracht, hoewel het alleen maar de achterkant van Marks and Spencers was waar de boodschappen ingeladen konden worden. Cyril Leyton kwam weer binnen met een map waarin papieren met een elastiekje bij elkaar werden gehouden.

'Uw mevrouw Akande is hier om halfdrie voor haar afspraak gekomen met een ES 461. Dat is het formulier om...'

'Ik weet wat het is,' zei Wexford.

'Goed. De AC die ze gesproken heeft – dat wil zeggen de aanvrageconsulent – was juffrouw Bystock, maar die kunt u nu niet spreken, want die heeft zich ziek gemeld.' Leyton kwam even een centimeter uit de plooi. 'Een van die virussen.'

'Als ze ziek is, hoe weet u dan dat Melanie Akande met juffrouw Bystock heeft gesproken en niet met meneer Stanton?'

'Kom nou toch. Haar initialen staan op het formulier. Ziet u wel?'

Terwijl hij demonstratief het vel met z'n hand bedekt hield, met uitzondering van de hoek rechtsonder, liet Leyton de met potlood geschreven initialen zien: A.B.

'Heeft iemand anders haar gezien? Een van de andere AC's of medewerkers?'

'Niet dat ik weet. Waarom zouden ze?'

Wexford viel scherp uit: 'Dat moet u mij niet vragen. Het heeft geen enkele zin om tegen te werken.'

Leytons mond ging open, maar er kwam geen geluid uit.

'Meneer Leyton, het is strafbaar om de politie bij het uitoefenen van haar functie tegen te werken. Wist u dat? Melanie Akande wordt vermist. Sinds ze dit gebouw heeft verlaten is ze niet meer thuis geweest. Dit is een heel ernstige zaak. Ik neem aan dat u de krant leest? Dat u televisie kijkt? Weet u wat er in deze wereld omgaat? Hebt u hoe dan ook enige reden om dit onderzoek dwars te zitten?'

De man werd nog roder. Hij zei langzaam: 'Dat wist ik niet. Dan zou ik... werkelijk, ik had geen flauw idee.'

'U bedoelt dat de manier waarop u mij behandelt uw gewone manier van doen is?'

Leyton antwoordde niet. Toen scheen hij zich weer onder controle te krijgen. 'Het spijt me. Ik sta onder enorme druk. Is... is er iets gebeurd? Met die vrouw?'

'Daar probeer ik achter te komen.' Wexford haalde de foto te voorschijn. 'Wilt u deze aan uw medewerkers laten zien?'

Deze keer wachtte hij buiten die bedompte kamer. Hij dacht aan een regel uit het gezang: 'Broze kinderen van stof...' Die kamer leek wel een cel die uit stof was opgebouwd. Hij keek naar de andere posters, naar een die werkprocessen bepleitte, wat dat ook wezen mocht, en een die aan werkgevers vroeg: 'Kiest u altijd de juiste persoon om uw vacature te vervullen?' Hij besloot zijn tijd maar zo goed mogelijk te vullen door een van de foldertjes te lezen die her en der verspreid lagen.

Een ervan was opvallend toepasselijk. Op het voorblad stond: 'Pas op. Wees voorzichtig wanneer je op banenjacht gaat'. Binnenin las hij: 'WAT JE WEL MOET DOEN: Zeg tegen een vriend(in) of familielid waar je naartoe gaat en wanneer je weer terug denkt te zijn... Laat je afhalen van het sollicitatiebezoek wanneer dat na werktijd plaatsvindt... Probeer zoveel mogelijk te weten te komen van het bedrijf voordat je er gaat solliciteren, vooral wanneer in de advertentie geen nadere bijzonderheden staan... Zorg

dat je zeker weet dat het gesprek gehouden wordt in het bedrijfs-
pand zelf, en anders in een openbare gelegenheid. WAT JE NIET
MOET DOEN: Ingaan op een aanbod dat veel geld belooft voor
weinig werk... Het sollicitatiegesprek voortzetten bij een borrel
of een etentje, hoe prettig het ook verloopt... Ingaan op persoonlijke vragen die niets met de baan te maken hebben... Een lift
naar huis aannemen van degene met wie je het gesprek hebt gehad...'

Melanie was geen baan aangeboden en ze was ook niet gaan solliciteren – of wel? Cyril Leyton kwam terug met de vrouw die
het insigne droeg met Ms I. Pamber, admin. medewerker. Het
was een knap, donkerharig meisje van achter in de twintig, met
prachtige blauwe ogen. Ze droeg een grijze rok met een roze
blouse. Het was Wexford opgevallen dat niemand hier een spijkerbroek aanhad, iedereen was keurig en nogal ouderwets gekleed.

'Ik heb dat meisje gezien, het meisje dat u zoekt.'
Wexford knikte. 'Hebt u haar gesproken?'
'O, nee, dat niet. Ik zat achter de balie. Ik zag alleen dat ze naar
voren kwam en met Annette heeft gepraat... eh juffrouw Bystock.'
'Weet u nog hoe laat dat was?'
'Nou, ze had een afspraak om halfdrie, en niemand krijgt meer
dan vijftien minuten. Het zal dus wel kwart voor drie of zoiets
geweest zijn.'
'Alleen als juffrouw Bystock haar op tijd heeft kunnen ontvangen. Was dat zo? Of moest ze een halfuur wachten?'
'Nee, dat kan bijna niet. De laatste afspraak van een consulent is
om kwart over drie. En ik weet dat Annette na haar nog twee af-
spraken had.'
Dus Laurette Akande had het verkeerd gezien. Hij vroeg Leyton
het adres van Annette Bystock. Terwijl de manager weg was om
het op te zoeken, vroeg hij: 'Hebt u haar het gebouw zien verlaten? Hebt u haar door die deuren zien gaan?'
'Ik heb alleen maar gezien dat ze met Annette zat te praten.'
'Bedankt voor uw hulp, juffrouw Pamber. Tussen twee haakjes,

hoe komt het dat iedereen hier Ms en Mr met alleen achternaam en initialen op z'n naambordje heeft staan? Het lijkt me nogal formeel in een tijd dat iedereen elkaar bij de voornaam noemt.'

'O, dat heeft niets met formaliteit te maken,' zei ze. Ze had een charmante manier van doen, vond hij, warm, en een heel klein beetje flirterig. 'Ik heet Ingrid. Niemand noemt me juffrouw Pamber, niemand. Maar ze zeggen dat we daardoor beter beschermd zijn.'

Ze keek door haar lange donkere wimpers naar hem op. Nooit eerder had hij zulke blauwe ogen gezien, gentiaanblauw, Delftsblauw, saffierblauw.

'Dat kan ik even niet volgen.'

'Nou ja, de meeste cliënten geven geen problemen, ik bedoel, die zijn gewoon aardig. Maar soms heb je er gekken bij... weet u wel? Ooit hebben we hier iemand gehad die een of ander zuur in Cyrils gezicht heeft gegooid – meneer Leyton bedoel ik. Hij heeft hem niet geraakt, maar hij heeft het toch maar geprobeerd. Weet u dat niet meer?'

Wexford wist zich vaag iets te herinneren, hoewel hij rond die tijd met verlof was geweest.

'Hopelijk doen de meeste mensen dat soort dingen niet. Maar als we naam en toenaam op onze naambordjes dragen, dus zeg maar "Ingrid Pamber", dan zouden ze ons in het telefoonboek kunnen opzoeken en... nou ja, misschien dat je iemand krijgt die denkt dat hij verliefd op je is of iemand die je haat, wat veel meer voor de hand ligt. Wij hebben een baan, en zij niet, daar gaat het natuurlijk allemaal om.'

Wexford vroeg zich af hoeveel 'I. Pambers' in het telefoonboek van het Kingsmarkham-district zouden voorkomen. Niet meer dan een, vermoedde hij. Niettemin was het een verstandige veiligheidsmaatregel om de voornamen geheim te houden. Het kwam bij hem op dat heel wat mensen zich zouden inbeelden dat ze verliefd waren op Ingrid Pamber.

Zijn oog viel op een andere poster. Deze waarschuwde nooit geld te betalen aan mensen die aanboden werk voor je te zoeken. Het systeem scheen nogal wat misbruik uit te lokken.

Met het adres van Annette Bystock op zak liep hij de deur uit en de stoeptreden af. In het halfuur dat hij binnen was geweest waren er wat jonge mensen op de stenen balustrade gaan zitten. Twee van hen zaten te roken, de anderen staarden afwezig in het niets. Ze namen geen notitie van hem. Op het trottoir lag een ES 461, het veelkleurige vragenformulier. Het lag opengeslagen op bladzijde drie. Toen Wexford zich bukte om het op te rapen zag hij dat die weerzinwekkende vraag vier – 'Indien u de afgelopen twaalf maanden niet hebt gewerkt, hoe hebt u uw tijd dan doorgebracht?' – was beantwoord. In een nauwkeurig handschrift was in de daartoe bestemde ruimte geschreven: 'Me afgetrokken'.

Hij moest erom lachen. Hij probeerde in Melanie Akandes voetstappen te treden nadat ze uit het ASB-gebouw was gekomen. Volgens Ingrid Pamber had ze ruimschoots tijd gehad om de bus van kwart over drie naar Myringham te halen, en naar de bushalte was het niet meer dan vijf minuten lopen.

Wexford nam de tijd op terwijl hij naar de dichtstbijzijnde bushalte liep. Voor dit soort dingen bleek je altijd minder tijd nodig te hebben dan verwacht, want hij deed er geen vijf minuten over, maar drie. Toch had ze niet een eerdere bus kunnen nemen. Hij bestudeerde de dienstregeling in het raamwerk waarvan het glas gedeeltelijk vernield was. De bussen gingen om het uur, na het eerste kwartier. Dus ze had nog minstens twintig minuten moeten wachten.

Het was meestal op dit soort momenten dat vrouwen een lift accepteerden. Had zij dat ook gedaan? Hij zou aan haar ouders vragen of ze ooit wel eens gelift had. Eerst maar afwachten wat Vine te melden had over zijn bevindingen in Myringham. Intussen kon hij hier in de buurt navragen of iemand haar had gezien. Bij de stomerij werd hij niet veel wijzer. En vanuit de slijterij kon je nauwelijks naar buiten kijken, omdat de etalage was volgestouwd met flessen en blikjes. Hij ging de kiosk van Grover's binnen vanwaar hij al jarenlang zijn krant bezorgd kreeg. Zodra ze hem zag, begon de vrouw achter de toonbank zich te verontschuldigen dat de krant de laatste tijd zo laat in de bus kwam.

Wexford onderbrak haar en zei dat het hem niet was opgevallen, en ook dat hij niet kon verwachten dat een schooljongen of -meisje elke ochtend voor dag en dauw opstond om hem om halfacht zijn *Independent* te bezorgen. Hij liet haar de foto zien.

Het was in hun voordeel dat Melanie Akande zwart was. In een stadje waar heel weinig zwarte mensen woonden, zouden ze haar kennen of ooit wel eens gezien hebben, ook al hadden ze haar nooit gesproken. Dinny Lawson, de kioskhoudster, kende haar van gezicht, maar voorzover ze wist was Melanie nooit in haar winkel geweest. En wat de wachtenden bij de bushalte betrof: soms lette ze erop en dan weer niet. Bedoelde Wexford dinsdagmiddag? Nou, één ding wist ze wel zeker, en dat was dat er toen helemaal niemand, geen zwarte en geen blanke, op de bus van kwart over drie naar Myringham had staan wachten. Niemand.

'Hoe weet u dat zo zeker?'

'Dat zal ik u zeggen. Mijn man zei laatst tegen me, ik geloof dat het zaterdag of zondag was, hij zegt: het is me een raadsel dat ze die bus 's middags nog laten rijden wanneer er nooit iemand opstapt. Ja, 's morgens wel, vooral de achtuurvijftien en de negenuurvijftien, en die aan het eind van de middag zitten ook tjokvol. Ik zeg: ik ga er toch eens op letten. Nou goed, we hebben de winkeldeur de hele week open gehad, want het was om te stikken zo heet, maar ik kon het zelfs zien zonder naar de deur te hoeven lopen. Hij had gelijk: niemand die de tweevijftien, de drievijftien of de viervijftien heeft genomen. Maandag niet, dinsdag niet en gisteren niet. Mijn man zei dat hij er vijf pond om wilde verwedden, maar gelukkig ben ik er niet op ingegaan...'

Dus ergens tussen het banenbureau en de bushalte was ze verdwenen. Nee, 'verdwenen' was te sterk uitgedrukt – nu nog wel. Wat ze haar ouders ook gezegd mocht hebben, misschien was ze helemaal niet van plan geweest om die bus te nemen. Misschien had ze met iemand afgesproken na haar afspraak met de aanvrageconsulent.

Bestond er in dat geval de mogelijkheid dat ze hierover iets tegen Annette Bystock had gezegd? Wie weet was Annette Bystock een van die warme, hartelijke persoonlijkheden die tot vertrouwelijkheid uitnodigde, tot confidenties die geen duidelijk verband hielden met de kwestie die aan de orde was. Het was heel goed mogelijk dat Annette haar had gevraagd of ze die dag beschikbaar was voor een sollicitatiegesprek en dat Melanie had gezegd dat dat niet ging omdat ze met haar vriend had afgesproken...

Of er was helemaal geen afspraak met een vriend geweest, waren er geen confidenties geweest, maar had Melanie een lift naar Myringham van een vreemde aangenomen? Tenslotte had Dinny Lawson niet gezegd dat er de hele middag niemand in de buurt van de bushalte was geweest. Ze had alleen gezegd dat niemand op de bus was gestapt toen die arriveerde.

Dora had de gewoonte aangenomen om enorme hoeveelheden voedsel voor extreem uitgebreide maaltijden te bereiden wanneer hun dochter met haar gezin kwam eten. Haar echtgenoot had erop gewezen dat Neil en Sylvia ondanks hun werkloosheid niet aan de bedelstaf waren en ook niet van droog brood hoefden te leven, maar dat had weinig uitgehaald.

Die avond kwam hij net op tijd thuis om deel te nemen aan het voorgerecht van wortel-sinaasappelsoep, gevolgd door gesmoorde lamsniertjes, spinazie en ricottakaas in bladerdeeg, nieuwe aardappeltjes en flageolets. De dessertlepels op tafel wezen op de komst straks van die zeldzame luxe die nooit werd opgediend wanneer ze met z'n tweetjes waren: pudding.

De bleke, spichtige Neil at gigantische porties, alsof het voedsel hem troost gaf. Toen Wexford aan tafel aanschoof, was Neil zijn schoonmoeder over het mislukte bezoek aan het arbeidsbureau aan het vertellen. Hij kon geen uitkering krijgen omdat hij zelfstandig was geweest voor hij werkloos raakte.

'Wat maakt dat nou uit?' vroeg Wexford.

'O, dat heeft hij me tot in de puntjes uitgelegd. Als zelfstandige heb ik in de twee belastingjaren voorafgaand aan het belastingjaar dat ik een uitkering aanvraag niet de sociale lasten volgens code O afgedragen.'

'Maar je hebt ze wel betaald?'

'Jawel, maar niet volgens code O. Dat heeft hij me ook uitgelegd.'

'Wie was het?' vroeg Wexford. 'Juffrouw Bystock of meneer Stanton?'

Neil keek hem stomverbaasd aan. 'Hoe weet jíj dat?'

'Daar heb ik zo mijn methodes voor,' zei Wexford raadselachtig, maar liet er direct op volgen: 'Ik moest daar vanochtend voor iets anders zijn.'

'Het was Stanton,' zei Neil.

Wexford vroeg zich ineens af waarom Sylvia er zo zelfgenoegzaam bij zat. Omdat ze bang was om aan te komen had ze alleen van de niertjes gegeten en niet van het gevulde bladerdeeg. Ze legde nu haar mes en vork in een keurige diagonaal over haar bord. Een glimlachje deed haar mondhoeken omkrullen. Ben en Robin vroegen om meer aardappelen.

'Alleen als jullie ze ook allemaal opeten.'

'*Problem yok*,' zei Robin.

'En wat nu? Ze moeten toch iets voor je doen.'

'Sylvia krijgt een uitkering, geloof het of niet. Ze werkte dan wel parttime, maar net lang genoeg om ervoor in aanmerking te komen. Dus zij krijgt uitkering voor zichzelf, voor mij en de jongens.'

Nadat ze Ben streng had vermaand behoorlijk te kauwen en niet te schrokken, zei Sylvia met onverholen triomf: 'Ik moet me eens in de twee weken op dinsdag melden. Op dinsdag is het van A tot K, op woensdag van L tot R en op donderdag van S tot Z. Ik krijg geld voor ons allemaal. Bovendien betalen zij de hypotheek. Neil vindt het vreselijk, hè Neil? Die had liever gezien dat ik ergens ging schoonmaken.'

'Dat is niet waar.'

'Het is wel waar. En ik kan jullie zeggen dat ik het heerlijk vind. Hoe denk je dat ik me voel na al die jaren dat mijn echtgenoot eerst zegt dat ik nooit een baan kan krijgen en toen ik die wel had, dat mijn salaris de moeite van het werken niet waard was omdat alles toch op zou gaan aan de belasting?'

'Dat heb ik nooit gezegd.'

'Het is een *fantastisch* gevoel,' zei Sylvia, Neil negerend. 'Dat hele stel is nu van míj afhankelijk. Al dat geld, en het is heel wat, wordt aan mij persoonlijk uitbetaald. Daar staat-ie nou met z'n seksistische, arrogante...'

'Ze betalen de hypotheek niet,' onderbrak Neil haar. 'Je geeft een totaal verkeerde voorstelling van zaken. Ze betalen de *rente* op de hypotheek, en die betalen ze totdat een bepaald plafond is bereikt. We zullen dat huis moeten verkopen.'

'Dat zullen we niet.'

'Natuurlijk wel, we hebben geen keus. We verkopen het en nemen een twee-onder-een-kap aan Mansfield Road, als we ons zoiets al kunnen veroorloven. Dora, die pudding is heerlijk, een schot in de roos. Je maakt de situatie er heus niet beter op, Sylvia, door met een zootje leugens je gelijke rechten als vrouw te willen bewijzen.'

Ben zei: 'Je weet dat mannen adamsappels hebben, hè?'

Hem in stilte dankend voor de afleiding, zei Wexford dat hij dat inderdaad wist, dat vermoedelijk iedereen dat wist.

'Ja, maar je weet niet waarom ze zo genoemd worden, hè? Wedden van niet? Dat komt omdat toen de slang de appel aan Eva gaf, zij hem helemaal kon doorslikken, maar in Adams keel bleef een stuk hangen en daarom steekt er bij mannen...'

'Als dat geen grof seksisme is dan weet ik het niet meer. Eet je die aardappelen nog op of niet, Robin?'

'*No pasa nada.*'

'Ik weet niet wat dat betekent,' zei Sylvia geïrriteerd.

'Kom nou, mam, kun je dat niet raden?'

Na bedankt te hebben voor pudding en koffie liep Wexford de gang in om brigadier Vine te bellen.

Het had Barry Vine veel tijd gekost voordat hij Euan Sinclair had gevonden. Hij was nog maar net terug uit Londen. Na het eten zou hij zijn rapport schrijven. Morgen om negen uur had Wexford het op zijn bureau.

'Vertel even in het kort,' zei Wexford.

'Dat meisje was er niet.'

Vine was eerst naar het adres gegaan dat dokter Akande had op-gegeven. Dat was een groot Victoriaans huis in het East End van Londen, dat bewoond werd door drie generaties van de familie Sinclair en Lafay. Een oude grootmoeder sprak een onbegrijpelij-ke versie van het plaatselijke dialect, hoewel ze daar al dertig jaar verbleef. Er woonden drie dochters van haar in het huis en vier kleinkinderen. Euan was een maand of drie geleden verhuisd.

Met een diepgaand wantrouwen jegens de politie stond de vrouw hem te woord met een soort laconieke achterdocht. Euans moeder Claudine, die de parterre bewoonde met haar partner, die de vader was van haar twee jongste kinderen, Samuel Lafay heette hij, die tevens de broer was van de ex-man van de oudste dochter...

'Ja, schiet nou maar op,' zei Wexford.

Het was duidelijk dat Vine ervan genoot over de complexe ver-houdingen binnen deze merkwaardige familie uit te weiden. Hij scheen een heerlijke dag te hebben gehad. Nadat ze hem de reto-rische vraag had gesteld waarom ze hem iets over haar zoon zou moeten vertellen – hij was een aardige, keurig nette en respecta-bele man, een echte intellectueel – had Claudine Sinclair of La-fay hem naar een flat in Whitechapel verwezen. Dit bleek de wo-ning te zijn van een meisje dat Joan-Anne heette, de moeder van Euan Sinclairs dochter. Joan-Anne wilde Euan nooit meer zien; al kwam hij met een miljoen aanzetten, ze zou er geen cent van aannemen voor de opvoeding van Tasha, al ging hij voor haar op z'n knieën liggen; ze had nu een goeie man die nog nooit een dag van z'n leven werkloos was geweest. Ze had Vine een adres in Shadwell gegeven waar Sheena woonde ('arme stakker, ze laat hem gewoon over d'r lopen') die de moeder van Euans zoon was. Euan leefde van een uitkering, zei Sheena. Hij moest zich altijd op donderdag melden. Daarna ging hij meestal met een paar vrien-den het café in, maar hij kwam wel weer opdagen, nee, ze wist echt niet hoe laat. Nee, Vine kon niet op hem wachten, dat ging echt niet. Vine kon zien dat zijn aanwezigheid haar nerveus maakte, misschien in verband met de buren. Sommige mensen wisten op de een of andere manier altijd een politieman te herkennen en dan

47

zouden ze erop letten hoe lang Vine in Sheena's flat was geweest. Al die tijd schreeuwde Euans zoon in de kamer ernaast de longen uit z'n lijf. Sheena ging even naar hem kijken en kwam terug met een knap, boos jongetje dat al te groot leek om door z'n miniatuurachtige moeder in de armen te worden gehouden.

'O, stil nou toch, Scott, stil nou toch,' zei ze steeds maar weer en tevergeefs. Scott brulde naar haar en naar de bezoeker. Vine vertrok en kwam om vier uur terug.

Sheena en haar zoon waren nog steeds met z'n tweeën. Scott was nog met tussenpozen aan het krijsen. Nee, Euan was nog niet teruggeweest. Haar opbellen? Hoe bedoelde hij, haar opbellen? En waarom? Vine gaf het op. Sheena gaf Scott een zakje zuurtjes en zette hem voor een video van wat *Miami Vice* scheen te zijn. Toen Scott tot bedaren was gekomen, vroeg Vine haar naar Melanie Akande, maar het was duidelijk dat ze nooit van haar had gehoord. Terwijl Vine aan het doorvragen was, kwam Euan Sinclair binnen.

Euans uiterlijk deed Vine aan Linford Cristie denken: groot, knap en broodmager. Hij had heel kort haar, dat net een week was aangegroeid nadat hij volledig was kaalgeschoren, vermoedde Vine. Hij had die typisch gracieuze gang van de jonge zwarte man: alle beweging kwam vanuit de heupen, terwijl het bovenlijf vrijwel bewegingloos en rechtop bleef. Maar wat Vine verrast had, was z'n stem. Geen creools Engels dat een generatie was opgeschoven, geen cockney uit East End, maar eerder kostschool-Engels.

Half schertsend en half serieus zei Wexford: 'Dus je bent niet alleen een racist maar ook nog een snob, Barry.'

Vine ontkende het niet. Hij zei dat hij de indruk had dat Euan Sinclair zich had aangeleerd om zo te praten, om welke reden dan ook. Opeens was het bij hem opgekomen dat Euan in bijzijn van Sheena zou ontkennen dat hij Melanie kende.

'Daar zou ik nou het eerst aan gedacht hebben,' zei Wexford.

'Maar dat deed hij niet. Dat was het gekke. Ik kon zien dat zij nergens van af wist en dat ze dat niet zo leuk vond. Zo te zien interesseerde hem dat geen bal.'

Hij had Melanie de vorige week nog gezien, tijdens de diploma-uitreiking in Myringham. Ze hadden een praatje gemaakt en voor de komende dinsdag in Myringham afgesproken. Op dat punt gekomen zat Sheena hem met afgrijzen aan te staren. Melanie zou naar het feestje van Laurel Tucker gaan, zei Euan, en hij zou er ook zijn.

Vine vroeg waar ze hadden afgesproken en Euan noemde een pub in Myringham. Rond vier uur. De Wig and Ribbon in High Street was open van elf uur 's ochtends tot elf uur 's avonds. Ze was niet komen opdagen, hoewel Euan tot halfzes had gewacht. Op dat moment zag hij een kennis van hem die ook aan de Universiteit van Myringham was afgestudeerd. Ze waren samen naar een andere pub gegaan, daarna ergens anders heen, waarna Euan bij z'n vriend op de vloer van diens kamer was blijven slapen.

Sheena kon zich niet langer beheersen. 'Tegen mij zei je dat je bij je oma was.'

Op een toon waarmee wordt vastgesteld dat het buiten regent, zei hij tegen haar: 'Dan heb ik dus gelogen.'

Sheena liep met grote stappen naar de deur. Net voor ze die achter zich wilde sluiten, riep Euan: 'Je kunt me maar beter niet met hem alleen laten. Ik ben niet zo'n goeie babysitter. Dat is vrouwenwerk, ja?'

'Ik ga het nog even checken bij die knaap over wie hij het had,' zei Vine, 'maar ik geloof hem. Hij gaf me zonder een spier te vertrekken naam en adres van die vent.'

'Het ziet ernaar uit dat Melanie nooit in Myringham is aangekomen,' zei Wexford. 'In High Street in Kingsmarkham is ze kennelijk van haar doel afgeleid. Op ongeveer honderd meter trottoir. We moeten zien uit te vinden waardoor.'

4

De familie Tucker, Laura en Glenda Tucker, hun vader en stief-
moeder, had weinig te zeggen dat niet bekend was. Ze wilden absoluut niet 'ergens bij betrokken raken'. Het was inderdaad zo
dat Laurel had verwacht dat Melanie die namiddag van de zesde
juli zou komen, en ze vond het niet leuk toen duidelijk werd dat
ze niet kwam opdagen. Maar echt verbaasd had het haar nou ook
weer niet. Ze hadden tenslotte ruzie gehad.
De brigadier uit Myringham die haar ondervroeg, zei: 'Ruzie
waarover?'
Tijdens de diploma-uitreiking was Laurel getuige geweest van de
ontmoeting tussen Melanie en Euan Sinclair en had ze die twee
samen zien vertrekken. Melanie belde haar de volgende dag op,
zei dat ze erover dacht het weer bij te leggen met Euan, dat hij
eenzaam was, dat hij sinds ze uit elkaar waren met niemand meer
was omgegaan, en ze zei dat ze hem dinsdag naar Laurels feestje
zou meebrengen. Dat wil ik niet, had Laurel gezegd, ik mag hem
niet. Het verbaast me niks dat hij geen ander heeft gevonden –
wie zou hem willen? Melanie zei dat als Euan niet naar het feestje mocht komen zij ook niet kwam, en toen hadden ze ruzie gekregen.
'Tegen haar ouders heeft ze gezegd dat ze wel naar dat feestje
ging,' zei Burden tegen Wexford. 'Ze zou eerst naar het huis van
de Tuckers gaan en vanaf daar naar dat feestje.'
'Nou ja, je kon moeilijk verwachten dat ze tegen haar ouders zou
zeggen dat ze met die Euan had afgesproken. Ze kunnen hem
niet luchten of zien, ze hebben geen goed woord voor hem over.
Haar moeder is een type om rekening mee te houden, die had
haar dochter desnoods opgesloten. Op dat moment was Melanie
kennelijk niet van plan naar dat feest te gaan. Ze hield zich aan
haar woord en ging er niet naartoe omdat Euan niet welkom
was. Ze zou hem ontmoeten in de Wig and Ribbon en ze was

ongetwijfeld van plan die nacht bij hem te blijven.'

'Goed, maar waar dan? Toch niet bij die Sheena thuis. En mensen van die leeftijd huren toch geen hotelkamers, wel?'

Wexford lachte. 'Nee, niet als ze van een BU moeten rondkomen.'

'De wat?'

'Bijstandsuitkering. Als Melanie daar al over heeft nagedacht, dan zal ze verwacht hebben dat ze naar het huis van Euans moeder in Bow zouden gaan. Daar zal ze wel vaker zijn geweest. En dan zou ze de volgende dag weer thuiskomen.'

'Ongelooflijk, vind je niet?' zei Burden nadenkend. 'Ze hebben geen baan, ze leven van een eh... BU, en nog verspillen ze hun geld aan pubs en meisjes en God mag weten hoeveel aan treinkaartjes.'

'Het doet er niet toe hoeveel, Mike, want we weten dat ze niet naar Londen is gegaan, zelfs niet naar Myringham. Ze heeft Euan niet ontmoet, omdat Euan...' Wexford keek even naar Vines laatste rapport '...de avond heeft doorgebracht met ene John Varcava in de Wig and Ribbon, de Wild Goose en de Silk's Club voordat hij om drie uur 's ochtends met Varcava naar zijn kamer in Myringham is gegaan. Dat wordt allemaal bevestigd door een barkeeper, een dienster, de manager van Silk's en Varcava's hospita, die slaande ruzie met Varcava en Euan Sinclair kreeg over de herrie die ze diep in de nacht hebben gemaakt.'

'Maar wat gebeurde er dan met Melanie in die paar minuten nadat ze het uitkeringskantoor had verlaten? De laatste die ze daar volgens jou heeft gesproken was die Annette Bystock, die aanvraagconsulent. Heeft het zin om met haar te gaan praten?'

'Die had zich ziek gemeld,' zei Wexford. 'Misschien is ze intussen weer aan het werk, hoewel de meeste mensen nooit op vrijdag terugkomen, die maken de week rond. Maar wat veronderstellen we nu eigenlijk, Mike? Dat Melanie Akande tegen iemand die ze totaal niet kende iets gezegd heeft over een geheime afspraak? Een vrouw met wie ze vijftien minuten over waarschijnlijk niets anders heeft gepraat dan over het invullen van een formulier en de vooruitzichten op een baan? En nog iets: wat voor geheime afspraak? Ze had er al eentje met Euan. En nu zou ze er nog een met een andere knaap hebben gehad, nog geen uur voordat ze met Euan had afgesproken?'

Burden haalde z'n schouders op. 'Hoor eens, het zijn allemaal jouw woorden, ik beweer helemaal niets. Mijn verbeelding is nog niet zover. Ik zeg alleen maar dat we met Annette Bystock moeten praten, met als enige reden dat zij de laatste is die Melanie...' Hij aarzelde.

'Je wilde zeggen: "in leven heeft gezien?"'

'Alleen door de genade Gods ben ik die ik ben' was een overpeinzing die Michael Burden nooit hardop zou uitspreken. Ook niet bij zichzelf wanneer hij op televisie slachtoffers van hongersnood zag, of bij het zien van al die daklozen die in Myringham op straat sliepen. Ook nu niet, toen hij het uitkeringskantoor was binnengelopen en z'n blik over de werklozen liet glijden die in hun grijze stoelen op hun beurt zaten te wachten.

Dat hij niet een van hen was, had volgens hem niets met de genade Gods te maken, dat was een kwestie van ijver, doorzettingsvermogen en hard werken. Hij was een van die mensen die aan werklozen vragen waarom ze geen baantje nemen en aan daklozen waarom ze geen huis gaan zoeken. Als hij rond 1780 in Parijs was geweest, zou hij de stakkers die om brood bedelden gezegd hebben taart te gaan eten. Nu, gekleed in z'n onberispelijke beige broek en het nieuwe beige met blauw gespikkelde linnen jasje – één ding moest hij hem nageven, zei Wexford, en dat was dat niemand hem voor een politieman zou aanzien – keek hij naar de wachtenden om zich heen en bedacht hij wat een wanstaltig kledingstuk de overall toch was. Nog net een graadje erger dan zo'n trainingspak. Het was nooit bij hem opgekomen dat dit soort kleding goedkoop was, warm bij koud en koel bij warm weer, gemakkelijk te wassen en kreukvrij was, en dat het bovendien prettig zat. Hij richtte zijn aandacht op het administratief personeel achter de bureaus om te besluiten wie hij zou aanspreken.

Jenny Burden zei van haar echtgenoot dat hij altijd eerder een man dan een vrouw zou benaderen, hij zou altijd aan een man de weg vragen, in een winkel op een mannelijke verkoper afstappen, in een trein naast een man gaan zitten. Hij had het niet prettig gevonden om dat te horen, hij zei dat het hem als een homoseksueel deed klinken, maar dat bedoelde ze helemaal niet. Op het uitkeringskantoor kon hij kiezen, want er zaten drie vrouwen en een man achter de bureaus. De man had evenwel een bruine huid en op zijn naamplaatje stond Mr O. Messaoud. Burden, die heftig ontkende dat er ook maar een greintje racisme in hem school, wees Osman Messaoud niettemin af op grond van zijn huidkleur en naam (hoewel hij zich van die overwegingen nauwelijks bewust was) en liep naar de sproetige Wendy Stowlap met het rossige haar. Ze was toevallig even vrij, en vandaar dat zijn keus op haar was gevallen, zou Burden desgevraagd als reden hebben opgegeven.

'Gaat het over dat meisje dat vermist wordt?' vroeg ze nadat hij naar Annette Bystock had gevraagd.

'Gewoon voor een paar routinevragen,' zei Burden vriendelijk. 'Is juffrouw Bystock alweer terug?'

'Ze is nog steeds ziek.'

Hij draaide zich om en botste bijna tegen Wendy Stowlaps volgende cliënt op, een grote zware vrouw in een rode overall. Ze rook sterk naar sigaretten. Ze hebben wel altijd geld om te roken, zei Burden tegen zichzelf. Twee jongens die op de stenen balustrade zaten, waren ook aan het roken. Hun voeten bungelden boven de stoeptreden, die bezaaid waren met as en sigarettenpeuken. Burden keek hen met opgetrokken wenkbrauwen streng aan. Zijn blik bleef even rusten op de zwarte jongen met het rastakapsel, een gigantische bos klitterige vlechtjes met daarop een wollen mutsje dat in gekleurde concentrische cirkels was gebreid. Hij zou het een baret hebben genoemd, net als zijn vader of zijn grootvader.

De jongens schonken geen enkele aandacht aan hem. Het was alsof zijn lichaam doorzichtig was en hun ogen dwars door hem heen naar het trottoir achter hem keken, naar de hoek waar Brook Road uitkwam op High Street. Ze gaven hem het gevoel dat hij onzichtbaar was. Hij haalde kwaad z'n schouders op en liep terug naar de auto, die hij geparkeerd had op het 'strikt verboden voor onbevoegden'-terrein van het ASB-personeel.

Het adres dat Wexford hem had gegeven was in het zuiden van Kingsmarkham. Vroeger was dat een van de duurste stadswijken geweest, waar aan het eind van de negentiende eeuw welvarende burgers grote huizen hadden laten bouwen met elk een tuin rondom van zo'n achtduizend vierkante meter. De meeste huizen stonden er nog, maar waren nu onderverdeeld en in de tuinen stonden nu nieuwe huizen en garageboxen. Ook Ladyhall Gardens was dit niet bespaard gebleven, maar de Victoriaanse huizen hier waren kleiner en onderverdeeld in twee of drie appartementen.

Iemand had nummer vijftien de pretentieuze naam Ladyhall Court gegeven. Het was een huis met een puntgevel dat opgetrokken was uit de 'witte' baksteen die aan het eind van de negentiende eeuw hier zo in trek was geweest. Een haag van roodbruine esdoorns maakte het grootste deel van de benedenverdieping onzichtbaar vanaf de weg. Burden vermoedde dat elke verdieping uit twee appartementen bestond, waarbij de twee aan de achterkant via een zijdeur toegankelijk waren. Bij de bel voor de bovenverdieping hing een kaartje met: John en Edwina Harris, en bij die voor de flat daaronder: A. Bystock.

Toen hij bij op nummer Een geen gehoor kreeg, belde hij aan bij Harris. Ook daar werd niet thuis gegeven. De voordeur had een slot aan de bovenkant, een slot in het midden en een koperen deurkruk die nu zwart was uitgeslagen. Op goed geluk probeerde Burden de kruk en tot zijn verrassing – en afkeuring – ging de deur open.

Hij kwam in een gang met gekruld pleisterwerk aan het plafond en meedogenloos moderne vinyltegels op de vloer. De trap had een ijzeren leuning en grijze marmeren treden. Er was maar één deur, die donkergroen was met in wit het cijfer 1 erop geschilderd. De klopper was van koper, net als de deurkruk, maar glanzend gepoetst, en de belknop blonk als goud.

Burden belde aan en wachtte. Misschien lag ze in bed. Ze was ziek tenslotte. Hij luisterde of hij geluiden hoorde, voetstappen of het kraken van vloerplanken. Hij belde opnieuw. De kleine deurklopper had weinig effect en maakte een wanhopig geluidje, als een kind dat de aandacht probeert te trekken.

Waarschijnlijk wilde ze gewoon niet opendoen. Als hij ziek in bed lag en alleen thuis was en er zou onverwacht worden aangebeld, dan zou hij ook niet opendoen. Er zou natuurlijk iemand een oogje op haar houden, misschien een van de buren, die zou dan ook wel de sleutel hebben.

Hij knielde neer en keek door de brievenbus. Binnen zag het er nogal donker uit, donkerder dan in de gang. Geleidelijk kon hij door de smalle rechthoek een portaal met vast rood tapijt onderscheiden en een penanttafeltje waarop een verguld mandje met droogbloemen stond.

Hij stond op, belde opnieuw, sloeg het kloppertje tegen de deur, ging op zijn hurken zitten en riep door de opening: 'Juffrouw Bystock!' en nog harder: 'Juffrouw Bystock! Bent u thuis?'

Hij riep haar nog een laatste keer en liep toen naar buiten, langs de zijkant van het huis, en duwde de esdoorntakken opzij die met hun leerachtige bladeren alles zo donker maakten. Dit raampje zou wel van de keuken zijn, en dit van de badkamer. Hier waren geen esdoorns, maar tot het middel reikende guldenroede aan beide kanten van een betonnen oprit. Achter het laatste raam bij de zijdeur waren de gordijnen gesloten. Om de een of andere reden keek hij achter zich, alsof hij dacht dat hij werd gadegeslagen. Aan de overkant van de straat, vanuit een eind-negentiende-eeuws huis met een kleine voortuin, stond iemand vanachter een bovenraam naar hem te kijken. Een gerimpeld, fronsend, starend gezicht dat er even oud uitzag als het huis.

Burden wendde zich weer naar het raam. De gesloten gordijnen kwamen hem een beetje vreemd voor. Hoe ziek zou ze zijn? Zo ziek dat ze tot ver in de ochtend in een verduisterde kamer moest slapen? De gedachte kwam bij hem op dat ze misschien helemaal niet ziek was, dat ze zich van haar werk gedrukt had en ergens heen was gegaan.

Het zou hem niet hebben verbaasd als de oude gluurder bij het raam naar beneden was gekomen, de weg was overgestoken en hem op z'n schouder had getikt. Half in die verwachting draaide hij zich weer om. Maar het gezicht was er nog steeds, de gelaatsuitdrukking onveranderd en zo volstrekt bewegingloos dat Burden zich even afvroeg of het wel echt was, en niet een of andere imitatie, een houten masker van een dreigend starende waarnemer die daar door de bewoners was neergezet zoals sommige mensen een kat van beschilderd spaanplaat in hun tuin zetten om echte katten af te schrikken.

Maar dat was onzin. Hij ging op zijn hurken zitten en probeerde tussen de gordijnen te kijken, maar de kier was te smal, niet meer dan een miniem streepje. Onverschillig voor wat de gluurder aan de overkant mocht denken, knielde hij op het beton en probeerde hij onder de gordijnzoom door te kijken. Tussen de onderkant van het gordijn en het raamkozijn was een opening van misschien iets meer dan een centimeter.

Het was nogal donker binnen. Hij kon weinig zien, aanvankelijk helemaal niets. Daarna, toen zijn ogen gewend waren aan het donkergrijze interieur, kon hij de hoek van een tafel onderscheiden, een toilettafel waarschijnlijk, de gewreven houten poot van een of ander meubelstuk op blauw tapijt, en een stukje gebloemde stof dat de grond raakte. En een hand. Een hand die uit die met lelies en rozen bedrukte stof afhing, een witte, onbeweeglijke hand met gespreide vingers.

Die zou wel van porselein zijn, of van gips of plastic. Hij kon niet echt zijn. Of misschien was hij wel echt en sliep ze. Maar hoe kon ze zijn doorgeslapen na al zijn geschreeuw? Bijna onwillekeurig sloeg hij met zijn knokkels tegen het raam. De hand bewoog niet. De eigenaar van de hand sprong niet met een kreet overeind.

Burden rende het huis weer in. Waarom had hij nooit een slot leren opensteken? Voor alle mannen en vrouwen op zijn werk zou dit slot kinderspel zijn geweest. In films gaven deuren al mee als je er even je schouder tegen zette. Hij moest altijd meewarig lachen als hij op tv acteurs tegen onwrikbare deuren zag beuken die dan direct tegen de grond gingen. En het ging ook altijd zo geruisloos. Als hij zoiets zou proberen zouden meteen de buren op het kabaal afkomen. Maar er zat niets anders op.

Hij rende met z'n schouder tegen de deur aan. Deze schudde en kraakte, maar zijn actie was pijnlijker voor hemzelf dan voor de deur. Hij wreef over zijn schouder, haalde diep adem en smeet zich opnieuw ertegenaan, en daarna nog eens. Hij begon ertegen te trappen, de deur begon hevig te steunen. Nog een trap – hij had niet meer zo geschopt sinds op het voetbalveld op school – en de deur spleet uiteen en vloog open. Hij stapte over het versplinterde houtwerk en bleef even staan om op adem te komen.

Het halletje was heel klein en kwam uit op een gang. Alle vijf de deuren waren gesloten. Burden liep naar wat hij vermoedde dat het de slaapkamer was, deed de deur open en zag een bezemkast. Daarnaast moest de slaapkamer zijn. De deur was niet helemaal dicht maar stond op een kier. Hij haalde diep adem en duwde hem open.

Het was alsof ze lag te slapen, met haar gezicht, dat schuilging onder een massa donker krullend haar, zijdelings in het kussen gedrukt. Een schouder was naakt, de andere en de rest van haar lichaam waren bedekt door het beddegoed en de gebloemde sprei. Vanaf de naakte schouder hing een nogal mollige witte arm naar beneden met de hand die hij had gezien, en die bijna de vloer raakte.

Hij raakte niets aan, niet de gordijnen, niet het beddengoed, niet het verborgen gezicht. Niets, behalve die afhangende hand. Met een vinger voelde hij aan de rug boven de knokkels. De huid voelde verstijfd aan, alsof hij bevroren was, en ijskoud.

5

Het kleine appartement was meteen overvol, met de patholoog, de fotografen en de technisch rechercheurs; ze hadden allemaal hun eigen taak en waren stuk voor stuk onmisbaar. Het werd wat beter toen de ramen waren gefotografeerd en de gordijnen konden worden opengetrokken. Nadat het lichaam was weggebracht, vertrokken ook de meeste anderen. Wexford schoof het raam open en zag de wagen met het stoffelijk overschot van Annette Bystock in de richting van het mortuarium verdwijnen.

Er zou nog een officiële identificatie moeten plaatsvinden, maar hij had haar kunnen identificeren aan de hand van het paspoort dat hij in een la van de toilettafel had gevonden. Het paspoort was volgens de laatste uitvoering. Het had het donkerrode omslag met de gouden opdruk van de Europese Gemeenschap en was net twaalf maanden eerder afgegeven. Als naam van de houder werd vermeld Bystock, Annette Mary, Brits staatsburger, geboortedatum 22.11.54. Op de foto was duidelijk de dode vrouw herkenbaar, ondanks de gevolgen van wurging die zich op haar gezicht hadden afgetekend: de zwelling, de cyanose, de tong die tussen haar tanden naar voren stak. Haar ogen waren hetzelfde. Ze had bijna met dezelfde blik van afgrijzen naar de camera gekeken als waarmee ze haar moordenaar moest hebben aanschouwd.

Ze had ronde, donkere ogen en een dichte massa donker haar die een brede omlijsting van haar gezicht moest hebben gevormd. Toen Burden haar vond had ze een roze nachthemd aangehad dat bedrukt was met een wit bloempatroon. Op de sprei had een wit wollen vest gelegen dat kennelijk als bedjasje werd gebruikt. Ze had geen ringen of oorbellen gedragen. Op het kastje links van haar bed lagen haar horloge, goud met een zwart bandje, een kostbaar uitziende gouden ring met een rode steen, waarschijnlijk een robijn, een kam, en er stond een halfleeg flesje aspirine.

Op het rechternachtkastje bevonden zich een roman van Daniel-le Steel in paperback, een pakje keelpastilles, een yalesleutel en een glas water.

Op elk kastje stond een bedlamp, een eenvoudige witte, vaasvormige voet met een geplooide blauwe kap. Die aan de rechterkant van het bed, het verst van de deur, was intact. Van de andere was een stuk van de voet afgebroken en het snoer uitgetrokken. Dit snoer, met de schakelaar er nog aan, was meegenomen nadat Pemberton het in een plastic zak had gedaan, maar toen ze de slaapkamer waren binnengekomen had het op de vloer gelegen, op enkele centimeters van Annette Bystocks afhangende hand.

'Ze is al minstens zesendertig uur dood,' had sir Hilary Tremlett, de oude patholoog, tegen Wexford gezegd. 'Ik kan preciezer zijn wanneer ik haar nauwkeuriger heb onderzocht. Even kijken, vandaag is het vrijdag. Op het eerste gezicht zou ik zeggen dat ze woensdagavond is overleden, in elk geval voor middernacht.'

Hij vertrok voordat de wagen met het lichaam uit het zicht was verdwenen. Wexford deed de slaapkamerdeur dicht.

'Een moordenaar met zelfvertrouwen,' zei hij, 'en met ervaring, zou ik zeggen. Hij moet nogal zeker van zichzelf zijn geweest. Hij hoefde niet eens een wapen mee te nemen, hij wist zeker dat hij hier iets zou vinden. Iedereen heeft wel elektriciteitssnoeren in huis, maar mocht hij toevallig niets geschikts vinden, dan zijn er nog altijd messen, zware voorwerpen of hamers.'

Burden knikte. 'Of hij kende het huis en wist wat hij hier vinden kon.'

'Moet het een hij zijn? Of ben je alleen maar niet politiek correct?'

Burden grinnikte. 'Misschien dat Tremlett daar iets meer over kan zeggen. Het wil er bij mij op de een of andere manier niet in dat een vrouw een huis binnendringt en een snoer uit een lamp trekt om iemand te wurgen.'

'Je staat bekend om je ouderwetse opvattingen over vrouwen,' zei Wexford. 'Maar hij of zij heeft niet ingebroken. Er zijn geen sporen van inbraak. Ze werden binnengelaten of hadden een sleutel.'

'Dus iemand die ze kende?'

Wexford haalde z'n schouders op. 'Het kan als volgt zijn gegaan. Ze voelde zich dinsdagavond niet lekker, ging naar bed, voelde zich de volgende ochtend nog beroerder, dus ze belde het uitkeringskantoor om te zeggen dat ze niet zou komen en daarna belde ze een kennis of een van de buren om te vragen wat boodschappen voor haar te doen. Moet je hier kijken.'

Burden volgde hem naar de keuken. Die was te klein om er een tafel neer te zetten, maar links op het smalle aanrecht stond een kartonnen kruideniersdoos van ongeveer twintig bij dertig centimeter. De boodschappen die erin zaten waren kennelijk niet aangeraakt. Bovenop lag een bon van de supermarkt met de datum 8 juli. In de doos zaten een pak cornflakes, twee kleine potjes aardbeienyoghurt, een pak melk, een klein volkorenbrood dat in vloeipapier was gewikkeld, een pakje voorgesneden cheddarkaas en een grapefruit.

'Dus de kennis die boodschappen voor haar heeft gedaan, heeft ze gisteren binnengebracht,' zei Wexford. 'En als die kennis overdag werkt, kwam hij waarschijnlijk gisteravond... Ja, Chepstow, wat is er?'

De man van de vingerafdrukken zei: 'Ik ben hier nog niet klaar, meneer.'

'Dan gaan we maar weer gauw.'

'Er ligt een sleutel op het nachtkastje. Waarom gaf ze die sleutel niet aan die kennis?' vroeg Burden terwijl ze Annette Bystocks woonkamer binnenliepen. 'De voordeur van dit pand was niet op slot toen ik hier kwam. Waarom zou ze die openlaten in een tijd als deze?' Als Wexford een spoor van ergernis vertoonde, dan viel het Burden niet op. 'Zo nodig je een inbreker toch gewoon uit?'

'Ze kon die kennis die sleutel niet geven als die kennis niet bij haar was, Mike. We zijn nog niet zover dat we sleutels per telefoon, radio of satelliet kunnen versturen. Als zij niet uit bed wilde komen om hem of haar binnen te laten, dan moest ze de deur wel op de klink laten. Pas wanneer hij of zij binnen was kon ze een sleutel aanreiken.'

'Maar terwijl de deur op de klink was is er iemand anders binnengekomen?'

'Daar ziet het naar uit.'

'We moeten die kennis vinden,' zei Burden.

'Ja, maar ik betwijfel of het een van de buren was. Stel dat ze woensdagochtend maar één telefoongesprek heeft gevoerd, dan kon ze twee vliegen in één klap slaan. Bovendien, Mike, wie zijn onze meeste vrienden en kennissen? Dat zijn meestal mensen met wie we op school hebben gezeten of gestudeerd hebben of die we op het werk hebben leren kennen. Ik acht het heel waarschijnlijk dat degene die de yoghurt en de grapefruit is komen brengen bij het uitkeringskantoor werkt.'

'Karen en Barry zijn nu de buren aan het ondervragen, maar de meesten zijn aan het werk.'

Wexford had bij het raam gestaan maar keerde zich nu om en keek de kamer rond. Hij keek naar Annette Bystocks wandversieringen: een aardige maar niet opzienbarende pentekening van een windmolen en een kleurige aquarel van een regenboog boven groene heuvels; hij keek naar de ingelijste foto's, een in zwart-wit van een ongeveer driejarig meisje in een jurkje vol plooitjes en strookjes en met witte sokjes aan, een van een man en een vrouw in een tuin in een buitenwijk, de vrouw met pijpenkrullen en in een strak om het middel zittende jurk met een lange rok, de man in pullover en een slobberige grijze broek. Haar moeder toen ze nog klein was, vermoedde Wexford, en haar ouders toen ze pasgetrouwd waren.

Het meubilair bestond uit een geverniste salontafel, een nogal nutteloos uitziende etagère, een boekenkast waarin een paar boeken stonden en waarvan de middelste planken in beslag werden genomen door porseleinen beestjes. Op de onderste planken stonden een twintigtal cd's en een stuk of twintig cassettes. Met uitzondering van de rode vaste vloerbedekking was bijna alles van een nogal saai bruin en beige. Haar ouders hadden waarschijnlijk ook een beige woonkamer en een blauwe slaapkamer. Niets in het interieur wees erop dat Annette nog betrekkelijk jong was geweest, nog geen veertig; niets dat conventies doorbrak, niets dat ook maar zweemde naar iets avontuurlijks.

'Waar is de televisie?' vroeg Wexford. 'Waar is de video? Geen radio, geen cassetterecorder, geen cd-speler? Helemaal niets van dat soort dingen?'

'Nee, gek. Misschien had ze die niet, misschien had ze zo'n soort fundamentalistische overtuiging over dat soort dingen. Nee, wacht eens even, ze heeft cd's... Zie je die tafel daar? Die met die twee etages? Denk je niet dat daarbovenop een tv heeft gestaan en daaronder een video?'

De sporen waren te zien. Een rechthoek van stof in het bovenste tafelblad en een iets grotere daaronder.

'Zo te zien heeft de inbreker haar uitnodiging aanvaard,' zei Wexford. 'Wat zou ze nog meer gehad kunnen hebben? Een computer misschien? Een magnetron? Ook al zou ik niet weten waar die in dat keukentje gestaan kan hebben.'

'En voor die dingen is ze vermoord?'

'Dat kan ik me niet voorstellen. Als de indringer haar had gedood vanwege haar bezittingen, dan zou hij ook het horloge en de ring hebben meegenomen. Die ring lijkt me nogal kostbaar.'

'Misschien zijn de tv en de video ergens in reparatie gegeven.'

'Natuurlijk, dat kan. Alles kan. Tot dusver is er maar één geval van een geslaagde zelfwurgpoging bekend, en zij kan het tweede worden. En om haar begrafenis te kunnen betalen heeft ze haar duurste spullen verkocht. Kom nou toch, Mike.'

Ze liepen terug naar de slaapkamer, die nu vrijelijk onderzocht kon worden. Wexford deed de kastdeur open. Hoewel Burden achter hem stond keek hij zonder commentaar te geven naar de kleding. Twee spijkerbroeken, twee ribfluwelen broeken, katoenen jurken, een paar niet zo heel korte minirokjes maat veertig en twee langere minirokjes maat tweeënveertig, wat erop scheen te wijzen dat Annette wat dikker was geworden. Op de planken lagen opgevouwen truien en bloesjes, allemaal even gewoon, eenvoudig en onopvallend. Achter de andere kastdeur hingen een marineblauwe winterjas, een beige regenjas, twee colbertjes, een donkerrood en een zwart. Had ze zich nooit eens opgetut, was ze 's avonds nooit eens uitgegaan of naar een feestje geweest?

Wexford legde de ring van het nachtkastje op z'n handpalm en strekte die uit naar Burden. 'Een pracht van een robijn,' zei hij. 'Die is meer waard dan alle tv's, video-plussen en cassetterecorders bij elkaar.' Hij aarzelde. 'Wie van ons tweeën zal het eerst de vraag uitspreken?'

'Die heeft op de punt van m'n tong gelegen zodra ik wist dat ze vermoord was.'

'En op de mijne.'

'Goed dan,' zei Burden. 'Bestaat er enig verband tussen de dood van deze vrouw en het feit dat zij kennelijk de laatste is geweest die Melanie Akande in leven heeft gezien?'

Edwina Harris kwam thuis terwijl ze er nog waren. Ze duwde de deur open, kwam het portaal binnen, zag dat de deur van nummer Een met gele tape was afgeplakt en stond ernaar te kijken totdat agent Karen Malahyde op haar toekwam.

'Heb ik de deur op de klink gelaten? Ik bedoel, dat doe ik altijd wanneer ik naar buiten ga, en tot dusver is er nooit wat gebeurd.' Toen ze zich realiseerde wat ze zei, zei ze: '*Is* er wat gebeurd?'

'Zullen we even naar boven gaan, mevrouw Harris?'

Karen vertelde het haar voorzichtig. Ze was geschokt, maar meer ook niet. Zij en Annette Bystock waren buren geweest, maar geen vriendinnen of zoiets. Na een paar minuten was ze genoeg hersteld om Karen te vertellen dat Annettes ouders waren gestorven en dat ze geen broers of zusters had. Ze meende dat Annette ooit getrouwd was geweest, maar meer wist ze niet van haar.

Nee, ze had de afgelopen dagen niets eigenaardigs gehoord of gezien. Ze woonde in de bovenste flat met haar man en hij had ook niets gehoord, anders zou hij het haar wel gezegd hebben. Eigenlijk wist ze niet eens dat Annette ziek was geweest. In elk geval was zij niet degene die de boodschappen had gebracht.

'Zoals ik al zei, we waren niet bevriend.'

'Hebt u vrienden van haar gezien?'

'Voorzover ik weet had ze nooit een vriend.'

'Vriendinnen, misschien?'

Edwina Harris zou het niet kunnen zeggen. Ze was één keer in de flat geweest, maar kon zich niet herinneren of Annette een tv-toestel had of niet.

'Nou ja, wie heeft er nou geen tv? In elk geval had ze een radio, zo'n kleine witte. Dat weet ik omdat ze me die heeft laten zien. Ze had er rode nagellak op gemorst die er niet meer af ging, ze vroeg hoe ze die eraf kon krijgen, en ik zei met remover, maar dat had ze al geprobeerd.'

'Er woont iemand aan de overkant,' zei Burden. Het was een beetje pijnlijk, vond hij, dat hij niet kon zeggen of het een man of een vrouw was. 'Een heel oude bejaarde,' zei hij voorzichtig, en al even tactvol: 'Die schijnen altijd alles goed in de gaten te houden. Hebben die Annette misschien gekend?'

'Meneer Hammond? Die is hier nog nooit geweest. Die is die kamer niet meer uit geweest sinds... nou, het moet nu drie jaar zijn.'

Edwina Harris was niet bereid het lichaam te identificeren. Ze had nog nooit een dode gezien, en ze wilde er nu niet mee beginnen. Annette had ergens een nicht, daar had ze het wel eens over gehad, Jane en nog wat. Die vrouw had wel eens een verjaardagskaart gestuurd en de postbode had hem in haar bus gedaan in plaats van in die van Annette. Toen ze de kaart aan Annette gaf, had Edwina Harris haar iets over de nicht horen zeggen.

Het was Wexford die haar naar de voordeur van het huis vroeg.

'Die was 's nachts altijd op slot.'

'Weet u dat zeker?'

'Nou ja, ik weet zeker dat ik hem altijd op slot deed.'

'Vind je dat niet raar?' zei Burden, toen ze naar buiten liepen. 'Je zou toch denken dat vrouwen in parterreflats slapeloze nachten hebben over indringers. Dat ze alarminstallaties hebben en tralies voor de ramen... Dat lees je toch altijd?'

'Schijn en werkelijkheid,' zei Wexford.

Iets later die dag hadden ze de nicht van Annette gevonden, een getrouwde vrouw met drie kinderen die in Pomfret woonde. Jane Winster zou naar Kingsmarkham komen om het lichaam te identificeren.

Nadat hij had gehoord wat er gebeurd was, weigerde Cyril Leyton aanvankelijk het te geloven. 'U zit me te jennen,' zei hij grof toen hij gebeld werd, en vervolgens: 'Probeert u me erin te laten lopen?' Toen hij ten slotte overtuigd was, zei hij steeds maar weer: 'Mijn God, o, mijn God...'

Morgen was het zaterdag, maar een werkdag als alle andere, zoals Wexford tegen Burden zei. Alle verloven waren ingetrokken. Burdens opmerking over vrouwen in parterreflats herinnerde hem aan de bijeenkomst die zaterdagavond in de scholengemeenschap van Kingsmarkham. Hij vroeg zich af of hij er toch bij zou kunnen zijn. Het praatje dat hij gepland had, had hij al twee keer op Vrouwen, Wees Waakzaam!-vergaderingen gehouden, en hij had er plezier in gehad. Hij zou het niet graag laten schieten, tenzij het niet anders kon, tenzij bijvoorbeeld iemand voor deze moord werd gearresteerd.

De jonge mensen – Wexford had een hekel aan het woord 'jongelui' en weigerde het ook te gebruiken – zaten nog steeds op de stenen balustrade van de stoeptreden voor het uitkeringskantoor. Misschien waren het niet dezelfden, maar voor hem zagen ze er hetzelfde uit. Deze keer nam hij hen aandachtig op zodat hij hen zou kunnen herkennen: een jongen met een geschoren schedel en met een grijs T-shirt aan; een jongen in een zwartleren jasje, een trainingsbroek en met sliertig haar dat tot een paardenstaart was gebonden; een jongen met blonde krulletjes, en een zwarte jongen met vlechtjes en zo'n gebreide muts op. Bij deze beschrijving besefte hij dat hij hetzelfde deed wat, zoals hij Burden had gezegd, racisten deden: dus in gedachten verbeterde hij zichzelf: een *jongen* met vlechtjes en een gebreide muts op.

Ze keken hem onverschillig aan, alle drie. Die met de paardenstaart keek hem helemaal niet aan. Hij verwachtte een of andere opmerking toen hij langs hen heen liep, een belediging of een sarcastische sneer, maar er gebeurde niets. Hij liep de stoeptreden op. De deuren waren gesloten, maar achter het glas kwam een jong meisje op hem aflopen die ze opendeed.

Hij had haar niet eerder gezien. Ze was klein, had een hoekig gezicht en rossig haar. Het naamplaatje op haar zwarte T-shirt vermeldde haar als Ms A. Selby, admin. medewerker. Hij groette haar en zei dat het hem speet dat hij hen na werktijd nog moest lastigvallen, maar ze was te verlegen om iets terug te zeggen. Hij volgde haar naar achteren, waar ze een deur opendeed waarop niet alleen 'Privé' stond, maar ook 'Verboden toegang'.

Zo had hij het zich niet voorgesteld. Cyril Leyton – het was duidelijk dat hij dit had georganiseerd – moest wel een gemankeerde schoolmeester zijn. De stoelen waarop normaal de wachtende cliënten zaten, waren in vijf rijen opgesteld met voor elke rij een grijze metalen tafel. Op die stoelen zat nu het personeel. Het waren meer mensen dan Wexford had verwacht. Geamuseerd maar ook met afschuw zag hij dat Leyton hen in rangorde had opgesteld: de twee afdelingschefs en de overgebleven aanvrageconsulent op de eerste rij; daarachter de administratief hoofdmedewerkers, en vervolgens de administratief medewerkers, daarachter degenen die de centrale bedienden, de postkamer en het kopieerapparaat. Op de laatste rij, uiterst links, waarschijnlijk op de meest ondergeschikte plaats, zat de veiligheidsagent met het kogelronde hoofd.

Elk personeelslid had een blocnote voor zich op tafel liggen. Het enige dat nog ontbrak, dacht Wexford, was een schoolbord – en het latje waarmee Leyton op vingers kon tikken.

De manager zag er drukbezet en gewichtig uit; hij was helemaal in z'n element nu de eerste schok voorbij was. Z'n rode gezicht glom. Sinds Wexford hem het laatst had gezien was z'n haar meedogenloos kortgeknipt, waarbij de schaar een gemeen paarsachtige uitslag op zijn nek had achtergelaten.

'Ik vertrouw erop dat iedereen aanwezig is en aandachtig luistert,' zei hij.

Wexford knikte hem even toe. Hoe belachelijk dit disciplinevertoon ook was, de blocnotes konden van pas komen. Zolang ze maar begrepen dat ze niet moesten opschrijven wat híj zei, maar dat zíj moesten opschrijven wat ze wisten.

'Ik zal proberen zo min mogelijk van uw tijd in beslag te nemen,' begon hij. 'U zult nu wel allemaal op de hoogte zijn van de gewelddadige dood van juffrouw Bystock. Om halfzeven zal onze lokale nieuwsuitzending er aandacht aan besteden en de kranten van morgen eveneens, dus er is geen reden om u te verzwijgen dat het hier om moord gaat.'

Hij merkte dat iemand onder zijn gehoor de adem inhield. Dat had Ingrid Pamber kunnen zijn, die haar ogen aandachtig op hem gericht hield, of het spichtige blonde meisje naast haar van vijfentwintig, hoewel ze niet ouder leek dan vijftien. Hij kon van die afstand haar naamplaatje niet lezen. In de rij vlak voor hem zat Peter Stanton, de andere aanvrageconsulent, als een jonge manager bij een seminar, met een lang, elegant been over het andere geslagen, enkel op de knie, ellebogen op de stoelleuningen, het hoofd achterovergebogen. Hij was heel knap, met een soort duistere, broeierige charme. Hij scheen zich best te vermaken.

'Ze werd vermoord in haar eigen huis, in Ladyhall Court aan Ladyhall Avenue. We weten nog niet wanneer. Dat zullen we pas weten wanneer de autopsie en andere vooronderzoeken zijn afgerond. Tot dan zullen we ook niet weten hoe ze is gestorven, of wanneer of waarom. Maar mensen die haar hebben gekend, kunnen hierbij van onschatbare waarde zijn. Juffrouw Bystock had weinig familie en weinig vrienden. De mensen die ze kende waren de mensen met wie ze werkte, en dat bent ú.

Een van u of meerderen onder u hebben misschien de informatie die we nodig hebben om de moordenaar van Annette Bystock te vinden en hem – of haar – voor het gerecht te brengen. Uw medewerking is van essentieel belang. Ik hoop dat u er geen bezwaar tegen hebt dat u morgen door mijn medewerkers wordt ondervraagd, hetzij bij u thuis of anders op het politiebureau van Kingsmarkham als u dat liever wilt. Mocht een van u nu iets belangrijks of dringends te zeggen hebben, ik ben het volgende halfuur in het kantoor van meneer Leyton en ik zou het op prijs stellen als u me daar die informatie zou willen aanreiken. Dank u wel.'

Terwijl ze het grijze kantoortje binnenliepen, zei Leyton gewichtig: 'Ik kan u alles vertellen wat u weten wilt. Er gebeurt hier weinig waarvan ik niet op de hoogte ben.'

'Ik heb iedereen al gezegd dat wie me wat dringends te melden heeft dat nu moet doen. Hebt u me iets te vertellen?'

Leyton werd nog roder. 'Nou, nee, niet speciaal, maar ik...'

'Hoe laat heeft juffrouw Bystock woensdag opgebeld om te zeggen dat ze niet kwam? Weet u dat?'

'Ik? Nee, dat weet ik niet. Ik ben geen telefoniste. Maar ik kan wel iemand vinden die...'

'Ja, meneer Leyton,' zei Wexford geduldig, 'natuurlijk kunt u dat, maar al het personeel zal morgen ondervraagd worden. Hebt u dat niet gehoord? Ik vraag u wat ú me kunt vertellen.'

Leyton hoefde niet te antwoorden omdat er op de deur werd geklopt. Hij ging open en Ingrid Pamber kwam binnen. Wexford, die net als de meeste mannen altijd oog had voor knappe vrouwen, had speciaal op dit meisje gelet. Hij vond haar buitengewoon aantrekkelijk, met haar frisse, gezonde uitstraling, haar glanzende donkere haar dat met een haarklem losjes naar achteren werd gehouden, haar fijne gelaatstrekken en de zachte roze en witte huid – wat zijn vader 'teint' zou hebben genoemd – haar mooie figuur, dat slank was maar verre van het anorectische ideaal van tegenwoordig. De kleding die ze droeg paste naar zijn smaak het best bij een knappe vrouw: een korte strakke rok, een nauwsluitend gebreid truitje – in dit geval van crèmekleurige katoen en met korte mouwen – laag uitgesneden schoenen met hoge hakken.

Ze wierp Wexford een bedroefde glimlach toe, bijna alsof ze lachte door haar tranen heen. Het leek heel natuurlijk, maar hem kwam het berekend voor. De kleur van haar irissen was zo sterk dat ze een blauw licht leken uit te stralen.

'Ik... ik hield een oogje op haar,' zei ze. 'Arme Annette, ik heb voor haar gezorgd.'

'Was u met haar bevriend, juffrouw Pamber?'

'Ik was haar enige vriendin.'

Ingrid Pamber zei het rustig maar met een indrukwekkend effect. Ze was tegenover Wexford gaan zitten en had met zorg haar houding gekozen, maar haar rok was zo kort dat hij zeker vijftien centimeter boven de knie opschoof. De manier waarop ze zat, met de knieën en enkels dicht tegen elkaar, scheen de benen van een vrouw op z'n best te laten uitkomen – maar van een bescheiden vrouw, niet van iemand met Hollywood-allures die het ene been over het andere slaat. Hij meende in Ingrid Pamber het soort meisje te herkennen wier seksuele aantrekkingskracht werd vergroot door weldoordachte gereserveerdheid, door discrete, bijna verlegen onthullingen. In een andere eeuw zou ze perfect met petticoats gemanipuleerd hebben om iets van de enkel te tonen of met een sjaal een glimp van haar decolleté.

'Hebt u het telefoontje van juffrouw Bystock woensdagmorgen aangenomen?'

'Ja, inderdaad. Ze had de centrale gevraagd met mij te worden doorverbonden.'

'Wat geheel tegen de regels is,' zei Leyton. 'Daar zal ik meneer Jones en juffrouw Selby over onderhouden. Ze had met mij moeten worden doorverbonden.'

'Ik heb het u toch meteen gezegd,' zei Ingrid, 'binnen dertig seconden.'

'Kan wel zijn, maar het is niet...'

'Meneer Leyton,' zei Wexford, 'ik zou graag even alleen met juffrouw Pamber willen spreken.'

'Hoort u eens, dit is mijn kantoor!'

'Dat weet ik, en ik ben u erkentelijk dat ik er gebruik van mag maken. Ik zie u straks nog wel.'

Wexford stond op en hield de deur voor Leyton open. Deze was er nauwelijks door verdwenen toen Ingrid Pamber begon te giechelen. Een van de moeilijkste dingen die er bestaat is verdriet voorwenden als we gelukkig zijn, of vrolijk doen als we verdriet hebben. Ingrid herinnerde zich te laat dat zij als Annettes enige vriendin bedroefd zou moeten zijn. Ze sloeg haar ogen neer en beet op haar lip.

Hij wachtte even en vroeg toen: 'Kunt u zeggen hoe laat ze opbelde?'

'Om kwart over negen.'

'Hoe weet u dat zo zeker?'

'Nou ja, we beginnen om halftien, en we moeten om kwart over negen binnen zijn.' Ze keek hem aan met wijdopen ogen en hij voelde de kracht van die blauwe straal. 'Ik ben de laatste tijd vaak te laat gekomen en... nou ja, ik was blij dat ik nu een keer op tijd was. Ik keek op de klok en zag dat het kwart over negen was, en op dat moment kreeg ik dat telefoontje van Annette.'

'Wat heeft ze gezegd, juffrouw Pamber?'

'Dat ze dacht dat ze een virus had, dat ze zich beroerd voelde en niet zou komen, en of ik het tegen Cyril wilde zeggen. En ze vroeg of ik een pak melk voor haar wilde meenemen als ik uit m'n werk kwam, meer had ze niet nodig, ze kon toch niets eten. Ze zei dat ze de deur op de klink zou laten. Het is het soort deur met een kruk, net als bij een binnendeur, weet u wel?'

Wexford knikte. Dus dit was de kennis over wie ze gespeculeerd hadden.

'Ik zei dat ik dat zou doen, en op het moment dat ik de hoorn op de haak legde, belde er een man op die naar haar vroeg. Hij heeft zijn naam niet gezegd maar ik wist wie het was.' Ze keek hem even tersluiks aan. 'In elk geval zei ik dat ze ziek thuis was.'

'En hebt u haar de melk gebracht?'

'Ja, ik was om ongeveer halfzes bij haar.'

'Lag ze in bed?'

'Ja. Ik had even willen blijven om wat te kletsen en zo, maar ze zei dat ik niet te dichtbij moest komen om niet aangestoken te worden. Ze had een boodschappenlijstje voor de volgende dag gemaakt en dat heb ik meegenomen. Ze zei dat ze me de volgende morgen op het werk zou bellen.'

'Heeft ze dat gedaan?'

'Nee, maar dat maakte niet uit.' Ingrid Pamber scheen zich totaal niet bewust van de betekenis van deze woorden. 'Ik had het lijstje, dus ik wist wat ze nodig had.'

'En ze had u een sleutel gegeven?'

'Ja, inderdaad. Ik heb de boodschappen gehaald, cornflakes en grapefruit en zo, en ben daar gisteravond rond dezelfde tijd langs geweest. Ik heb alles in de doos gelaten. Ik dacht dat zij het wel weg zou zetten.'

'U bent niet bij haar gaan kijken?'

'Gisteravond? Nee. Ik hoorde helemaal niets, dus ik dacht dat ze slaapt.'

Hij bespeurde iets van schuld in haar stem. Ze mocht dan een vriendin zijn geweest, maar gisteravond had ze niet naar Annette omgekeken, ze had haast gehad, dus had ze de doos met boodschappen in de keuken gedeponeerd en was vertrokken zonder in de slaapkamer te kijken... Of was dat helemaal niet zo?

'Dus toen u woensdagavond de flat verliet had u een sleutel en hebt u de deur niet op de klink gelaten, maar achter u op slot gedaan?'

'O ja.'

Wat waren haar ogen blauw! Ze schenen steeds blauwer te worden, als neon, als pauwenogen, terwijl ze ernstig in de zijne staarden. 'Dus toen u donderdagavond terugging, gisteravond, was de deur op slot en hebt u uzelf met de sleutel binnengelaten?'

'O ja, absoluut.'

Hij sneed een ander onderwerp aan. 'Ik neem aan dat juffrouw Bystock televisie had? En een video?'

'Ja.' Ze keek verrast. 'Ik weet nog wanneer ze de video heeft gekocht. Dat was rond de kerstdagen.'

'Toen u daar woensdag en gisteravond was, hebt u toen de televisie gezien?'

Ze aarzelde. 'Ik weet het niet, ik... ik weet wel dat ik hem woensdag heb gezien. Annette vroeg me de gordijnen dicht te doen voor ik wegging. Ze wilde de gordijnen dicht hebben omdat ze bang was dat het tapijt door de zon zou verschieten. Gek, hè? Daar had ik nog nooit van gehoord. Nou ja, ik heb ze dichtgedaan en toen zag ik de tv en de video.'

Hij knikte. 'En gisteren?'

'Ik weet het niet, ik heb er niet op gelet.' Te veel haast, dacht Wexford, naar binnen, naar buiten, zo snel mogelijk. Iets in zijn blik scheen haar te raken. 'U wilt toch niet zeggen... dat ze toen dood was, dat ze toen al dood was... Dat meent u toch niet!'

'Ik vrees dat het wel zo is. Het heeft er alle schijn van.'

'O God, en ik wist het niet. Als ik naar binnen was gegaan...'

'Dat zou niets uitgemaakt hebben.'

'Ze... ze hebben haar toch niet voor een tv en een video ver-moord?'

'Het zou niet de eerste keer zijn.'

'Arme Annette. Ik voel me afschuwelijk.'

Waarom had hij duidelijk de indruk dat ze zich helemaal niet af-schuwelijk voelde? Ze zei de gebruikelijke woorden op de ge-bruikelijke toon en haar gezicht vertoonde de daarbij gebruike-lijke uitdrukking. Maar die ogen dansten van leven, vitaliteit en geluk.

'Wie was de man die voor haar opbelde?'

Ze loog weer. Het verbaasde hem dat ze dacht dat hij het niet merkte. 'O, gewoon een kennis, een van haar buren, geloof ik.'

'Wie was het, juffrouw Pamber?' vroeg hij.

Ze keek hem recht in de ogen. 'Ik weet het niet. Echt waar, ik weet het eerlijk niet.'

'Net wist u nog wie het was en nu weet u het niet? Ik zal het u morgen nog eens vragen.'

Het licht in haar ogen was uitgegaan. Hij zag haar opstaan, de kamer uitlopen, waarna een verontwaardigde Leyton weer bin-nenkwam. Ze had heel wat afgelogen, dacht hij, en hij wist nog precies het moment wanneer het was begonnen: dat was toen hij voor het eerst het woord 'sleutel' had uitgesproken. Hij keek uit het grijze kantoortje naar het parkeerterrein van Marks and Spencers, naar een lichtgroene boodschappenzak waar de zomer-wind mee speelde. Een vrouw was bezig papieren zakken uit een winkelwagentje in haar kofferbak te zetten. Ze was van hetzelfde type als Annette: donker, stevig, maar toch met een slank pos-tuur en prachtige benen. Waarom had Ingrid gelogen over de man die had opgebeld? Waarom had ze gelogen over de sleutel? En in welk opzicht had ze gelogen?

Ze was dood geweest toen Ingrid donderdagavond in de flat kwam. Ingrid had de deur achter zich op slot gedaan. Wie had hem dan die nacht van het slot gedaan voordat Burden arriveer-de?

6

Wie een baan had en elke dag naar z'n werk kon, had geboft. Barry Vine vroeg zich af of hij daar een paar jaar geleden ook zo over zou hebben gedacht. Maar tegenwoordig was het zo, dat viel niet te ontkennen. Hij was verbaasd toen hij ontdekte dat de bewoners van Flat Drie en Flat Vier in Ladyhall Court allemaal werk hadden.

De Greenalls echter waren de afgelopen week niet naar hun werk gegaan. Ze waren op vakantie geweest en ongeveer vijf uur na de ontdekking van het lichaam van Annette thuisgekomen. De bewoner van Flat Vier, Jason Partridge, een advocaat die net zes maanden geleden de examens van de Law Society had doorstaan, woonde daar nog maar een paar weken en kon zich niet herinneren Annette ooit te hebben gezien.

Aan de overkant van Ladyhall Gardens stond een oud huis dat in drie flats was onderverdeeld, evenals drie bungalows van rode baksteen op een terrein waar zes huizen als het oude waren afgebroken. De nieuwe zouden helemaal in de stijl van de jaren negentig worden opgetrokken: een combinatie van een gotisch, met hout beschoten huis naast een huis van baksteen dat grensde aan een Georgiaans huis van pleisterwerk. Alle daken zouden verschillende niveaus hebben en alle ramen andere vormen. Tot dusver stonden er alleen de fundamenten, de onderbouw en achttien meter hoge muren. Dat beperkte het aantal bewoners dat uitzicht had op Ladyhall Court tot die van de bungalows en het oude huis.

Het was zaterdag, dus de bewoners van de bungalows waren thuis. Vine sprak met een jong stel, Matthew Ross en zijn vriendin Alison Brown, maar geen van beiden had die avond van zeven juli ook maar uit het raam gekeken. Ze wisten niets van Annette Bystock en konden zich niet herinneren haar ooit te hebben gezien.

Het huis ernaast werd bewoond door twee vrouwen: Diana Graddon, half in de dertig, en Helen Ringstead, die twintig jaar ouder was. Mevrouw Ringstead was eerder een onderhuurder dan een vriendin. Diana Graddon had daar zonder haar bijdrage niet kunnen wonen, zei ze openhartig, hoewel de huur door de sociale dienst werd betaald sinds ze haar baan was kwijtgeraakt. Vroeger had ze Annette goed gekend. Eigenlijk was zij het geweest, toen ze zo'n tien jaar geleden op Ladyhall Avenue was komen wonen, die Annette erop attent had gemaakt dat aan de overkant van de straat een flat te koop stond.

'Maar we zijn elkaar uit het oog verloren,' zei Diana Graddon. 'Eerlijk gezegd heeft ze me nooit meer aangekeken. Ik weet niet waarom. Raar eigenlijk, we woonden tegenover elkaar, maar sinds ze hier is komen wonen wilde ze niets meer van me weten.'

'Wanneer hebt u haar voor het laatst gezien?'

'Dat moet maandag zijn geweest. Afgelopen maandag. Ik zou een paar dagen weggaan. Ik zag haar van haar werk thuiskomen terwijl ik op de bus stapte. We groetten elkaar, maar we hebben elkaar niet gesproken.'

Ze was die donderdagmorgen weer thuisgekomen.

Helen Ringstead zei dat ze er nooit op lette wie er over straat liep.

Het gerimpelde gezicht dat Burden even had geassocieerd met een masker of een uit spaanplaat gesneden figuur behoorde toe aan een zevenentachtigjarige man die Percy Hammond heette. Het was niet drie, maar vier jaar geleden dat hij voor het laatst de trap van zijn flat op de eerste verdieping was afgekomen. De meeste dagen bleef hij in zijn slaapkamer, die uitkeek op Ladyhall Avenue. Zijn maaltijden werden gebracht door tafeltje-dek-je en twee keer in de week kwam er hulp. Hij was al dertig jaar weduwnaar, zijn zoons waren gestorven en de enige die hij op de wereld had was de huurster van de parterrewoning die, hoewel ze tachtig was en blind, elke dag de trap opliep om hem te bezoeken.

Zij was het die Burden had binnengelaten. Nadat ze zichzelf had voorgesteld als Gladys Prior, twee keer zijn naam had gevraagd en hem die vervolgens had laten spellen, was ze met zekere tred voor hem uit de trap opgelopen, terwijl ze meer uit gewoonte dan om steun te zoeken haar hand op de trapleuning hield. Percy Hammond zat in een stoel bij het raam de lege straat in te staren. Het gezicht, dat er van dichtbij nogal dinosaurusachtig uitzag, keerde zich naar Burden en de eigenaar zei: 'Ik heb u ergens eerder gezien.'

'Nee, Percy, dat kan niet, je vergist je. Dit is een politierechercheur die inlichtingen komt vragen. Hij heet Burden, inspecteur Burden, B.U.R.D.E.N.'

'Ja, ja, ik was niet van plan hem te schrijven. En toch heb ik hem eerder gezien. Wat weet jij daar nou van? Je kan zelf niet eens zien.' Deze hardvochtige opmerking scheen mevrouw Prior eerder te amuseren dan te kwetsen. Ze giechelde en ging zitten. 'Waar heb ik u gezien?' zei Percy Hammond. 'En wanneer heb ik u gezien?'

'Gisterochtend, aan de over...' begon Burden, maar hij werd in de rede gevallen.

'Ja, vertel mij wat. Weet u niet wat een retorische vraag is? Ik weet wie u bent. U probeerde in dat huis in te breken, gisterochtend. Tien uur was het, hè? Of was het tegen elven? Ik ben niet meer zo goed in tijden als vroeger. Of inbreken, laten we zeggen dat u naar binnen stond te kijken.'

'Natuurlijk was hij niet aan het inbreken, Percy. Hij is van de *politie*.'

'Jij gelooft ook alles, Gladys. Inspecteur B.U.R.D.E.N. stond door de gordijnen naar onze moord te kijken.'

Zo kon je het ook uitdrukken, al was het nogal cru.

'Dat is waar, meneer Hammond. Maar ik wil graag van u weten of u behalve mij nog iemand anders hebt gezien. U zult wel heel veel uit het raam kijken, hè?'

'Altijd en eeuwig, de godganse dag,' zei mevrouw Prior.

'En 's avonds?' vroeg Burden.

'Het is 's avonds nog licht rond deze tijd van het jaar,' zei Percy Hammond met pretlichtjes in zijn halfdichte ogen. 'Het wordt pas donker tegen tienen, en tegen vieren wordt het weer licht. Meestal ga ik om tien uur naar bed en kom ik er om halfvier weer uit. Langer slaap ik niet op mijn leeftijd. En als ik niet in bed lig, dan zit ik bij het raam, mijn wachtplaats. Weet u wat Mizpah betekent?'

'Eerlijk gezegd niet,' zei Burden.

'De wachtplaats die uitkeek over de Syrische Hoogvlakte. Jonge broekies als jullie kennen je bijbel niet, doodzonde. Dit raam hier is mijn Mizpah.'

'En hebt u de afgelopen twee avonden of nachten iets op de... eh Syrische Hoogvlakte gezien, meneer Hammond?'

'Gisternacht niet, maar de nacht daarvoor...'

'Twee katers die aan de deur kwamen kloppen!' kraaide mevrouw Prior, gierend van het lachen.

Percy Hammond negeerde haar. 'Er kwam een jonge knaap uit Ladyhall Court. Ik had hem nooit eerder gezien, hij woonde daar niet. Iedereen die daar woont ken ik van gezicht.'

'Hoe laat was dat ongeveer?'

'Bij het aanbreken van de dag,' zei Percy Hammond. 'Vier uur. Misschien wat later. Toen zag ik hem weer, ik zag hem naar buiten komen met zo'n groot, draadloos apparaat.'

'Draadloos apparaat!' zei Gladys Prior. 'Ik mag dan blind zijn, maar ik ga wel met m'n tijd mee. Dat noemen ze televisies en radio's.'

'Hij ging weer naar binnen en kwam terug met iets in een doos. Ik kon niet zien wat hij ermee deed. Als hij een auto had, moet hij die om de hoek hebben geparkeerd. Ik dacht bij mezelf: die helpt iemand verhuizen, hij wil vroeg klaar zijn voordat de verkeersdrukte op gang komt.'

'Kunt u hem beschrijven, meneer Hammond?'

'Hij was jong, van uw leeftijd ongeveer. En ongeveer net zo lang als u. Hij leek eigenlijk wel wat op u. Het was erg schemerig, weet u, de zon was nog niet op. Op dat uur ziet alles er nog donker en grijs uit. Ik zou niet kunnen zeggen wat voor kleur haar hij had...'

'Hij is wel eens in de war,' zei mevrouw Prior.

'Niet waar, Gladys. Zoals ik zei, het was ongeveer halfvijf of vijf uur, en ik zie hem naar buiten komen, naar binnen gaan en met die doos naar buiten komen. Jonge knaap van misschien vijfentwintig of dertig, zeker een meter tachtig lang, op z'n minst een meter tachtig.'

'Zou u hem herkennen als u hem zag?'

'Natuurlijk. Mij ontgaat niets. Het mag dan donker zijn geweest, maar ik zou hem direct herkennen.'

Percy Hammond keek Burden aan met de kin op de borst, neergetrokken mondhoeken, de dreigende blik die zijn normale gezichtsuitdrukking was, en met een intense gloed in zijn hagedissenogen.

'Vrouwen, leer jezelf te verdedigen', begon de tekst van het programmaboekje. 'Kom luisteren naar wat experts jullie kunnen leren over zelfbewustzijn. In de auto, op straat als het donker is, in huis. Weet je wat je moet doen als je op straat wordt aangevallen? Kun je jezelf beschermen als je auto het onderweg laat afweten? Kun je jezelf tegen verkrachting verdedigen?'

Het somde de sprekers op: Hoofdinspecteur R. Wexford van de afdeling recherche van het hoofdbureau van Politie te Kingsmarkham spreekt over 'Misdaad op straat en bij u thuis'; politieagent Oliver Adams over 'Alleen en veilig in de auto'; politieagente Clare Scott, afdeling seksueel geweld, over 'Veranderde houding t.a.v. aangifte van verkrachting'; de heer Ronald Pollen, zelfverdedigings- en judo-expert met zwarte band, zal aan de hand van een boeiende video spreken over 'Hoe je terug kunt vechten'. Het publiek zal worden uitgenodigd om vragen te stellen die door het team zullen worden beantwoord. Organisatie: mevr. Susan Riding, Kingsmarkham Rotary Club voor Vrouwen. Voorzitster: mevr. Anouk Khoori.

'Heb jij wel eens van die vrouw gehoord die Anouk Khoori heet? Eigenaardige naam, lijkt wel Arabisch.'

Zonder aarzelen zei Dora: 'O Reg, luister je wel eens naar me? Ik heb je uitvoerig verteld dat ze voor het Vrouweninstituut over het leven van vrouwen in de Verenigde Arabische Emiraten zou komen praten.'

'Zie je wel? Ik had gelijk, ze is Arabisch.'

'Nou, zo ziet ze er anders niet uit. Ze is blond en heel knap, een beetje opzichtig. Heel rijk, denk ik. Haar echtgenoot bezit een grote winkelketen, Tesco of Safeway of zoiets. Nee, die niet, Crescent, bedoel ik. Je kent ze wel, je ziet ze als paddestoelen uit de grond schieten.'

'Bedoel je die supermarkten vlak langs de snelweg die eruitzien als paleizen uit duizend-en-één-nacht? Met al die puntbogen en manen op het dak? Wat kan zij te vertellen hebben dat vrouwen tegen verkrachting of beroving moet beschermen? Dat ze een sluier moeten dragen?'

'Ach, ze is hier alleen maar omdat ze zichzelf bekend wil maken. Zij en haar man hebben een enorm huis laten bouwen waar vroeger Mynford Old Hall stond. Ze heeft zich kandidaat gesteld voor de gemeenteraadsverkiezingen. Ze zeggen dat ze graag het parlement in wil, maar dat lukt haar natuurlijk nooit, ze is niet eens van Engelse afkomst.'

Wexford haalde z'n schouders op. Hij wist het niet en het kon hem ook niet schelen. Hij zag verschrikkelijk op tegen wat voor hem lag, wat hem straks te doen stond en wat hij het liefst vermeden zou hebben. Op weg daarnaartoe had hij met Burden in de Olive and Dove afgesproken om wat te drinken, maar daarna – het kon niet langer worden uitgesteld – de Akandes.

De Olive was tegenwoordig de hele dag en avond geopend. Je kon er om negen uur 's morgens een cognacje gaan drinken als je zin had, en verrassend veel bezoekers van het Europese vasteland hadden dat kennelijk. In plaats dat je om halfdrie halsoverkop naar buiten werd gegooid, kon je nu de hele middag en avond doordrinken tot de Olive om twaalf uur 's nachts eindelijk z'n deuren sloot. Het was tien over elf toen Wexford er aankwam en Burden aantrof aan een tafeltje buiten, in de schaduw.

Er waren bijna te veel tonnen, vaten, vazen en hangende mandjes die uitpuilden van de fuchsia's, geraniums en hoe al die andere bloemen ook mochten heten. Maar ze waren allemaal reukloos. Het rook hier naar uitlaatgassen en naar de rivier, die door de droogte een lage waterstand had en schuimde van de algen. Er waren een paar gele bladeren op het tafeltje gevallen. Veel te vroeg voor een tijd als juli, maar alvast een waarschuwing dat de herfst onvermijdelijk zou komen.

Burden had een kroes Adnams genomen die de Olive een kruik noemde. 'Voor mij hetzelfde,' zei Wexford. 'Nee, wacht, doe maar een Heineken. Ik kan wel wat van die Hollandse moed gebruiken.' Toen hij ermee terugkwam, zei Burden: 'Die oude man heeft beslist iemand gezien. Vanaf daar wordt het zicht niet door bomen belemmerd. Hij heeft de dief van de tv en de video gezien.'

'Maar niet Annettes moordenaar?'

'Niet als het halfvijf in de ochtend was. Toen was Annette al vijf uur dood. Hij zegt dat hij hem weer zou herkennen. Aan de andere kant beweert hij dat de man die hij gezien heeft van ongeveer mijn leeftijd en lengte was en vervolgens dat hij tussen de vijfentwintig en dertig jaar was.' Burden sloeg z'n ogen bescheiden neer. 'Natuurlijk was het nogal donker.'

'Dat moet haast wel, meneer Dorian Gray.'

'Ja, lach me maar uit, maar als deze figuur op mij lijkt dan komen we misschien wat verder.'

'We zoeken een moordenaar, Mike, geen inbreker.' Omdat de zon iets was opgeschoven, zette Wexford zijn stoel in de schaduw. 'Dus, waar komt Melanie Akande in dit verhaal voor?'

'We hebben niet naar haar lichaam gezocht.'

'Waar zou je beginnen, Mike? Hier in High Street? In de kelders van het uitkeringskantoor? Als dat tenminste een kelder heeft, wat ik betwijfel. Op de spoorlijn van de intercity naar Londen?'

'Ik heb met die schooiers gesproken, je weet wel, de jongens die voor het uitkeringskantoor rondhangen. Ze zijn er altijd en het zijn bijna altijd dezelfde. Wat trekt ze daar zo aan? Ze hoeven zich maar eens in de twee weken te melden, maar ze zitten er elke dag. Het zou wat anders zijn als ze naar binnen gingen om een baan te zoeken.'

'Misschien doen ze dat ook wel.'

'Ik geloof er niks van. Ik vroeg of ze dat zwarte meisje ooit gezien hadden. Weet je wat ze zeiden?'

Wexford deed er een gooi naar. '"Ik zou het niet weten, zou kunnen."'

'Precies. Dat is exact wat ze hebben gezegd. Ik heb geprobeerd hun hersens terug te laten werken tot afgelopen dinsdag. Correctie: wat bij zulk soort mensen voor hersens doorgaat. Als je dat gezien had, dat *denkproces* bedoel ik. Net alsof drie stokoude mannetjes zich iets probeerden te herinneren. Het ging ongeveer als volgt: "Ja, nou, yeah man, dat was die dag dat ik eh... vroeg was, weet je wel, vanwege m'n ouwe, weet je..." mompel, mompel, krab op hoofd, en dan zegt een andere: "Nee man, helemaal fout man, dat was dinsdag want ik zeg nog van..."'

'Ja, laat maar.'

'Die zwarte met dat soort vlechten, nou ja, zeg maar klitten, die is het ergst. Die praat alsof hij dement is. Je weet dat suikerziekte voorkomt bij zowel kinderen als bejaarden? Nou, wist je ook dat kinderen Alzheimer kunnen krijgen?'

'Je wilt zeggen dat ze niets over haar wisten te vertellen?'

'Geen letter. Op die stoep had je een meisje kunnen ontvoeren door drie monsters uit *Jurassic Park* en ze zouden het niet gezien hebben. Het enige dat ik te weten ben gekomen, is dat die ene met die paardenstaart *denkt* dat hij op *maandag* een zwart meisje aan de overkant van de straat heeft zien staan. Ik zal je eens wat zeggen, we zullen niemand vinden die Melanie gezien heeft toen ze het uitkeringskantoor uitliep. Anders hadden we het nu moeten weten. Het enige dat we hebben is het verband tussen haar en Annette Bystock.'

'Maar wat is het verband precies, Mike?'

'Ik weet niet wat het "precies" is. "Precies" is datgene waarvoor Annette werd vermoord, om haar tot zwijgen te brengen. Dat ligt toch voor de hand? Melanie heeft haar iets verteld voor ze dinsdagmiddag vertrok, en wat het ook was, ze werd door iemand gehoord. De enige andere mogelijkheid is dat er een afspraak werd gemaakt die volgens de moordenaar van de twee meisjes tegen elke prijs moest worden voorkomen.'

'Je bedoelt dat iemand in het uitkeringskantoor heeft meegeluisterd, iemand die daar werkt.'

'Of een cliënt,' zei Burden.

'Maar wat viel er mee te luisteren? Waar ging het over?'

'Dat weet ik niet, en voor ons onderzoek is het ook niet van primair belang. Waar het om gaat is dat wie hen ook afgeluisterd heeft, er bang door geworden is, nee, veel meer dan dat, dat hij of zij voelde dat z'n leven erdoor in gevaar kwam. Melanie moest sterven. En omdat zij het geheim had doorverteld, moest de vrouw aan wie ze het verteld had eveneens sterven.'

'Wil je er nog een? Eentje om moed te scheppen voordat we ze gaan opzoeken?'

'*We*?'

'Jij gaat mee.' Wexford ging hun drankjes halen. Toen hij ermee terugkwam, zei hij: 'Als iemand mij een diep geheim wil toevertrouwen wil ik altijd eerst een aanwijzing hebben waar het over gaat. Ik zou een voorbeeld willen horen. Ik wil altijd voorbeelden horen zoals je weet.'

Ze waren niet langer alleen op het terras. Een aantal klanten van de Olive had de frisse lucht verkozen. Een Amerikaanse toerist met een camera posteerde de overige leden van zijn gezelschap aan een tafeltje onder een parasol en begon kiekjes van hen te nemen. Wexford verschoof z'n stoel opnieuw.

'Neem nou die man met wie ze had afgesproken,' zei Burden. 'Ik bedoel, misschien heeft ze Annette wel gezegd hoe hij heette.'

'Had ze een afspraak met *een andere* man? Dat hoor ik voor het eerst. Was dat een blanke-slavinnenhandelaar of zo?'

Burden keek hem oprecht verward aan. 'Een wat?'

'Dat is kennelijk van voor je tijd. Heb je daar echt nog nooit van gehoord?'

'Niet dat ik weet.'

'Die term moet uit het begin van deze eeuw dateren, misschien wat later. Een blanke-slavinnenhandelaar was een soort pooier die meisjes aanleverde voor prostitutie in het buitenland.'

'Hoezo "blank"?'

Wexford voelde dat hij op gevaarlijk terrein kwam. Hij bracht de 'kruik' naar zijn lippen en op datzelfde moment ging het flitslicht af. De fotograaf – niet dezelfde – zei iets dat op 'bedankt' leek en dook de Olive weer in.

'Omdat ze dachten dat slaven altijd zwart waren. Nog niet eens zo lang na de afschaffing van de slavernij in de Verenigde Staten werden meisjes tegen hun wil – moet ik aannemen – als slavinnen verkocht om slavenarbeid in het buitenland te verrichten, maar dan in bordelen. Vooral Buenos Aires schijnt op dat gebied nogal populair te zijn geweest. Zullen we eens opstappen? Akandes spreekuur zal nu wel voorbij zijn.'

Dat was het inderdaad en hij was weer thuis. De afgelopen dagen hadden hem ouder gemaakt. Iemands haar kan niet binnen een paar dagen grijs worden van angst of shock, wat al die bakerpraat ook mag beweren, en dat van Akande was nog hetzelfde als het op woensdag was geweest: zwart met een tikje grijs aan de slapen. Het was zijn gezicht dat grijs was geworden; het was getekend en ingevallen, alles aan zijn gezicht was scherper geworden. 'Mijn vrouw is op haar werk,' zei hij, terwijl hij hen de woonkamer binnenliet. 'We proberen zo gewoon mogelijk verder te leven. Mijn zoon heeft ons gebeld vanuit Maleisië. We hebben hem niets gezegd, het leek ons weinig zinvol om z'n reis te bederven. Hij zou zeker naar huis zijn gekomen.'
'Ik weet niet of u daar goed aan hebt gedaan.' Wexford zag iets wat hij niet eerder had opgemerkt: een ingelijste foto van het hele gezin. Deze stond op de boekenkast en was kennelijk een studio-opname, want hij was geposeerd en nogal formeel: de kinderen waren in het wit gekleed en Laurette Akande in een laag uitgesneden blauwe zijden jurk met gouden sieraden. Ze zag er schitterend uit en bepaald niet als een verpleegster. 'Hij had ons misschien kunnen helpen. Misschien heeft zijn zuster hem in vertrouwen genomen voordat hij wegging.'
'Waarover in vertrouwen genomen, meneer Wexford?'
'Misschien dat er behalve Euan Sinclair nog een andere man in haar leven was.'
'Ik weet zeker dat die er niet was.' De dokter ging zitten en hield Wexfords blik vast met de zijne. Het was een manier van aankijken die een ander nogal kon verwarren. Wexford had het al opgemerkt toen hun rollen waren omgedraaid, toen hij nog de patiënt was en de ander de alleswetende raadgever, toen ze tegen-

over elkaar hadden gezeten aan het bureau van de arts en Akandes zwarte, doordringende ogen diep in de zijne hadden gekeken. 'Ik weet zeker dat ze nooit een andere vriend dan Euan heeft gehad. Behalve dan... ik weet niet goed hoe ik dit moet zeggen...'

'Wat, dokter Akande?'

'Ziet u... mijn vrouw en ik zien niet graag dat Melanie het aanlegt met een... nou ja, een blanke jongen. O, ik weet ook wel dat alles met de dag verandert, een woord als rassenvermenging bestaat nauwelijks nog, en natuurlijk was er ook geen sprake van een *huwelijk*, maar niettemin...'

Wexford kon zich voorstellen hoe zuster Akande hier even matriarchaal over zou waken als een adellijke moeder wier dochter zich tot een landloper voelde aangetrokken. 'Had Melanie een blanke vriend, dokter?'

'Nee, nee, zo is het niet. Melanie heeft hem alleen toevallig ontmoet omdat zijn zusje ook op die academie zat, en ze heeft ons gezegd dat ze samen wat zijn gaan drinken, met het zusje erbij. Ik zeg dit omdat hij, behalve Euan, de enige jongen is over wie Melanie het met ons gehad heeft. Laurette heeft eens gezegd dat ze hoopte dat Melanie hem nooit beter zou leren kennen, en ik ben ervan overtuigd dat dat niet gebeurd is.'

Hoeveel wist deze vader over het leven van zijn kinderen? Wat wisten ouders er überhaupt van? 'Melanie heeft Euan afgelopen dinsdagavond niet gesproken,' zei Wexford. 'Dat hebben we zonder een spoor van twijfel kunnen vaststellen.'

'Dat weet ik. Dat wist ik al. Ik zei tegen mijn vrouw dat ze veel te verstandig was om terug te gaan naar die jongen, die geen enkel respect voor haar had.' Akande zag er kalm uit, maar de knokkels van zijn handen die de stoelleuningen vastgrepen waren wit. 'Hebt u...' begon hij, '...hebt u iets te melden?'

'Niets speciaals, meneer.' Wexford hoorde veel in dat nadrukkelijke 'meneer', waarschijnlijk veel meer dan Burden zich bewust was. Hij hoorde er de inspanning van de inspecteur in om deze man net zo te behandelen als iedere andere arts. Ook kon hij eruit opmaken dat Burden, die maar heel weinig zwarte mensen had ontmoet, zich slecht op z'n gemak voelde, nerveus was en

niet zeker wist hoe hij verder moest gaan. 'We hebben alles gedaan om uw dochter te vinden. We hebben alles gedaan wat in
ons vermogen lag.'

Net als Wexford moest de dokter gedacht hebben dat deze woorden niets te betekenen hadden. Met zijn mensenkennis, misschien ook op het gebied van blanken, zou hij Burden moeten
kunnen doorzien. Wexford meende iets van minachting op
Akandes ongelukkige gezicht te bespeuren. 'Wat probeert u me
te vertellen?'

Dat 'probeert' stond Burden niet aan. Het woord was met een
nogal sarcastische nadruk uitgesproken. Wexford nam iets te snel
het woord weer van hem over.

'U moet zich op het ergste voorbereiden, dokter Akande.'

De korte, blaffende lach was in dit verband choquerend. Een enkel 'Ha!', daarna verscheen weer de gekwelde en nu ook radeloze
uitdrukking op z'n gezicht. 'Ik ben op alles voorbereid,' zei hij
toonloos. 'Wíj zijn op alles voorbereid. U bedoelt dat ik ervan
uit moet gaan dat Melanie dood is?'

'Niet helemaal. Maar inderdaad, het is zeer waarschijnlijk.'

Er viel een stilte. Akande legde zijn handen in zijn schoot en
dwong zichzelf ze te ontspannen. Hij zuchtte zwaar en diep. Tot
zijn afgrijzen zag Wexford dat er een traan uit die tragische ogen
viel. Akande toonde geen enkele gêne. Met zijn twee wijsvingers
veegde hij de tranen uit over zijn wangen en bestudeerde toen
met gebogen hoofd zijn vingertoppen.

Zonder op te kijken zei hij beheerst, bijna op normale conversatietoon: 'Ik heb me iets af zitten vragen. Al vanaf het moment
dat ik gisteravond het nieuws op tv zag en de krant van vanochtend heb gelezen. Die vermoorde vrouw van Ladyhall Avenue
heeft dezelfde naam als degene met wie Melanie afgelopen dinsdag een afspraak had: Annette Bystock. In de krant stond dat ze
ambtenaar was. Is dat... toeval? Ik vroeg me af of er misschien
een verband bestond. U mag best weten dat het me de hele nacht
heeft wakker gehouden.'

'Had Melanie nooit eerder van Annette Bystock gehoord, dokter?'

'Nee, dat weet ik zeker. Ik weet nog precies dat ze zei: "Ik moet om halfdrie bij de aanvrageconsulent zijn", en even later: "Een of andere juffrouw Bystock."'

Wexford zei voorzichtig dat de arts hem dat niet eerder gezegd had. Ook mevrouw Akande had het niet gezegd bij die ene gelegenheid dat hij haar had gesproken.

'Dat zal wel niet. Ik herinnerde het me weer toen ik haar naam in de krant zag staan.'

Wexford koesterde diep wantrouwen jegens getuigen die 'zich weer iets herinnerden' wanneer ze een naam in de krant hadden zien staan. Die arme Akande zei dat hij op alles was voorbereid, maar toch bleef hij hopen. Hoop mag dan een deugd zijn, dacht Wexford, maar veroorzaakt ook veel leed, meer dan wanhoop. Hij overwoog om de dokter te vragen of hij enig idee had wat Melanie tegen Annette Bystock had kunnen zeggen dat het leven van hen beiden kon bedreigen, maar bedacht toen hoe zinloos die vraag zou zijn. Natuurlijk wist Akande dat niet.

In plaats daarvan vroeg hij: 'Hoe heet die blanke jongen met wie ze wat gedronken heeft?'

'Riding. Christopher Riding. Maar dat is al maanden geleden.'

Terwijl Akande hen naar de deur bracht, moest hij tegen zichzelf vechten om de vraag niet uit te spreken. Hij verloor de strijd en zijn gezicht vertrok toen hij zei: 'Bestaat er ook maar... is er ook maar de geringste kans dat ze niet... dat ze nog leeft?'

We kunnen haar niet dood beschouwen zolang we haar lichaam niet hebben gevonden. Die woorden gebruikte Wexford niet.

'Laten we zeggen dat u op het ergste voorbereid blijft, dokter.' Hij kon hem geen hoop geven, want hij wist bijna zeker dat hij die binnen enkele dagen weer af zou moeten nemen.

De vrouwen stroomden de hal van de school binnen, er waren er minstens driehonderd. Tien minuten voor de aanvang van de bijeenkomst arriveerden er nog steeds anderen. De organisatoren brachten meer stoelen naar binnen.

'Ze komen niet voor ons,' fluisterde Susan Riding tegen Wexford. 'Maakt u zich maar geen illusies. En hoe ze een verkrachter kunnen verblinden of verminken vinden ze ook maar bijzaak. Nee, ze komen voor *haar. Haar* willen ze zien. Dat was een goed idee om haar in de voorzittersstoel te zetten, vindt u niet?'

Wexford keek over het podium naar Anouk Khoori. Hij had het gevoel dat hij haar al eens eerder had gezien, hoewel hij niet meer wist waar. Misschien was het alleen van haar foto in de krant. Ze was een grote vis in een kleine vijver, dacht hij, en op weg om Kingsmarkhams First Lady te worden. Waarschijnlijk paste het wel bij haar. Als het waar was dat bijna al deze vrouwen alleen maar gekomen waren om haar met eigen ogen te aanschouwen, om te zien wat ze aanhad en te horen hoe ze praatte, dan waren hun aspiraties niet erg hoog. Ze had wel iets van een van die internationale beroemdheden die altijd met hun foto in de krant stonden, wier namen gemeengoed waren geworden en die altijd voor talkshows op tv gevraagd werden. Maar het was moeilijk te zeggen wat ze precies *deden* en al helemaal niet wat ze gepresteerd hadden.

'Ze ziet er niet erg oosters uit,' zei hij en vroeg zich onmiddellijk af of dit een racistische opmerking was.

Susan Riding glimlachte. 'Haar familie komt uit Beiroet. Anouk is natuurlijk een Franse naam. We kennen ze uit de tijd dat we in Koeweit woonden. Zijn neefje moest een kleine operatie ondergaan en Swithun heeft die uitgevoerd.'

'Zijn ze vanwege de Golfoorlog weggegaan?'

'Wij in elk geval wel. Ik geloof niet dat zij voorgoed zijn vertrokken. Ze hebben daar een huis en naar ik heb gehoord ook een in Menton en een appartement in New York. Toen ik hoorde dat ze Mynford Old Hall hadden gekocht heb ik al mijn moed verzameld en gevraagd of ze dit zou willen doen, en ze was meteen heel aardig. Swithun is er trouwens ook en zo te zien is hij de enige man onder het publiek. Maar hij vindt het niet erg, hij schikt zich er wel in.'

Wexford zag de kinderchirurg op de een na achterste rij zitten. Hij leek zich net zo wellevend in zijn lot te schikken als zijn vrouw had voorspeld. Hoe kwam het toch dat wanneer vrouwen met de benen over elkaar zaten ze hun kuit op de knie lieten rusten, terwijl mannen hun enkel altijd op hun bovenbeen legden? In het geval van de vrouwen was het natuurlijk een kwestie van fatsoen, maar dat was niet van toepassing nu ze allemaal lange broeken droegen. Swithun Riding had zijn enkel op zijn bovenbeen gelegd en hield die vast met een lange, elegante hand. Naast hem zat een meisje met maïskleurig haar dat zo op het zijne leek dat ze wel zijn en Susans dochter moest zijn. Wexford herkende haar. De laatste keer dat hij haar had gezien had ze in de wachtruimte van het uitkeringskantoor gezeten.

'Kon uw zoon het niet opbrengen om z'n vader moreel te ondersteunen?' vroeg Wexford.

'Christopher is een weekje weg. Hij is met een stel vrienden naar Spanje.'

Dus die theorie kon hij ook wel vergeten.

Door de ruimte klonk het gelach van mevrouw Khoori, een aanhoudend, welluidend getinkel. De man met wie ze praatte, een oud-burgemeester van Kingsmarkham, glimlachte haar toe. Kennelijk was hij al bezweken voor haar charmes. Ze klopte hem lichtjes op de arm, een bekoorlijk en merkwaardig intiem gebaar, voordat ze weer achter de tafel naar de stoel in het midden liep. Daar stelde ze de microfoon bij met het gemak van iemand die gewend is om in het openbaar te spreken.

'Ik zal u even voorstellen,' zei Susan Riding.

Wexford had een accent verwacht, maar dat was er niet, behalve een zweem van een Franse intonatie waarbij ze het eind van de zinnen liet stijgen in plaats van dalen. 'Hoe maakt u het?' Ze hield zijn hand iets langer vast dan nodig was. 'Ik wist dat ik u hier zou ontmoeten, ik voelde het.'

Hoe kan het anders, dacht hij, zijn naam was immers als spreker in het programma vermeld. Haar ogen brachten hem enigszins in verwarring, alsof ze hem scheen te schatten, alsof ze probeerde te weten te komen hoever ze met hem kon gaan, op welk moment ze zich zou moeten terugtrekken. Ach, onzin, verbeelding... Het waren die zwarte ogen, daar kwam het door, die donkere ogen die zo contrasteerden met die zachte, olijfkleurige huid en dat lichtblonde haar.

'Gaat u ons, weerloze schepseltjes, vertellen hoe we ons kunnen verweren tegen grote sterke mannen?'

Zij was wel de laatste die je een weerloos schepseltje zou kunnen noemen. Ze was minstens een meter vijfenzeventig lang, het lichaam in het roze linnen pak zag er sterk en pezig uit, ze had gespierde armen en benen en haar huid glansde van gezondheid. Aan de hand die niet de zijne had vastgehouden droeg ze een enorme diamant, een enkele onopgesmukte steen op een platina ring.

'Ik ben geen expert op het gebied van de vechtsport, mevrouw Khoori,' zei hij. 'Dat laat ik aan de heer Adams en de heer Pollen over.'

'Maar u gaat toch wel spreken? Ik zou zó teleurgesteld zijn als u dat niet doet.'

'Heel kort maar.'

'Dan moeten we achteraf nog een babbeltje maken. Ik maak me zorgen, meneer Wexford, ik ben zo bezorgd over wat er met ons in dit land gebeurt, er worden kinderen vermoord, al die jonge meisjes die worden aangerand, verkracht en nog erger. Daarom doe ik dit, om met mijn eigen kleine bijdrage te proberen... laat ik zeggen het tij van de misdaad te keren. Vindt u niet dat wij dat allemaal zouden moeten doen?'

Hij dacht even na over dat 'wij'. Hoe lang had ze hier gewoond? Twee jaar? Hij vroeg zich af of hij onredelijk was door haar het recht op Engels burgerschap te ontzeggen terwijl hij dat van Akande wel accepteerde. Haar man was een Arabische multimiljonair... Hij hoefde geen antwoord te geven op haar oprechte, hoewel nogal vage opmerkingen omdat Susan Riding fluisterde: 'Anouk, we kunnen beginnen.'

Vol zelfvertrouwen stond Anouk Khoori op en overzag haar publiek. Ze wachtte op stilte, totale stilte, waarbij ze haar handen ophield en de grote steen het licht weerkaatste voordat ze het woord tot de toehoorders richtte.

Als ze hem na een uur gevraagd hadden een samenvatting te geven van wat ze gezegd had, dan zou hij er zich geen woord van herinnerd hebben. Tegelijkertijd besefte hij dat zij die grote gave had waarop zoveel politici hun succes baseerden: ze kon lang en uitgebreid praten zonder iets te zeggen; in vloeiende zinnen met lange, modieuze woorden wist ze vol overgave en overtuiging betekenisloze onzin uit te brengen. Van tijd tot tijd pauzeerde ze even zonder duidelijke reden. Af en toe glimlachte ze. Een keer schudde ze haar hoofd en een keer verhief ze haar stem. Net toen hij dacht dat ze nog zeker een halfuur door zou gaan en dat alleen fysiek geweld haar kon tegenhouden, bedankte ze haar toehoorders en begon ze, zich elegant naar hem wendend, hem te introduceren.

Ze wist veel over hem. Hij was eerder geamuseerd dan gegeneerd toen ze zijn hele curriculum vitae de revue liet passeren. Hoe wist ze dat hij wijkagent in Brighton was geweest? Hoe wist ze dat hij twee dochters had?

Hij stond op en sprak de vrouwen toe. Hij vertelde hun dat ze moesten leren zichzelf te beschermen, maar zei ook dat ze een evenwichtige houding moesten zien te vinden ten aanzien van alles wat ze hoorden en lazen over misdaad op straat. Met een licht afkeurende blik op de verslaggever van de *Kingsmarkham Courier,* die op de eerste rij notities zat te maken, zei hij dat een groot deel van de hysterie over criminaliteit in dit land werd veroorzaakt door de media. Als voorbeeld haalde hij een verslag aan dat hij had gelezen over gepensioneerden in Myfleet die hun huis niet uit durfden uit angst voor de overvaller die door het dorp sloop en van wie talloze vrouwen en bejaarden het slachtoffer zouden zijn geworden. In werkelijkheid echter was alleen een oude dame het slachtoffer geweest, die, toen ze om elf uur 's ochtends van de bushalte naar huis was gelopen, van haar portemonnee was beroofd door iemand die haar de weg vroeg. Ze moesten verstandig zijn, zo min mogelijk risico nemen, maar niet paranoïde worden. In de wijde omgeving van dit politiedistrict was de kans dat een vrouw werd aangevallen een op negenennegentig, en dat moesten ze niet vergeten.

Vervolgens kwam Oliver Adams aan het woord en daarna Ronald Pollen. Daarbij werd een video getoond waarin door acteurs een ontmoeting werd gespeeld tussen een jonge vrouw en een man met een kous over zijn gezicht. Toen de aanvaller haar van achteren vastgreep, met een hand rond haar middel en de andere om haar keel, liet de actrice zien hoe ze de hoge hak van haar schoen tegen z'n scheenbeen zette en vandaar naar z'n wreef trok. Het publiek juichte en applaudisseerde. Ze deinsden een beetje terug bij de demonstratie hoe je je duimen in de ogen van je aanvaller moest steken, maar de geschokte uitroepen gingen al snel over in zuchten van opluchting. Iedereen, stelde Wexford vast, amuseerde zich kostelijk. De sfeer werd wat grimmiger toen agent Clare Scott over verkrachting begon te spreken.

Hoeveel vrouwen die verkracht waren zouden aangifte doen? Misschien de helft. Ooit was het niet meer dan tien procent geweest.

Sindsdien was er veel verbeterd, maar hij vroeg zich af of de beelden die nu op het scherm kwamen van de comfortabele 'suite' van het nieuwe Verkrachtings-Crisiscentrum in Stowerton vrouwen zover zou krijgen om openhartig te zijn over die enige misdaad waarbij het slachtoffer vaak met meer achterdocht werd bejegend dan de dader.

Ze applaudisseerden nu. Ze schreven hun vragen op voor de vier sprekers. In de zee van gezichten zag hij dat van Edwina Harris. Een tiental stoelen verderop zat Wendy Stowlap. Nog een kwartier, dacht hij, en dan kon hij naar huis. Hij wilde absoluut niet betrokken worden in een gesprek met Anouk Khoori over de misdaadgolf in het gevaarlijke Engeland.

De eerste vraag was voor agent Adams. Stel dat je geen autotelefoon had en je kreeg 's avonds in het donker pech op een weg waar geen praatpalen waren? Wat moest je dan doen? Nadat Adams deze vraag zo goed mogelijk had beantwoord, werd aan agent Scott, de expert in verkrachtingszaken, een moeilijke vraag gesteld over verkrachting bij een eerste afspraakje. Clare Scott deed haar best om antwoord te geven op iets waarvoor geen antwoord bestond. Mevrouw Khoori vouwde het volgende papier open en gaf het aan haar. Clare Scott las de vraag, haalde haar schouders op en overhandigde het vel na een lichte aarzeling aan Wexford.

Hij las de vraag hardop voor. 'Als je weet dat een van je familiele-den een verkrachter is, wat moet je dan doen?'

Ineens was het doodstil. Vrouwen hadden met elkaar gefluisterd en een of twee achterin hadden op het punt gestaan om weg te gaan. Maar nu was iedereen stil. Wexford zag Dora's gezicht op de tweede rij met Jenny naast haar. Hij zei: 'Het voor de hand liggende antwoord is: ga naar de politie. Maar dat wist u al.' Hij aarzelde en zei toen op krachtige toon: 'Ik wil graag weten of de-ze vraag theoretisch is of dat degene die deze vraag heeft opge-schreven hiervoor persoonlijke redenen heeft gehad.'

Stilte. Deze werd verbroken doordat drie vrouwen op de achter-ste rij opstonden en vertrokken. Toen begon iemand langdurig te hoesten. Wexford drong aan.

'Er is gezegd dat de vragenstellers anoniem zullen blijven, maar toch zou ik graag willen weten wie deze vraag heeft opgeschre-ven. Achter het podium hier, buiten de zaal, bevindt zich een deur waar Privé op staat. Na de bijeenkomst zullen agent Scott en ik daar een halfuur bereikbaar zijn. U hoeft alleen maar aan te kloppen en ik hoop van harte dat u dat zult doen.'

Hierna waren er geen vragen meer. De jongste leerlinge van de school kwam het podium op en bood mevrouw Khoori een boe-ket anjers aan. Ze bedankte het meisje uitbundig, boog zich voorover en kuste haar. De toehoorders begonnen de zaal uit te lopen, enkelen bleven in groepjes nog wat napraten.

Hoewel in de zaal niet gerookt mocht worden, kon Anouk Khoori kennelijk geen minuut langer zonder sigaret. Toen Wex-ford haar de kingsize naar de lippen zag brengen en haar de aan-steker erbij zag houden, herinnerde hij zich haar weer. Hij her-kende haar. Ze had er toen heel anders uitgezien in haar trai-ningspak en zonder make-up, maar er was geen twijfel aan dat zij de vrouw in het medisch centrum was geweest die naar dokter Akande was gekomen in verband met de ziekte van haar kokkin. Hij liep het parkeerterrein op, zag Susan Riding in een Range Rover stappen en Wendy Stowlap haar weekendtas in de koffer-bak van een kleine Fiat leggen. Daarna ging hij de zijdeur bin-nen naar een ruimte aan de achterkant waar stoelen en schraagtafels stonden opgeslagen. Clare Scott vouwde twee klapstoelen open waar ze beiden op gingen zitten. Aan de muur hing een klok met een grote wijzerplaat. Een luide tik gaf aan dat het vijf over tien was. Hij en Clare praatten over het verraden van familieleden ter wille van het algemeen belang, of je uit loyaliteit moest zwijgen, of dat je het altijd moest aangeven, en of er uitzonderingen waren. Ze hadden het over de gruwelijkheid van verkrachting. Misschien moest je een dader alleen aangeven als het om een gewelddaad ging. Je ging je eigen vrouw toch niet aangeven als ze iets uit een winkel had gestolen? De tijd verstreek en niemand klopte op de deur. Ze wachtten nog vijf minuten, maar toen ze om tien over halfelf de ruimte verlieten, was de zaal leeg. Er was niemand. Alles was verlaten.

7

Zijn gezicht keek hem aan vanaf de voorpagina van de zondagskrant, een zogenaamde 'kwaliteits'-zondagskrant. En niet alleen zijn gezicht. De foto toonde hem en Burden aan het tafeltje voor de Olive and Dove, maar van Burden was niet veel te zien. Burden was nauwelijks te herkennen, behalve voor mensen die hem goed kenden. Hij daarentegen was het onmiskenbaar. Hij glimlachte... nou, eerlijk gezegd, hij lachte terwijl hij de tot de rand gevulde kroes Heineken naar z'n lippen bracht. Om aan alle mogelijke twijfel een einde te maken luidde het onderschrift: *Wexford op jacht naar Annettes moordenaar.* En daaronder: *Hoofdinspecteur belast met de moord in Kingsmarkham neemt de tijd om zich met een biertje te ontspannen.*

Er was geen ogenblik geweest, bedacht hij verbitterd, dat hij niet aan de dode Annette Bystock had gedacht. Maar tegen wie zou je dat kunnen zeggen zonder een belachelijke indruk te maken? Hij kon alleen maar doen alsof het hem niet kon schelen. Goddank kocht de commissaris altijd *The Mail on Sunday.*

Het werd er niet beter op toen Sylvia met Neil en de jongens arriveerde. Zijn dochter, die vergeten was welke krant hij las, had haar eigen exemplaar meegenomen met de opmerking dat hij het 'wel zou willen zien.' En niets wat haar moeder en haar echtgenoot zeiden kon haar ervan overtuigen dat het onderschrift een ironische ondertoon bevatte. Volgens haar was hij 'enig', de leukste foto van haar vader die ze in jaren had gezien, en dacht hij dat de krant een afdruk voor haar zou hebben?

Tijdens de lunch werd het gesprek door Sylvia overheerst. Ze werd al snel een expert op het gebied van voorzieningen die de regering trof voor haar werkloze burgers en hun gezinnen. Wexford en Dora moesten een verhandeling aanhoren over werkloosheidsuitkeringen en wie er recht op had, wat het verschil was met bijstandsuitkeringen, de voordelen van wat ze de 'Banenclub'

noemde waarin ze actief was en waar ze Neil bij probeerde te betrekken.

'Daar hebben ze alle belangrijke kranten en je kunt er gratis tele-
foneren, hou daar goed rekening mee. En je kunt er enveloppen
en postzegels krijgen.'

'Wat een veilig idee,' zei haar vader nors. 'Iemand heeft me eens
voor de lunch naar de Garrick meegenomen en daar waren geen
postzegels te krijgen.'

Sylvia negeerde hem. 'Als hij drie maanden werkloos is kan hij
een cursus gaan volgen. Een svw-cursus zou het beste zijn...'

'Een wat?'

'Scholing voor werk. Ik denk dat ik een computercursus ga
doen. Robin, haal even die folders uit m'n handtas, wil je?'

'*Nitcho vo,*' zei Robin.

Omdat hij geen zin had de saaiste folders ter wereld te moeten
doornemen, excuseerde Wexford zich en vluchtte hij naar de
woonkamer. Er was bijna alleen maar sport op televisie, maar hij
weigerde naar het nieuws door te schakelen voor het geval zijn
portret op mysterieuze wijze de weg naar het scherm had gevonden. Het was belachelijk, maar hij kon er niets tegen doen. Hij
vroeg zich zelfs af of het een wraakactie van de redactie kon zijn
geweest omdat hij wel eens liet vallen dat de pers de angst van
mensen alleen maar aanwakkerde.

Hij was nog steeds aangeslagen, maar wel een stuk minder toen
hij de volgende ochtend vroeg op kantoor kwam. De rapporten
van zijn team lagen al op zijn bureau en niemand zou een woord
over die foto zeggen. Burden had hem gezien. Het was niet de
krant van zijn keuze, maar wel die van Jenny.

'Gek hoe snel je eraan gewend raakt,' zei Wexford. 'Ik bedoel dat
tijd zoveel verzacht. Ik voel me er niet zo akelig meer over als gisteren, en morgen zal het nog minder zijn dan vandaag. Als we
daar nou eens mee leerden te leven in plaats van het elke keer opnieuw te ontdekken, als we ons er steeds maar bewust van waren
dat alles er na een paar dagen minder toe doet, dan zou het leven
toch veel gemakkelijker zijn?'

'Hm. Je bent wat je bent, daar doe je niks aan. De aard van het beest kun je toch niet veranderen.'

'Wat een deprimerende gedachte.' Wexford begon de rapporten door te nemen. 'Jane Winster, die nicht, heeft het lichaam geïdentificeerd. Niet dat er enige twijfel bestond. Vandaag of morgenochtend zullen we wel wat van Tremlett horen. Vine heeft mevrouw Winster ondervraagd bij haar thuis in Pomfret, maar hij is kennelijk niet veel wijzer geworden. Ze zagen elkaar weinig. Voorzover ze wist had Annette geen vrienden en gek genoeg ook geen goeie vriendin. Dat lijkt me een heel eenzaam bestaan. Ingrid Pamber schijnt de enige te zijn met wie ze omging.'

'Wat weet die mevrouw Winster daar nou van? Ze heeft Annette sinds april niet meer gezien. Dat zou ik me nog kunnen voorstellen als ze in Schotland woonde, maar ze woont in *Pomfret*, op nog geen vijf kilometer afstand. Ze zullen elkaar niet bepaald gemogen hebben.'

'Mevrouw Winster zegt, ik citeer: "Ik had genoeg omhanden met mijn eigen gezin". Ze belden elkaar wel eens op. Annette ging op eerste kerstdag altijd naar hen toe en kennelijk was ze ook aanwezig bij hun twintigjarige bruiloftsfeest. Maar inderdaad, bepaald intiem waren ze niet.' Hij werkte het rapport verder door, pauzeerde soms even om een passage over te lezen. 'Hij heeft ook die mevrouw Harris gesproken – weet je wel? Edwina Harris, de vrouw die boven haar woont. Zij heeft die nacht niets gehoord, maar ze zegt erbij dat zij en haar man altijd slapen als een blok. Zij weet zeker dat ze nooit een vriend of vriendin bij Annette heeft zien aanbellen of dat Annette met iemand het huis binnenkwam of uit ging.

Geen van de afdelingschefs van het uitkeringskantoor, dat zijn Niall Clarke en Valerie Parker, schijnt iets over Annettes privé-leven te weten. Peter Stanton – de andere aanvrageconsulent, de man die een beetje lijkt op Sean Connery in zijn jonge jaren – schijnt nogal openhartig tegen Pemberton te zijn geweest. Hij zei dat hij Annette een paar keer mee uit had genomen, totdat Cyril Leyton daar een eind aan maakte. Hij wilde niet dat zijn werknemers onderling "persoonlijke relaties aangingen".'

'En daar legde Stanton zich bij neer?'

'Het scheen hem weinig te kunnen schelen. Hij zei tegen Pemberton dat ze weinig gemeen hadden, wat dat ook mag betekenen. Hayley Gordon, dat is die heel jonge medewerkster, die blonde, heeft Annette nauwelijks gekend, ze werkt er nog maar een maand. Karen heeft gesproken met Osman Messaoud en Wendy Stowlap. Messaoud was heel zenuwachtig. Hij is geboren en getogen in dit land maar schijnt zich bij vrouwen slecht op z'n gemak te voelen. Hij zei tegen Karen dat hij niet door een vrouw ondervraagd wilde worden, maar door "een politie*man*". Hij zei ook dat wanneer Karen hem ondervroeg over een vrouw, dat wil zeggen Annette, zijn vrouw achterdochtig zou worden. Maar hij schijnt toch niets te weten over Annettes privé-leven.

Behalve Ingrid Pamber is Wendy Stowlap de enige van het personeel die wel eens bij Annette thuis is geweest. Zelf woont ze er niet ver vandaan, in Queens Gardens. Het was op een zondag. Ze wilde een handtekening van een getuige voor een of ander document – er staat niet bij wat voor document – kennelijk iets dat de buren niet mochten weten, dus ging ze ermee naar Annette. Annette zat naar een video te kijken en zei tegen Wendy dat ze pas een nieuwe videorecorder had gekocht, zo een waarbij je een code moet intoetsen. Dat was zes of zeven maanden geleden. Al die omhaal is alleen maar om aan te tonen dat ze inderdaad een video had. Goed, laten we eens kijken wat Barry heeft te melden over Ingrid Pamber...'

Op dat moment kwam rechercheur Vine de kamer binnen. Vine kon je niet echt klein van stuk noemen, maar naast Wexford leek hij een onderdeur en Burden torende helemaal boven hem uit. Hij had de merkwaardige combinatie van rood haar op zijn hoofd en donker haar op zijn bovenlip. Als hij Barry Vine was geweest, had Wexford vaak gedacht, dan zou hij die snor hebben afgeschoren. Maar Vine – hoewel hij het nooit had gezegd – scheen zich wel te voelen bij dit tweekleurige effect, in de overtuiging dat het hem iets bijzonders gaf. Hij was scherp, oplettend en slim, een man met een wonderbaarlijk geheugen, dat hij volstouwde met de meest uiteenlopende informatie, of die nu nuttig was of niet.

'Hebt u mijn rapport al bekeken, meneer?'

'Ik ben ermee bezig, Barry. Die Ingrid was echt de enige met wie Annette omging, hè?'

'Niet helemaal. Wat dacht u van die getrouwde man?'

'Welke getrouwde man? Ah... hier staat het. Ingrid Pamber heeft jou verteld dat Annette haar had toevertrouwd dat ze de afgelopen *negen jaar* een verhouding had met een getrouwde man?'

'Ja, dat is zo.'

'Waarom heeft ze me dat vrijdag niet gezegd?'

Vine ging op een hoek van het bureau zitten. 'Ze zei dat ze er de hele nacht van wakker had gelegen, dat ze niet wist wat ze moest doen. Ze had Annette plechtig beloofd dat ze er nooit een woord over zou zeggen, ziet u.'

De man die het uitkeringskantoor had gebeld, dacht Wexford, de man van wie Ingrid had gezegd dat hij een van de buren was.

'Goed, dat kan ik begrijpen. Maar bespaar me je bespiegelingen over meisjesharten, ja?'

Vine grijnsde. 'Ik heb het gebruikelijke verhaal afgedraaid, meneer. Dat Annette dood was, dat beloftes aan een dode niet meer geldig waren, en zij wilde toch ook dat haar moordenaar gevonden werd enzovoort. Toen heeft ze me er iets over gezegd en zei daarna dat ze het liever tegen u zou vertellen. Ik bedoel, ze wilde het alleen maar tegen u vertellen.'

'Werkelijk? Wat heb ik dat jij niet hebt, Barry? Dat zal wel met mijn leeftijd te maken hebben.' Wexford probeerde zijn verlegenheid te verbergen door zich weer in het rapport te verdiepen. 'Dan zullen we het maar doen zoals zij het wil, niet?'

'Ik dacht al dat u dat zou zeggen, dus ik vroeg of we haar op het uitkeringskantoor konden bereiken, maar dat ging niet. Vanaf vandaag heeft ze twee weken vakantie, maar zij en haar vriend hebben geen geld om ergens heen te gaan. Ze is gewoon thuis.'

Burden stapte over het gele politielint, ontsloot de deur van de flat en ging naar binnen. Beginnend met de woonkamer liep hij van kamer naar kamer, bestudeerde elk voorwerp aandachtig, keek uit het raam naar het roodbruine gebladerte, de betonnen oprit en de zijgevel van rode baksteen van het huis ernaast. Hij noteerde de titels van de paar boeken die er stonden, schudde ze even uit voor het geval zich er papieren in bevonden, zonder te weten waar hij precies naar zocht. In de woonkamer bestudeerde hij de muziek die Annette Bystock op een boekenplank bewaarde, de compact discs voor de verdwenen cd-speler, de cassettes voor de verdwenen radiocassetterecorder.

Haar voorkeur scheen te zijn uitgegaan naar populair klassiek en country and western. *Eine Kleine Nachtmusik*, Bachs *Hohe Messe* – Burden had gehoord dat dit een van de bestsellers in de klassieke muziek was – hoogtepunten uit *Porgy and Bess*, een complete *Carmen Jones*, Beethovens *Mondschein Sonate*, Natalie Cole's album *Unforgettable*, Michelle Wright, k.d. lang, Patsy Cline... Nu Wexford niet over zijn schouder meekeek, merkte Burden snel op dat Natalie Cole een zwarte vrouw was en dat *Porgy and Bess* en *Carmen Jones* opera's over zwarte mensen waren. Duidde dat ergens op?

Hij probeerde aanknopingspunten tussen Annette en Melanie Akande te vinden. Er was geen bureau in de flat. De toilettafel die tegen het raam in de slaapkamer stond had als schrijftafel dienst gedaan. Haar paspoort was meegenomen. Burden keek naar de andere papieren in de la. Ze zaten bij elkaar in een doorzichtige plastic map: een diploma met eindexamenresultaten, een certificaat of diploma dat aantoonde dat ze met goed gevolg bedrijfseconomie had gestudeerd aan de Polytechnische School van Myringham. Daar had ook Melanie Akande haar opleiding voltooid, alleen noemden ze het nu Universiteit van Myringham. Burden keek naar de datum – 1976. Melanie was nog maar drie jaar oud geweest in 1976. Maar toch kon dit een aanknopingspunt zijn...

Edwina Harris had gezegd dat Annette ooit getrouwd was geweest. Er lag geen huwelijksakte in de bovenste la. Burden deed de onderste la open en vond een scheidingsdecreet waarbij het huwelijk van Annette Rosemary Colegate geboren Bystock en

Stephen Henry Colegate werd ontbonden, ingaande op 29 juni 1985.

Geen brieven. Hij had gehoopt brieven te vinden. In een bruine envelop van twaalf bij twintig centimeter zat een foto van een man met een hoog voorhoofd en donker, krullend haar. Daaronder lag een stapeltje folders met gebruiksaanwijzingen voor een Panasonic-videorecorder en een Akai-cd-speler. In de middelste la lag ondergoed. Hij had al aandachtig naar de kleding in de garderobekast gekeken toen hij en Wexford hier vrijdag waren geweest. Dat waren saaie, onopvallende kleren die gekocht werden door iemand die zich weinig kon veroorloven en warmte en comfort belangrijker vond dan stijl. Daarom was hij verrast toen hij het ondergoed zag.

Het was niet het soort onderkleding dat Burden onfatsoenlijk zou hebben genoemd. Geen onzedige beha's of slipjes zonder kruis. Maar al die lingerie – zo noemde je dat toch? – was zwart of rood en voor het grootste deel doorzichtig. Er waren twee jarretelgordels bij, een zwarte en een rode, gewone zwarte beha's en een strapless beha; iets van rood satijn en kant wat hij een corselet noemde maar wat volgens Jenny een bustière was, zwarte gewone, net- en kanten kousen, rode en zwarte slipjes ter grootte van een bikinibroekje en een soort bodystocking van zwarte kant. Had ze dat soort dingen aangehad onder die spijkerbroeken en truien en die beige regenjas?

In plaats van op te trekken, zoals het weerbericht had voorspeld, veranderde de zomerse mist in grijze motregen die voor wat afkoeling zorgde. Vine, die achter het stuur zat, vroeg zich af waarom regen in Engeland altijd koud is terwijl hij in andere delen van de wereld warm is, en wat belangrijker was, waarom het daarna niet weer warm wordt zoals elders.

'Misschien omdat dit een eiland is,' zei Wexford verstrooid.

'Malta is ook een eiland. Toen ik daar vorig jaar met vakantie was heeft het ook geregend, maar toen de zon daarna weer begon te schijnen waren we binnen vijf minuten weer droog. Hebt u gisteren die foto van uzelf in de krant gezien?'

'Ja.'

'Ik heb hem voor u uitgeknipt, maar ik weet niet meer waar ik hem heb gelaten.'

'Mooi.'

Vine zweeg. In stilte reden ze naar Glebe Lane, waar Ingrid Pamber met haar vriend Jeremy Lang twee kamers boven twee garageboxen bewoonde. Vine was van mening dat ze op deze eerste dag van haar vakantie nog wel in bed zou liggen, aangezien het nog maar tien voor tien was.

Het was een van de meest troosteloze buurten van Kingsmarkham. Het enige wat je ervan kon zeggen was dat achter het armoedige, kale terrein met de vervallen gebouwen de groene hellingen met boomgroepen zichtbaar waren en daarachter de zuidelijke heuvelruggen. Het was een soort industrieterrein waarvan sommige huisjes als bedrijfspanden werden gebruikt en de meeste gebouwen als fabriekjes of werkplaatsen. De tuinen stonden vol met oude auto's, schroot, olievaten en metalen onderdelen. De ene garagedeur was zwart geschilderd, de andere groen. Aan de zijkant kwam een smalle doorgang tussen hekken van harmonicagaas uit bij de voordeur van de flat. Er was geen afdak om je voor de regen te verschuilen. Vine belde aan.

Na geruime tijd, waarin ze wat gestommel en gekraak op de bovenverdieping hoorden, roffelden er voetstappen op de trap en werd de deur geopend door een jonge man met verward zwart haar die niets anders droeg dan een zwart omrande bril en een badhanddoek rond zijn heupen.

'O, sorry,' zei hij toen hij hen zag. 'Ik dacht dat u de postbode was. Ik verwacht een pakje.'

'Politie Kingsmarkham,' zei Wexford, die meestal minder kortaf was. 'We komen voor juffrouw Pamber.'

'O, ja. Komt u boven.'

Hij was een kleine man, niet meer dan een meter vijfenzestig lang, en tenger gebouwd. Het meisje lag ongetwijfeld nog in bed, zoals Vine al had voorspeld. In het volste vertrouwen deed de jongen de deur achter hen dicht.

'Bent u meneer Lang?'

'Dat ben ik, maar de meesten noemen me Jerry.'

'Meneer Lang, laat u altijd vreemden uw huis binnen zonder iets te vragen?'

Jeremy Lang keek Wexford aan en hield zijn rechteroor naar hem toe alsof hij hem niet had verstaan, of alsof hij in een vreemde taal was toegesproken. 'U zei dat u van de politie was.'

Wexford en Vine zeiden niets, maar haalden hun legitimatie te voorschijn die ze onder Langs neus duwden. Hij grijnsde en knikte. Hij begon te trap op te lopen en gebaarde dat ze hem moesten volgen. Ineens schreeuwde hij uit alle macht: 'Hé, Ing, sta je op? Het is de politie.'

Wat hij boven aantrof verraste hem. Wexford had geen idee wat hij verwacht had, maar niet deze lichte, vrolijk gemeubileerde kamer met een grote gele sofa, blauwe en gele kussens op een groot, veelkleurig vloerkleed. De muren gingen volledig schuil onder wandkleden, posters en een enorme, verschoten, handgeweven beddensprei. Alles was duidelijk afkomstig uit het ouderlijk huis of was ergens goedkoop op de kop getikt, maar het maakte het tot een harmonieuze en gezellige woonruimte. Kamerplanten in een geel geschilderde houten bak vulden de vloerruimte tussen de twee ramen.

De deur van de slaapkamer ging open en Ingrid Pamber kwam naar buiten. Ook zij was nog niet aangekleed, maar er was niets slaperigs aan haar, niets waaruit bleek dat ze net was opgestaan. Ze droeg een ochtendjas van witte broderie anglaise die tot haar knieën reikte. Haar kleine slanke voeten waren onbedekt. Het satijnachtige donkere haar, dat door een haarspeld in bedwang werd gehouden toen Wexford haar vrijdagavond had gesproken, was nu met een rood haarlint naar achteren gebonden. Zonder make-up was haar gezicht nog mooier, haar huid glansde en haar ogen leken blauwer dan ooit.

'O, hallo, bent u het,' zei ze tegen Wexford op een aangenaam verraste toon. Vine schonk ze een vriendelijke glimlach. 'Hebt u zin in koffie? Als ik het hem heel lief vraag wil Jerry vast wel koffie voor ons zetten.'

'Vraag het me dan maar heel lief,' zei Jeremy Lang.

Ze gaf hem een kus. Een heel sensuele kus, dacht Wexford, hoewel deze met gesloten lippen midden op zijn wang werd geplant. De kus duurde voort, ze trok haar mond iets terug en fluisterde: 'Ga koffie voor ons maken, liefste, alsjeblieft. En ik heb zin in een enorm ontbijt: twee eieren met bacon, en worstjes als we die hebben en... o ja, gebakken aardappelen. Dat ga jij voor me maken, hè, lieve schat? Ja? Alsjeblieft, mmm?'

Vine kuchte. Hij was niet zozeer gegeneerd als wel geërgerd.

Ingrid ging op een kussen op de vloer zitten en keek naar hen op. Ze was hier, in haar vertrouwde omgeving, veel vrijmoediger en zekerder van zichzelf, dacht Wexford.

'Ik heb hem al iets verteld,' zei ze met een zijdelingse blik naar Vine. 'Het belangrijkste heb ik voor u bewaard. Het is een ongelooflijke geschiedenis.'

'Goed,' zei Wexford, en, alsof hij Cocteau was die tegen Diaghilev sprak: 'Verbaas mij.'

'Ik heb het nooit tegen iemand gezegd, weet u. Zelfs niet tegen Jerry. Ik vind dat mensen zich aan hun belofte moeten houden, vindt u ook niet?'

'Dat vind ik zeker,' zei Wexford, 'maar niet over het graf.'

Ingrid Pamber genoot kennelijk van dit soort conversatie. 'Ja, maar als je iemand iets hebt beloofd en hij sterft, dan mag je je belofte niet verbreken door het aan z'n kinderen te vertellen, niet als die er de dupe van zouden worden. Ik bedoel, het kan wel iets zijn dat hun leven zou ruïneren.'

'Laten we niet te filosofisch worden, juffrouw Pamber. Annette Bystock had helemaal geen kinderen. Ze had geen familie, met uitzondering van haar nicht. Ik wil graag weten wat ze u heeft verteld over haar liefdesrelatie.'

'Maar voor hem kan het toch gevolgen hebben?'

'Wie bedoelt u?'

'Nou, Bruce. Die man. De man over wie ik het heb gehad, tegen hém.' Ze wees naar Vine.

'Laat u dat maar aan mij over,' zei Wexford. 'Dat zijn uw zorgen niet.'

Jeremy Lang kwam terug met drie kopjes koffie. Als een kelner in een restaurant die zijn gasten vooraf de verse ingrediënten van hun maaltijd toont, lagen op het dienblad ook twee rauwe eieren, twee plakjes bacon, drie worstjes en een aardappel.

'Dank je wel.' Ingrid keek hem in de ogen, en zei nog eens: 'Dank je wel, dat ziet er heerlijk uit.' Kennelijk hadden die woorden een speciale betekenis voor hen beiden, want hij begon met zijn ogen te rollen en zij begon te giechelen. Wexford kuchte. Hij kon een kuch heel verwijtend laten klinken. 'O, sorry,' zei ze en ze hield op met lachen. 'Ik moet me gedragen. Er valt niets te lachen. Ik ben echt heel verdrietig vanwege die arme Annette.'

'Hoe lang hebt u haar eigenlijk gekend?' vroeg Vine.

'Sinds ik drie jaar geleden voor het ASB ben gaan werken. Dat heb ik u allemaal al verteld. Daarvoor was ik onderwijzeres, maar daar bracht ik niets van terecht. Ik kon niet met de kinderen overweg en zij niet met mij.'

'Dat hebt u me niet verteld,' zei Vine.

'Nou ja, dat doet toch ook niet ter zake? Ik woonde toen dicht bij Annette in de buurt. Dat was voordat ik Jerry leerde kennen.' Ze wierp Jeremy Lang een verliefde blik toe en tuitte haar lippen in een kusbeweging. 'Annette en ik liepen altijd samen naar huis, en soms gingen we wel eens samen ergens eten. U weet wel, als we geen zin hadden om te koken of boodschappen te doen. Ik ben een of twee keer bij haar thuis geweest, maar ze kwam veel vaker bij mij, hoewel ik maar één kamer had. Ik had de indruk dat ze niet graag mensen bij haar thuis uitnodigde. Toen... nou ja, toen leerde ik iemand kennen en...' nu met een quasi-dramatische blik naar Jeremy, die deze fronsend retourneerde, 'we kregen verkering. Ik trok niet bij hem in of zo,' voegde ze eraan toe, zonder te verklaren wat ze met 'of zo' bedoelde. 'Ik denk dat Annette het me daarom vertelde. Of misschien was het omdat ik die avond bij haar thuis was en híj opbelde. Toen liet ze me beloven nooit iemand te zeggen wat ze me ging vertellen. Ze was al die tijd onrustig voordat de telefoon ging. Waarschijnlijk had hij beloofd om zeven uur op te bellen en het was toen bijna acht uur. Ze greep naar die telefoon alsof het... nou ja, alsof het van levensbelang was. Daarna zei ze: "Kun je een geheim bewaren?" En ik zei: natuurlijk, en zij zei: "Weet je, ik heb ook iemand. De man die net opbelde." En toen heeft ze me alles verteld.'

'Hoe heet hij, juffrouw Pamber?'

'Bruce. Hij heet Bruce. Z'n achternaam weet ik niet.'

'Was hij de man die volgens u het uitkeringsbureau heeft gebeld nadat juffrouw Bystock u had gezegd dat ze niet zou komen?'

Ze knikte, niet gehinderd door die eerdere leugen.

'Weet u waar hij woont?' vroeg Vine.

'Toen mijn vriend en ik op een dag naar Pomfret gingen, hebben we Annette een lift gegeven. Ze zou haar niet gaan opzoeken. Het was rond de kerstdagen, de dag voor kerstavond geloof ik. Annette zat achterin en op een gegeven moment tikte ze op m'n schouder en zei: "Kijk, dat huis daar met dat dakraam, daar woont je-weet-wel." Zo zei ze het: "Je-weet-wel". Het nummer weet ik niet. Ik kan het u wel laten zien.' De woedende blik die Jeremy haar toewierp was Wexford niet ontgaan. Ook Ingrid niet, en ze zuchtte berustend. 'Ik zal het voor u beschrijven. Je moet niet van die rare gezichten trekken, liefje. Ga nu maar gauw mijn ontbijt maken.'

'Wat hebt u met de sleutel van de flat gedaan toen u er donderdag vandaan ging?' vroeg Wexford.

Ze antwoordde snel – té snel.

Ze zaten in de auto voor de woning op 101 Harrow Avenue, een groot, Victoriaans huis met drie verdiepingen waaraan een vierde was toegevoegd met een kapelraam in het dak. Wexford deed Burden verslag van wat Ingrid Pamber had verteld. Ze waren al eerder bij het huis geweest, maar er was niemand thuis. Het had niet verder af kunnen liggen van de straat waar Annette had gewoond, maar het was nog wel in Kingsmarkham. Volgens het kiesregister werd het bewoond door Snow, Carolyn E., Snow, Bruce J., en Snow, Melissa E. Man, vrouw en volwassen dochter, vermoedde Wexford. De kiezerslijst gaf natuurlijk geen uitsluitsel over andere kinderen die de Snows mogelijk hadden.

'Ze heeft negen jaar een verhouding met hem gehad,' zei Wexford. 'Dat heeft ze tenminste tegen Ingrid Pamber gezegd, en ik kan geen reden bedenken waarom zelfs een leugenaarster als zij hierover zou liegen. Het was zo'n situatie waarin de getrouwde man zijn maîtresse belooft dat hij zijn vrouw zal verlaten zodra de kinderen de deur uit zijn. Negen jaar geleden was Bruce Snows jongste kind vijf jaar oud, dus een oude cynicus als ik zou zeggen dat hij het goed voor elkaar had.'

'Precies,' zei Burden uit de grond van zijn hart.

'Wacht maar, het wordt nog mooier. Ze moesten altijd ergens afspreken, maar hij nam haar nooit mee naar een hotel, hij zei dat hij dat niet kon betalen. Na dat ritje langs het huis in de auto van haar vriend vroeg Ingrid wat Bruce haar met Kerstmis had gegeven en Annette zei dat ze niets had gekregen, hij gaf haar nooit iets, ze had nog nooit een cadeautje van hem gekregen. Alles wat hij had was voor zijn gezin bestemd. Maar volgens Ingrid vond Annette dat niet erg, ze had nooit kritiek op hem. Ze *begreep* het wel.'

'Mag ik aannemen dat na die eerste confidenties er meerdere zijn gevolgd?'

'O ja. Toen ze eenmaal was begonnen was ze niet meer te stoppen. Wanneer zij en Ingrid maar even alleen waren was het Bruce voor en Bruce na. Waarschijnlijk was die arme vrouw opgelucht dat ze er met iemand over kon praten.' Wexford keek nog eens naar het huis, naar al die tekenen van welstand, de kennelijk kortgeleden aangebouwde dakverdieping, de nieuwe verf, de schotelantenne bij het bovenraam. 'Zoals ik al zei,' vervolgde hij, 'Snow nam haar nooit mee naar een hotel, en natuurlijk konden ze ook niet naar zijn huis. Hoewel zij een flat had, weigerde hij daar te komen. Het schijnt dat er een kennis of een familielid van zijn vrouw aan de overkant woonde. Dus hij liet haar na werktijd bij hem op kantoor komen.'

'Het is niet waar,' zei Burden.

'Volgens Ingrid Pamber wel, en dit kan ze niet hebben verzonnen. Snow heeft haar nooit geschreven, dus vandaar dat we geen brieven hebben gevonden. Hij heeft haar nooit iets gegeven, niet eens een foto van hemzelf. Hij belde haar op gezette tijden op "als het kon". Maar ze hield van hem, zie je, en daarom vond ze het allemaal best, was het allemaal redelijk in haar ogen, ze moesten immers voorzichtig zijn. Tenslotte zou het allemaal anders worden als de kinderen het huis uit waren.'

Burden zei wat sinds kort de favoriete uitdrukking van zijn zoon was: 'Yagh!'

'Je haalt me de woorden uit de mond. Wanneer hij haar wilde ontmoeten, laten we zeggen wanneer hij zin in haar had...' Wexford sloeg geen acht op Burdens geschokte blik, 'vroeg hij of ze naar zijn kantoor kwam. Hij is accountant bij Hawkins and Steele.'

'O ja? Zitten die niet in York Street?'

'In een van die heel oude huizen die boven de straat vooruitsteken. De achterkant grenst aan Kiln Lane, een steegje dat uitkomt op High Street, aan de andere kant van de St. Peter. Kiln Lane is maar een heel smal steegje tussen hoge muren. Als de winkels dicht zijn zie je daar nooit een sterveling. Annette kon daar ongezien naartoe glippen en dan liet hij haar via de achterdeur binnen. Het mooiste is nog – of het ergste, het is maar hoe je het bekijkt – dat zijn verklaring voor die ontmoetingsplaats was dat als zijn vrouw zijn kantoor zou bellen hij de telefoon zou opnemen en zij zou denken dat hij moest overwerken.'

Er werden lampen in de huizen aangestoken, maar op 101 bleef het donker. Wexford en Burden stapten de auto weer uit en liepen de oprit op. Via een poortje aan de zijkant dat niet op slot was gingen ze de achtertuin in, een groot gazon met struiken en hoge bomen die zich zwart aftekenden in de schemering.

'En dat heeft ze negen jaar volgehouden?' zei Burden. 'Als een call-girl?'

'Een call-girl kan nog een bed verwachten, Mike, en een drankje. Ik heb me laten vertellen dat call-girls minstens een badkamer eisen. En in elk geval een geldelijke beloning.'

'Vandaar dat ondergoed.' Burden beschreef wat hij in de flat in Ladyhall Court had aangetroffen. 'Ze kon op elk ogenblik voor hem klaarstaan. Wat zou er nu door hem heen gaan?'

'Denk je dat hij die man op de foto is? Ik hoop maar dat hij niet met vakantie is gegaan.'

'Dat zeker niet, Reg. Niet als zijn jongste pas veertien is. De school sluit pas over een paar weken.'

'We moeten hem snel te spreken zien te krijgen.'

Burden dacht even na. 'Waarom zeg je dat die Ingrid een leugenaar is?'

'Ze zei dat ze de sleutel die Annette haar had gegeven in de flat heeft achtergelaten toen ze daar donderdag wegging. Als dat zo is, waar is die dan?'

'Op het nachtkastje,' zei Burden prompt.

'Nee, Mike. Ze moet hebben gelogen over die sleutel.'

8

Er waren maar twee verschillende vingerafdrukken in de flat van Annette Bystock gevonden. De meeste waren van Annette zelf, de andere, op de kruideniersdoos, de keukendeur, de voordeur en het gangtafeltje, waren van Ingrid Pamber. In de hele flat waren geen andere afdrukken te vinden geweest. Het leek alsof Annettes huis niet alleen haar veilige haven was geweest, maar ook de cel waarin ze eenzaam zat opgesloten.

Degene die de elektronische apparatuur had gestolen moest handschoenen hebben gedragen. Ook de moordenaar had handschoenen aangehad. Bruce Snow was nooit met een voet of een vinger in het huis geweest van de vrouw die bijna tien jaar lang zijn maîtresse was. Nooit was hier een vriend of vriendin geweest, behalve Ingrid Pamber. Wexford bedacht dat Annette mogelijke vriendschapsbanden moest hebben afgeweerd. Bezoekers zouden immers getuige kunnen zijn van haar telefoongesprekken met Snow, ze zouden haar kunnen verraden; door hun mond voorbij te praten zouden ze Snows zorgvuldig gekoesterde dekmantel kunnen afwerpen. Dus ter wille van de liefde leidde ze dit eenzame bestaan. Wat een intriest verhaal...

Ze moest erop vertrouwd hebben dat de enige vriendin die ze had haar geheim zou bewaren. En als je Ingrid mocht geloven dan was dat vertrouwen niet misplaatst, want ze had tegen niemand iets gezegd totdat Annette dood was. Ongeveer zeven maanden nadat ze Ingrid voor het eerst in vertrouwen had genomen, was ze gestorven, dus het was niet waarschijnlijk dat haar dood het gevolg was van het bekendmaken van haar geheim.

Wexford zuchtte. Annette was om en nabij de zesendertig uur dood geweest toen Burden haar lichaam die vrijdagochtend ontdekte. Ze was niet eerder gestorven dan tien uur woensdagavond en niet later dan één uur donderdagochtend. Tegen de tijd dat Ingrid Pamber donderdag om halfzes de flat binnenging, was

Annette al een dag en een halve nacht dood geweest als gevolg van wurging met afbindingsdraad, in dit geval een stuk elektrisch snoer. Dat wist hij al, en al die medische details begreep hij toch niet. Tremlett opperde dat de dader ook een sterke vrouw geweest zou kunnen zijn. Voor haar dood was Annette een normale, gezonde vrouw geweest zonder bijzondere lichamelijke kenmerken, zonder een enkel litteken op haar lichaam, zonder eigenaardigheden of afwijkingen. Ze had het normale gewicht voor iemand van die lengte. Ze hadden geen enkele ziekte kunnen ontdekken.

Hoewel de flat schoon was geweest, hadden ze een flinke hoeveelheid haren en vezels verzameld van het bed, de nachtkastjes en de vloer. Wat zou het handig zijn geweest, dacht Wexford niet voor de eerste keer, als ze een sigarettenpeuk in de buurt van het lichaam hadden gevonden, zoals je altijd in detectiveromans las. Of als er een knoop van het jasje van de moordenaar was afgerukt – liefst nog met een stukje stof eraan – die de arme Annette in haar levenloze vuist geklemd hield. Natuurlijk was het waar dat niemand ergens heen gaat zonder het geringste spoor van zichzelf achter te laten en dat iedereen altijd een spoor bij zich draagt van waar hij is geweest. Maar daar had je alleen wat aan als je een flauw benul had wie het was en waar hij zou kunnen zijn...

Hij wilde net weggaan naar de lokale tv-studio's om daar een oproep aan de kijkers te doen toen zijn telefoon ging. De centrale zei dat het de commissaris was die hem belde vanuit zijn huis in Stowerton.

Freeborn was een kille man die altijd direct ter zake kwam. 'Ik wens geen foto's onder ogen te krijgen waarop jij staat te slempen.'

'Nee, meneer, het is hoogst betreurenswaardig.'

'Het is een godvergeten schandaal. En nog wel in een *kwaliteits-krant*.'

'Ik zie niet in waarom een boulevardblad het er beter op zou hebben gemaakt,' zei Wexford.

'Dat is dan weer een van de vele dingen die jij niet inziet en die je wel zou moeten inzien.' Freeborn ging nog geruime tijd door over de noodzaak Annettes moordenaar snel te pakken te krijgen en over dit mooie, ooit zo veilige stadje dat al net zo gevaarlijk dreigde te worden als de eerste de beste Londense achterbuurt. 'En zorg dat je geen glas in je hand hebt als je in beeld bent.'

Ze gaven hem maar twee minuten en die, wist hij, zouden worden versneden tot dertig seconden. Maar het was beter dan niets. Zijn oproep zou reacties opbrengen van kijkers die gemeend of zich verbeeld hadden een moordenaar in de buurt van Ladyhall Road te hebben gezien, er zouden bekentenissen komen, aanbiedingen van helderzienden, mensen die beweerden dat ze bij Annette in de klas hadden gezeten of tegelijk met haar dezelfde opleiding hadden gevolgd, dat ze haar minnaar waren geweest, haar moeder, haar zuster, dat ze haar na haar dood in Inverness, Carlisle of Boedapest hadden gezien, en heel misschien zat er één authentiek en waardevol stukje informatie tussen.

Hij lag laat in bed en was vroeg weer op, net toen de post kwam. Dora kwam in ochtendjas naar beneden om zijn ontbijt te maken, een liefdevolle maar onnodige geste omdat hij alleen maar cornflakes en een boterham nam.

'Er is alleen maar een brief en die is aan ons beiden gericht. Maak jij hem maar open.'

Dora scheurde de envelop open en haalde er een kaart met gekartelde randen uit.

'Hemeltje, Reg, je moet wel indruk op haar hebben gemaakt.'

'Indruk op wie? Waar heb je het over?' Gek dat hij direct aan Ingrid Pamber moest denken.

'Sylvia zegt dat uitnodigingen voor dit soort party's goud waard zijn. Zij zou er dolgraag naartoe gaan.'

'Laat eens zien.' Idioot die hij was! Wat haalde hij zich op zijn leeftijd in zijn hoofd? Hij las hardop voor wat er op de kaart stond. '"Wael en Anouk Khoori hebben het genoegen de heer en mevrouw Reginald Wexford uit te nodigen voor een tuinfeest dat op zaterdag 17 juli gegeven zal worden op Mynford New Hall, Mynford, Sussex".' Onderaan de kaart was toegevoegd:

'Ten behoeve van het FBKK, Fonds voor Baby's en Kinderen met Kanker.'
'Zijn ze daar niet een beetje laat mee? Het is vandaag al de dertiende.'
'Nou ja, dat bedoel ik. Kennelijk stonden we niet op de gastenlijst totdat ze jou zaterdagavond ontmoette.'
'Freeborn zal er ook wel op staan,' zei Wexford somber. 'Iedereen zal minstens tien pond moeten dokken. Ik vind dat nogal brutaal als je nagaat dat Khoori miljonair is. Die heeft echt geen oliebaronnen nodig om dat fonds te ondersteunen. Maar het maakt niet uit, want we gaan er toch niet heen.'
'Ik wil er wel naartoe,' zei Dora terwijl haar man de deur uit liep. Ze riep hem na: 'Ik zei dat ik er wel naartoe wil, Reg.'
Er kwam geen antwoord. De voordeur ging zachtjes dicht.

Het gerechtelijk onderzoek over Annette Bystock begon om tien uur 's morgens en werd om tien over tien geschorst in afwachting van nieuw bewijsmateriaal. Jane Winster, de nicht van Annette, was hierbij niet aanwezig, maar ze zat op Wexford te wachten toen hij terugkwam op het bureau. Iemand – een of andere stommeling, dacht hij – had haar naar een van de sombere verhoorkamers gebracht waar ze op een stalen-buisstoel zat, voor de tafel van spaanplaat. Ze zag er een beetje verward en angstig uit.
'U wilde me spreken, mevrouw Winster?'
Ze knikte. Ze keek om zich heen naar de beige geschilderde bakstenen muren, naar het gordijnloze raam
'Gaat u maar mee naar boven, naar mijn kantoor,' zei hij.
Hier zou iemand voor moeten boeten. Waar zagen ze haar voor aan, deze kleine vrouw van middelbare leeftijd in een tot de nek dichtgeknoopte regenjas en met een vochtige sjaal om haar hoofd. Een winkeldievegge? Een zakkenroller? Ze had een mager, getekend gezicht, haar handen waren benig en dooraderd, vroegtijdig verouderd.
Nu ze in zijn betrekkelijk gerieflijke kantoor zaten, met vaste vloerbedekking en gemakkelijke stoelen, verwachtte hij dat ze zich zou gaan beklagen over de behandeling, maar ze keek alleen

maar behoedzaam om zich heen. Misschien leidde ze zo'n afge-
schermd bestaan dat elke nieuwe omgeving haar intimideerde.
Hij vroeg haar te gaan zitten. Terwijl ze op de rand van de stoel
zat met haar knieën tegen elkaar aangedrukt, deed ze voor het
eerst haar mond open.

'Ik ben vergeten iets tegen die agent te zeggen die bij me is geweest. Het was een beetje... Ik bedoel, ik was...'

Vines voortvarendheid zou haar wel angst hebben aangejaagd,
vermoedde hij. 'Dat geeft niet, mevrouw Winster. U herinnert
het zich nu weer, dat is het belangrijkste.'

'Het was zo'n schok, weet u. Ik bedoel, we waren, nou ja, Annette en ik zagen elkaar niet zoveel... maar ja, ze was mijn *nichtje*, de
dochter van mijn eigen tante.'

'Ja.'

'En toen ik daarnaartoe moest en haar zo... nou ja, zo dood zag,
was dat een hele schok. Ik heb zoiets nog nooit eerder gedaan
en...'

Een vrouw die haar zinnen niet afmaakte uit gebrek aan zelfvertrouwen, misschien omdat ze niet gewend was serieus te worden
genomen. Hij besefte dat dit alles een soort verontschuldiging
was. Ze verontschuldigde zich voor haar emoties.

'Ik zei tegen hem dat we elkaar wel eens opbelden. Ik bedoel, ik
had gezegd dat we elkaar wel eens aan de telefoon hadden, maar
hij... nou ja, hij wilde liever weten wanneer ik haar voor het
laatst gezien had. Ik had haar niet meer gezien sinds onze trouw-
dag, dat was in april, drie april.'

'Maar u had haar wel telefonisch gesproken?'

Ze zou heel wat aanmoediging nodig hebben en Vine was daar
niet de geschikte man voor. Ze keek hem aan met een smekende
blik.

'Ze belde me op de dinsdag voor ze... afgelopen dinsdag, ik bedoel...'

Op de dag dat ze met Melanie Akande had gesproken. 'Was dat
's avonds, mevrouw Winster?'

''s Avonds om een uur of zeven. Ik zette net het eten voor mijn
man op tafel. Hij... hij houdt er niet van om te wachten. Ik was

112

een beetje verbaasd dat ze belde, maar toen zei ze dat ze zich niet lekker voelde, dat ze maar vroeg naar bed ging...' Mevrouw Winster aarzelde. 'Mijn man... mijn man maakte gebaren naar me, dus ik heb de hoorn er even naast gelegd en hij zegt – u zult het wel afschuwelijk vinden...'

'Gaat u verder, mevrouw Winster.'

'Mijn man... niet dat hij Annette niet mag, maar hij heeft het niet op buitenstaanders. Aan onze eigen familie hebben we meer dan genoeg, zegt hij altijd. Natuurlijk was Annette ook familie, maar hij zegt altijd dat nichten niet meetellen. Dus hij zegt, toen Annette aan de telefoon was, hij zegt, bemoei je er niet mee. Als ze ziek is wil ze natuurlijk dat je boodschappen voor haar gaat doen en zo. Nou ja, dat zal ze ook wel verwacht hebben, daarom belde ze, en ik vond het verschrikkelijk om te moeten zeggen dat ik nu geen tijd had, dat ik moest ophangen, maar ik moest toch eerst aan hem denken?'

Als dit alles was dan zat hij zijn tijd te verdoen. Hij moest geduldig blijven. 'U hebt toen opgehangen?'

'Nou, nee. Niet direct. Ze vroeg of ze me later kon terugbellen. Ik wist niet wat ik moest zeggen. Toen zei ze dat er nog iets was, iets dat ze me wilde vragen, Malcolm ook – Malcolm is mijn man – het was of ze naar de politie moest gaan of niet.'

'Ah.' Dus dat was het. 'Heeft ze gezegd waar het over ging?'

'Nee, want ze zou me terugbellen. Maar dat heeft ze niet gedaan.'

'U hebt haar ook niet gebeld?'

Jane Winster bloosde. Ze keek hem uitdagend aan. 'Mijn man wil niet dat ik nodeloos telefoneer. En hij heeft het voor het zeggen, hij brengt het geld binnen.'

'Vertelt u mij eens precies wat uw nichtje heeft gezegd over dat naar de politie gaan.'

Wexford begon Vines ongeduld met deze getuige te begrijpen, hij kreeg zelfs begrip voor degene die haar had opgesloten in die sombere verhoorkamer. Zijn sympathie voor haar was verdwenen als sneeuw voor de zon. Weer iemand die Annette Bystock in de steek had gelaten. Ze friemelde aan haar handtas en had haar lippen stijf opeengeklemd; een vrouw, vermoedde hij, die zichzelf voortdurend vernederde maar die toch geen kritiek van anderen kon verdragen.

'Wat ze precies zei weet ik niet meer… nou ja, zoiets als "Door mijn werk is er iets gebeurd en misschien moet ik ermee naar de politie, maar ik wil graag weten wat jij en Malcolm ervan vinden." Dat was alles.'

'U bedoelt waarschijnlijk "op m'n werk"?'

'Nee. Ze zei "door m'n werk".'

'U hebt haar niet meer gesproken?'

'Ze heeft nooit teruggebeld en ik… nee, ik… ik heb haar niet meer gesproken.'

Hij knikte. Omdat haar nicht haar niet wilde helpen, had Annette een beroep gedaan op de iets meelevender Ingrid om haar boodschappen te doen, om haar dat kleine beetje aandacht te geven die iemand met 'de vallende ziekte' nodig had. Wat de politie betrof was ze van gedachten veranderd, of waarschijnlijk zou ze die pas bellen als ze weer beter was. Maar ze werd niet beter, het werd veel en veel erger, en toen was het te laat.

'Heeft uw nicht ooit de naam genoemd van Bruce Snow?'

Ze keek onverschillig naar hem op. 'Nee. Wie is dat?'

'Verbaast het u te horen dat hij een getrouwde man was met wie juffrouw Bystock een aantal jaren een verhouding had?'

Jane Winster was hierdoor heviger geschokt dan door de dood van haar nichtje, nog erger zelfs dan toen ze Annettes dode gezicht in het mortuarium had gezien. 'Dat weiger ik te geloven. Annette zou nooit zoiets gedaan hebben. Zo was ze niet.'

Ze was zo ontzet dat ze er welbespraakt door raakte. 'Mijn man had haar nooit het huis binnengelaten als daar ook maar het geringste vermoeden van bestond. O nee, u hebt het bij het verkeerde eind. Niet Annette, Annette zou zoiets nooit hebben gedaan.'

Toen ze was vertrokken, belde Wexford Hawkins en Steele en vroeg de heer Snow te spreken. Terwijl hij wachtte klonk de muziek van 'Greensleaves' in zijn oor. Hij dacht na over Snow en vroeg zich af hoe geschokt hij zou zijn als hij hoorde wie hem op-

114

belde. Tenslotte was Annette de afgelopen vrijdag dood aangetroffen, het was vrijdag op televisie geweest en zaterdag had het
in alle kranten gestaan. Maar niemand wist immers iets van hun
verhouding af, behalve Annette en hijzelf? En Annette was dood.
Hij zou wel denken dat hij er goed van af was gekomen. Maar
waarvan precies, vroeg Wexford zich af.

'Meneer Snow is op de andere lijn in gesprek. Wilt u wachten?'

'Nee, ik bel over tien minuten wel terug. Zegt u maar dat de politie van Kingsmarkham hem wil spreken.'

Dan kon hij alvast in de zenuwen zitten. Het zou Wexford niets
verbazen als Snow hem zelf zou terugbellen om meteen maar het
ergste te horen, maar hij belde niet. Hij wachtte nog een kwartier
voordat hij het nummer weer draaide.

'Meneer Snow is in vergadering.'

'Hebt u hem de boodschap doorgegeven?'

'Jawel, maar direct na zijn telefoongesprek is hij in vergadering
gegaan.'

'Juist. Hoe lang duurt die vergadering?'

'Een halfuur. Om kwart over elf heeft meneer Snow een andere
vergadering.'

'Wilt u hem dan de volgende boodschap doorgeven? Zeg tegen
hem dat hij die volgende vergadering moet afzeggen omdat
hoofdinspecteur Wexford hem om elf uur op zijn kantoor wil
spreken.'

'Maar dat is onmogelijk...'

'Dank u wel.' Wexford legde de telefoon neer. Hij voelde zich
kwaad worden. Hij dacht aan zijn bloeddruk. Toen kreeg hij een
ingeving waardoor hij even moest grinniken voordat hij de
hoorn weer oppakte en agent Karen Malahyde vroeg bij hem
langs te komen.

Karen Malahyde was echt een vrouw van deze tijd. Ze was jong,
aantrekkelijk en deed weinig aan haar uiterlijk. Ze droeg nooit
make-up en haar blonde haar was heel kortgeknipt, net als haar
nagels. Veel minder knappe vrouwen dan zij hadden zich tot
schoonheden weten om te toveren. Maar er was niets waardoor
ze haar prachtige figuur kon verbergen. Karen had lange benen

die wel bij haar heupen leken te beginnen. Ze was een feministe, je zou haar bijna radicaal kunnen noemen, ze was ook een prima politiefunctionaris, al moest ze soms gewaarschuwd worden de mannen niet te hard aan te pakken of vrouwen voor te trekken.

'Ja meneer?'

'Ik wil dat je met me meegaat naar een galante ridder.'

'Hoe bedoelt u?'

Wexford vertelde haar in het kort over de liefdesrelatie van Annette Bystock. In plaats van Snow voor hufter uit te maken, wat hij had verwacht, zei ze nogal somber: 'Deze vrouwen zijn de grootste vijanden van zichzelf,' en vervolgens: 'Heeft hij haar vermoord?'

'Dat weet ik niet.'

Ze gingen het oude huis binnen door de voordeur in York Street. Binnen was het er hokkerig en laag, maar alles was er authentiek, het soort interieur dat men 'karakter' toeschrijft. Er was geen lift. De receptioniste kwam achter haar bureau vandaan en ging hen over een smalle, krakende eiken trap voor naar boven. Ze klopte op een deur, deed die open en zei nogal cryptisch: 'Uw afspraak van elf uur, meneer Snow.'

De man op de foto die Burden had gevonden liep met uitgestrekte hand op hen af. Wexford deed alsof hij deze niet zag. Even dacht hij dat men Snow niet had verteld wie zijn bezoekers waren. Anders was hij niet zo zelfverzekerd geweest, dan had hij niet zo triomfantelijk gelachen.

'Ik ben blij u te kunnen zeggen dat ik het heb gevonden,' zei hij. Hij dacht kennelijk dat ze voor iets anders kwamen, maar Wexford had geen idee waarvoor. Als hij niet uitkeek ging hij nog lol in de situatie krijgen.

'Wat hebt u gevonden, meneer?'

'Mijn rijbewijs natuurlijk. Het kon maar op vijf plaatsen zijn, en op het vijfde en laatste plekje heb ik het gevonden.' Snow realiseerde zich dat er iets niet in orde was, maar hij keek alleen maar een beetje verward, niet bang. 'Sorry. Waarover wilde u me spreken?'

Karen keek beledigd omdat hij haar voor een verkeersagent had aangezien. Wexford vroeg: 'Waarover *denkt* u, meneer Snow?'

De behoedzame blik in zijn ogen verried dat het hem begon te dagen. Hij trok zijn wenkbrauwen op en hield het hoofd enigszins schuin. Het was een grote, magere man, met warrig donker haar dat begon te grijzen. Hij was niet knap maar had iets gedistingeerds. Wexford vond dat hij een onaangename mond had. 'Hoe moet ik dat weten?' zei hij op een toon die iets schriller klonk dan daarnet.

'Mogen we gaan zitten?'

Zonder er iets aan te kunnen doen liet Karen heel wat van haar benen zien toen ze was gaan zitten. Zelfs in die vreselijke bruine rijglaarsjes met die halfhoge hakken zagen ze er spectaculair uit. Snow wierp er een vluchtige maar veelbetekenende blik op.

'Het verbaast me dat u niet weet waarom we hier zijn, meneer Snow,' zei Wexford. 'Ik had gedacht dat u ons wel verwacht zou hebben.'

'Dat is ook zo. Ik zei u al dat ik dacht dat u hier was omdat ik mijn rijbewijs niet kon vinden toen ik zaterdag werd aangehouden.' Hij wist het, zag Wexford. Zou hij blijven doen of zijn neus bloedde? Snows vingers speelden met de voorwerpen op zijn bureau, hij legde een vel papier recht, deed de dop op een vulpen.

'Dus waar gaat het dan over?'

'Annette Bystock.'

'Wie?'

Als die vingers niet zo rusteloos waren geweest – nu friemelden ze aan het telefoonsnoer – als die ogen niet die panische glans hadden vertoond, dan zou Wexford getwijfeld hebben, dan zou hij gedacht hebben dat de dode vrouw een paranoïde fantast was geweest, Jane Winster een orakel en Ingrid Pamber de koningin van de leugenaarsters. Hij keek even naar Karen.

'Annette Bystock werd afgelopen woensdag vermoord,' zei Karen. 'Kijkt u geen televisie? Hebt u geen krant gelezen? U had een verhouding met haar. U hebt negen jaar lang een verhouding met haar gehad.'

'*Wat?*'

'U hebt me wel gehoord, meneer, maar ik wil het best nog eens zeggen. U en Annette Bystock hebben...'

'Dat is absolute waanzin!'

Bruce Snow stond op. Zijn smalle gezicht was donkerrood geworden en een blauwachtige ader klopte in zijn voorhoofd. 'Hoe durft u mijn kantoor binnen te komen met zulke volstrekt idiote aantijgingen!'

Ineens dacht Wexford eraan hoe Annette hiernaartoe moest zijn gekomen, hoe ze door het steegje sloop, op de achterdeur klopte, over die wenteltrap met Snow naar zijn kantoor ging waar niet eens een bank stond, waar niet eens wat te drinken was, nog geen kop thee. Maar er was wel een telefoon, voor het geval zijn vrouw mocht bellen.

Hij stond op en Karen kwam eveneens overeind.

'We hebben er verkeerd aan gedaan naar uw kantoor te komen, meneer Snow,' zei hij. 'Mijn excuses.' Hij zag hoe Snow zich ontspande, weer diep ademhaalde en energie verzamelde voor een laatste woedende opmerking. 'Ik stel het volgende voor. We komen vanavond bij u thuis en daar praten we verder. Zullen we zeggen acht uur? Dan kunnen u en uw vrouw eerst rustig eten.'

Als dat niet was gelukt, dan zou hij het bij het verkeerde eind hebben gehad, dan had een van de twee vrouwen gelogen, of beiden, dan was alles wat hij bij Snow meende te hebben gezien inbeelding geweest, dan zat hij diep in de problemen. Freeborn zou dit nog veel minder appreciëren dan een vrolijke foto in de krant. Maar het lukte.

Snow zei: 'Gaat u zitten, alstublieft.'

'Wilt u ons er iets over vertellen, meneer Snow?'

'Wat valt er te vertellen? Ik zal de eerste getrouwde man niet zijn die een vriendin heeft. Toevallig hadden Annette en ik besloten er een punt achter te zetten. Het was voorbij.' Snow zweeg even en schraapte zijn keel. 'Het heeft nu geen enkele zin meer dat mijn vrouw het te weten komt. Ik wil u best zeggen dat ik mijn uiterste best heb gedaan om dit voor mijn vrouw verborgen te houden. Ik wilde haar geen verdriet doen. Dat begreep Annette ook heel goed. Onze relatie was, laat ik het niet mooier maken dan het is, zuiver fysiek.'

'Dus u bent nooit van plan geweest om uw vrouw te verlaten en met juffrouw Bystock te trouwen wanneer uw jongste kind het huis uit was?'

'Grote goedheid, nee!'

Karen zei: 'Waar sprak u met haar af, meneer Snow? Bij juffrouw Bystock thuis? In een hotel?'

'Ik zie niet in wat dat ertoe doet.'

'Misschien wilt u toch antwoord geven.'

'Bij haar thuis,' zei Snow, weinig op zijn gemak. 'We spraken af bij haar thuis.'

'Dat is eigenaardig, meneer, want behalve die van haarzelf en van een vriendin hebben we geen andere vingerafdrukken in haar flat gevonden. Misschien hebt u ze weggeveegd? Of...' Karen scheen even diep na te denken, 'ja, dat is het natuurlijk, u had handschoenen aan.'

'Natuurlijk had ik geen handschoenen aan!'

Snow begon zich kwaad te maken. Wexford keek naar de ader op zijn voorhoofd, de bloeddoorlopen ogen. Voelde hij dan helemaal niets bij de dood van Annette Bystock? Was er na al die jaren geen verdriet, geen verlangen, geen spijt? En wat bedoelde de man met zijn 'zuiver fysieke' relatie? Wat betekende dat toch? Dat er niet werd gepraat, niet geliefkoosd, dat er geen beloftes werden gedaan? Eén belofte had hij de dode vrouw in elk geval weten te ontfutselen, en dat was dat ze het nooit iemand zou zeggen. Ze had zich er bijna aan gehouden.

'Wanneer hebt u haar voor het laatst gezien?'

'Ik weet het niet. Ik moet even nadenken. Een paar weken geleden, op een woensdag geloof ik.'

'Hier?' vroeg Karin.

Hij haalde zijn schouders op en knikte.

Wexford zei: 'Ik wil graag weten waar u afgelopen woensdag tussen acht uur 's avonds en middernacht bent geweest. Woensdag de zevende juli.'

'Thuis, natuurlijk. Ik kom altijd rond zes uur thuis.'

'Behalve wanneer u met juffrouw Bystock had afgesproken.'

Snow vertrok zijn gezicht en kuchte. 'Ik ben afgelopen woensdag tegen zes uur thuisgekomen en ik ben thuisgebleven. Ik ben niet meer weggegaan.'

'Dus u hebt de avond thuis doorgebracht met uw vrouw en uw kinderen, meneer Snow?'

'Mijn oudste dochter woont niet meer thuis. De jongste, Catherine, is 's avonds meestal weg...'

'Maar uw vrouw en uw zoon waren bij u? We zullen met uw vrouw moeten praten.'

'U mag mijn vrouw hier niet in betrekken!'

'Uzelf hebt haar hierin betrokken, meneer Snow,' zei Wexford rustig.

Bruce Snows afspraak van kwart over elf was verschoven en nu moest hij ook zijn afspraak van halfeen met een belastinginspecteur uitstellen. Wexford geloofde dat zijn gekwelde voorkomen weinig te maken had met schuldgevoel of omdat hij zich medeverantwoordelijk voelde voor Annettes dood. Hij was in paniek omdat zijn keurig geplande leventje in duigen viel. Maar hij wist het niet zeker.

'U zei dat u juffrouw Bystock enkele weken geleden op een woensdag voor het laatst hebt gezien. Hoeveel weken geleden was dat, meneer?'

'Wilt u het exact weten?'

'Graag, ja.'

'Drie weken geleden. Ja, drie weken geleden.'

'En wanneer hebt u haar voor het laatst aan de telefoon gesproken?'

Snow leek het niet te willen zeggen. Hij kneep z'n ogen samen, als iemand die een rokerige kamer binnenkomt. 'Dat was dinsdagavond.'

'Wat? De dinsdag voordat ze stierf?' Karen Malahyde was verbaasd. 'Dinsdag de zesde?'

'Ik heb haar hiervandaan gebeld,' zei Snow gehaast. 'Hier, vanaf kantoor vlak voordat ik naar huis ging.' Hij wreef zijn handen over elkaar. 'Om een afspraak te maken, als u het weten wilt. Voor de volgende avond. God, dit is wel mijn privé-leven dat u op het spel zet. Nou goed, het was niet belangrijk, er was niets aan de hand, ze zei alleen dat ze niet lekker was. Ze lag in bed. Ze had griep of zoiets.'

'Heeft ze de naam Melanie Akande genoemd? Heeft ze er iets over gezegd dat ze de politie moest bellen?'

Dit gaf Snow iets van hoop. Dit was een ander onderwerp. Even was de aandacht van die lange en ineens zo laakbare verhouding met Annette afgeleid. Maar hij zuchtte diep.

'Nee, niets... wacht even, zei u Akande? Zo heet een arts die in dezelfde praktijk werkt als mijn huisarts. Een kleurling.'

'Melanie is zijn dochter,' zei Karen.

'En wat is er met haar? Ik ken haar niet. Hem ook niet, ik wist niet eens dat hij een dochter had.'

'Annette wel. En Melanie Akande is verdwenen. Maar ach, natuurlijk heeft Annette u daar niets over gezegd, u had immers een zuiver fysieke relatie met haar die in stilzwijgen was gehuld.'

Snow was te aangeslagen om iets terug te zeggen. Wel vroeg hij wanneer Wexford van plan was met zijn vrouw te gaan praten.

'O, nog niet, meneer Snow,' zei Wexford. 'Vandaag niet. Ik wil u de kans geven er als eerste met haar over te spreken.' Hij liet de licht uitdagende toon varen en zei ernstig: 'Ik raad u aan dat bij de eerstkomende gelegenheid te doen, meneer.'

William Cousins, de juwelier, bestudeerde de ring van Annette Bystock aandachtig, noemde het een mooie robijn en schatte hem op vijfentwintighonderd pond, kon iets meer of iets minder zijn. Dat was ongeveer het bedrag dat hij ervoor zou betalen als hij zo'n ring kreeg aangeboden. Hij zou hem waarschijnijk voor veel meer kunnen verkopen.

Dinsdag was een van de twee marktdagen in Kingsmarkham, de andere was zaterdag. Bij wijze van routineonderzoek liet brigadier Vine dan zijn blik over de artikelen glijden die in de stalletjes op St Peter's Place werden aangeboden. Gestolen spullen doken meestal hier weer op of anders op de kofferbakmarkt die in het weekend op een braakliggend terrein werd gehouden. Meestal ging hij eerst naar de kraampjes en daarna naar de broodjes-winkel om zijn lunch op te halen.

Nadat hij bij Cousins was vertrokken begon hij aan zijn onder-zoek op de markt. Bij de tweede kraam werd een radiocassettere-corder te koop aangeboden. Het was er een van wit plastic en op de bovenkant, net boven de digitale klok, zat een donkerrode vlek die iemand tevergeefs had geprobeerd te verwijderen. Heel even dacht Vine dat het een bloedvlek was, toen herinnerde hij het zich weer.

9

Het ergst van alles, zei dokter Akande tegen Wexford, was dat iedereen vroeg of ze al iets van hun dochter hadden gehoord. Al zijn patiënten wisten het en ze vroegen er allemaal naar. Omdat ze de waarheid niet langer voor hem kon verzwijgen, had Laurette Akande haar zoon op de hoogte gebracht toen die opbelde vanuit Kuala Lumpur. Hij had onmiddellijk gezegd dat hij naar huis zou komen zodra hij met een goedkope vlucht meekon.

'Door de dood van dat andere meisje denk ik steeds maar dat Melanie ook niet meer in leven is,' zei Akande.

'Ik zou u valse hoop geven als ik zei dat u dat niet moest denken.'

'Maar ik blijf mezelf voorhouden dat er geen verband tussen hen bestaat. Ik moet wel blijven hopen.'

Wexford was naar hem toegekomen zoals meestal wanneer hij naar z'n werk ging of 's avonds op weg was naar huis. Laurette had haar blauw-met-witte uniform verwisseld voor een linnen jurk en hij was onder de indruk van haar aantrekkingskracht en waardigheid. Zelden had hij een vrouw met zo'n rechte rug gezien. Ze toonde minder emoties dan haar man, ze was altijd beheerst, koel, standvastig.

'Misschien weet u nog wat Melanie deed op de dag voordat ze... verdween,' zei hij. 'Wat heeft ze die maandag gedaan?'

Akande wist het niet. Hij was op z'n werk geweest, maar Laurette had die dag vrij gehad. 'Ze wilde uitslapen.' Wexford kreeg de indruk dat dit een moeder was die lang in bed liggen scherp afkeurde. 'Om tien uur heb ik haar eruit gehaald. Als je iets wilt bereiken in het leven moet je je dat soort gewoontes niet aanwennen. Toen is ze naar de stad gegaan, ik weet niet waarvoor. 's Middags is ze gaan rennen – u weet wel, joggen, wat ze allemaal doen. Ze nam altijd dezelfde route: Arrow Avenue, Eton Grove, helemaal de heuvel op, vreselijk met die hitte, maar het had weinig zin daar iets van te zeggen. De wereld zou er heel anders uitzien als ze net zoveel aandacht besteden aan hun verantwoordelijkheden als aan hun figuur. Toen kwam mijn man thuis en we hebben met z'n drieën gegeten...'

'Ze zei dat ze een baan ging zoeken,' zei de arts, 'ze had het over die afspraak op het arbeidsbureau en dat ze misschien een beurs kon krijgen om die cursus bedrijfseconomie te volgen.' Hij liet een droevig lachje horen. 'Ze werd kwaad toen ik zei dat ze misschien wel moest werken om haar studie te betalen, zoals zoveel studenten in Amerika.'

'Wij kunnen het ons niet veroorloven,' zei Laurette scherp. 'Ze heeft al eerder een beurs gehad. En haar studieresultaten waren niet om over naar huis te schrijven, daar kijken ze ook naar, en dat heb ik haar gezegd. Toen werd ze bokkig. We hebben met z'n allen een beetje tv gekeken. Zij heeft iemand gebeld, ik weet niet wie, misschien wel die Euan, God verhoede het.'

'Mijn vrouw,' zei dokter Akande bijna eerbiedig, 'heeft een graad in de natuurwetenschappen behaald aan de universiteit van Ibadan voordat ze verpleegkunde ging studeren.'

Wexford begon medelijden te krijgen met Melanie Akande. Dat meisje moest onder zware druk hebben gestaan. Ironisch genoeg was het alsof ze net zo weinig kans kreeg om aan een opgedrongen opleiding te ontsnappen als een Victoriaans meisje had om die te veroveren. En net als dat Victoriaanse meisje moest ze thuis blijven wonen tot in lengte van dagen.

Hij keerde weer terug naar het joggen van die maandagmiddag. 'Heeft ze gezegd dat ze toen iets heeft gezien, of met iemand heeft gesproken of wat dan ook?'

'Ze vertelde ons nooit wat,' zei Laurette. 'Nooit. Ze was er een expert in. Je zou denken dat ze een cursus geheimhouding had gevolgd.'

Wexford ging achter het stuur van z'n auto zitten. In plaats van naar huis te rijden ging hij in de richting van Glebe Lane. Hij vroeg zich af of een van de Akandes verantwoordelijk kon zijn voor Melanies verdwijning, misschien Melanies dood, hij moest toch met die mogelijkheid rekening houden. Wanneer hij beweerde dat Akande zich aan zo'n misdaad schuldig kon maken, moest hij er ook van uitgaan dat hij krankzinnig was, of op z'n minst een maniak. Maar de arts wekte totaal niet die indruk, en ook leek hij geen probleem te hebben met de relatie tussen zijn dochter en Euan Sinclair. Wexford had Akandes alibi nooit gecontroleerd, hij wist niet eens of hij wel een alibi had. Maar ook wist hij dat er één auto was waar Melanie wel zou zijn ingestapt op weg van het uitkeringskantoor naar de bushalte: die van haar vader.

Had Akande dan gelogen? Net als Snow en Ingrid Pamber? Vreemd genoeg had hij geweten wanneer ze loog zonder te weten waarover. Hij reed over de kinderkopjes van Glebe Lane. Ze kwam naar beneden om hem binnen te laten en zei dat ze alleen thuis was. Jerry was een oom van hem gaan opzoeken, een vreemd excuus dat ogenblikkelijk Wexfords achterdocht wekte, hoewel hij niet kon bedenken in welk opzicht. Haar ogen ontmoetten de zijne. Wanneer iemand je zo strak en zo lang kon aankijken gaf dat blijk van een enorm zelfvertrouwen, of van het vermogen met overtuiging te kunnen liegen. Ze droeg een lange blauwe rok die was bedrukt met een lichtblauw bloempatroon, en een zijden truitje. Haar donkere haar was in een wrong op haar hoofd gebonden.

'Juffrouw Pamber, u zult wel denken dat ik een slecht geheugen heb, maar misschien wilt u me nog eens precies vertellen wat er gebeurd is toen u afgelopen woensdag bij Annette Bystock was? Toen u haar een pak melk kwam brengen en zij vroeg of u de volgende dag wat boodschappen voor haar wilde doen?'

'U hebt helemaal geen slecht geheugen, is het wel? U probeert me te testen of ik wel hetzelfde verhaal vertel.'

'Misschien.'

Door het blauw dat ze droeg bedacht hij dat alle vrouwen met blauwe ogen diezelfde kleur zouden moeten dragen. Ze was zo'n lust voor het oog dat de kamer geen andere versiering nodig scheen te hebben. 'Die melk heb ik gekocht bij dat winkeltje op de hoek van Ladyhall Avenue en Lower Queen Street. Had ik u dat al gezegd?' Ze wist heel goed dat ze dat niet had gezegd. Hij zei niets. 'Je kunt daar makkelijk je auto kwijt, ziet u. Het was even over halfzes toen ik bij Annette kwam. Al die keren dat ik daar kwam was de toegangsdeur naar die flats niet op slot – dat is toch niet veilig?'

'Kennelijk niet.'

'Ik heb u geloof ik al gezegd dat Annette haar deur op de klink had gelaten. Ik heb de melk meteen in de koelkast gezet en daarna ben ik naar de slaapkamer gegaan. Ik heb eerst geklopt.' Al die details vertelde ze alleen maar om hem uit te dagen. Het kon hem niet schelen. Elk detail, hoe klein ook, kon in deze zaak relevant zijn. 'Ze zei: "Kom maar binnen." Nee, ze zei: "Kom maar binnen, Ingrid." Ik ging naar binnen en ze zat zo'n beetje rechtop in bed, maar ze zag er heel ziek uit. Ze zei dat ik niet te dichtbij moest komen omdat ze zeker wist dat ze me anders zou aansteken, en vroeg toen of ik de boodschappen wilde halen die ze had opgeschreven. Dat waren brood, cornflakes, yoghurt, kaas, grapefruit en melk.'

Wexford luisterde met een uitdrukkingsloos gezicht. Hij verroerde zich niet.

'Er lagen twee sleutels op het nachtkastje. Ze gaf me er een – dichter ben ik niet bij haar gekomen, want ik wilde niet aangestoken worden – en ze zei: dan kun je je morgen zelf binnenlaten. Ja, zei ik, dan neem ik de boodschappen voor je mee, word maar weer gauw beter, en ze vroeg of ik voor ik wegging de gordijnen in de woonkamer dicht wilde doen. Dus dat deed ik, zei tot morgen en...' Ingrid Pamber keek hem berouwvol, met schuin gehouden hoofd aan, 'ik kan het net zo goed meteen maar zeggen. U zult me toch niet opeten?'

Had hij er zo uitgezien? 'Ga verder.'

'Ik ben vergeten de deur achter me op slot te doen. Ik bedoel, ik heb hem gewoon op de klink gelaten. Ik ben het gewoon vergeten. Het is stom, ik weet het, maar bij dat soort deuren doe je dat zo gauw.'

'Dus de deur is de hele nacht van het slot geweest?'

Voordat ze antwoordde stond ze op, liep de kamer door en voelde achter de boeken die op een plank stonden. Over haar schouder heen glimlachte ze hem toe. Wexford herhaalde zijn vraag. 'Waarschijnlijk,' zei ze. 'Toen ik daar donderdag kwam was hij wel op slot. Bent u erg boos op me?'

Ze had geen idee. Ze realiseerde zich niet wat ze had gedaan. Haar ogen waren warm en stralend toen ze hem Annette By-stocks sleutel overhandigde.

Carolyn Snow was niet thuis. Ze bracht haar zoon Joel naar school, zei de werkster tegen Wexford. Hij besloot een blokje om te lopen, hoewel 'blokje' niet het woord was. 'Park' was het woord, of nog beter: enclave. Hoewel het huis van de Snows twee keer zo groot was als dat van Wexford was het een van de kleinste huizen in deze buurt. Ze schenen steeds groter te wor-den en verder van elkaar af te staan terwijl hij naar de hoek wan-delde en op Winchester Drive kwam. Hij wist niet meer wan-neer hij voor het laatst in dit deel van Kingsmarkham was ge-weest, het moest jaren geleden zijn, maar hij herinnerde zich wel dat hij in de buurt was van de route die Melanie Akande volgens haar moeder altijd nam als ze ging joggen.

De meest gewilde huizen staan meestal in buitenwijken die wel midden in de bossen lijken aangelegd en vanwaar je geen andere huizen kunt zien, geen hekken of poortjes. Het enige waaraan je kunt zien dat daar in de buurt mensen wonen is aan de brieven-bussen die ergens in een haag verscholen zijn. Dit was een zeer hoge, groene haag van bomen waarachter hij ergens in de verte een glimp van de kronkelige Kingsbrook kon zien. Op Winches-ter Drive waren de groene gazons aan de straatkant begrensd door heggen of muren, en omdat je wist dat het er moest zijn, verbeeldde je je een glimp op te vangen van zachtgetinte bak-steen tussen de grote grijze beuken, de tengere zilverberken en de takken van een majestueuze ceder.

De aanwezigheid van twee mensen op het gazon was niet de enige reden dat hij zijn overpeinzingen over deze stille, bosachtige bui-tenwijk onderbrak: een vrouw met een mandje vol glanzende, donkerrode vruchten, en een jongeman van in de twintig die een ladder tegen een kersenboom zette. Tot zijn verrassing zag Wexford dat de vrouw Susan Riding was, ook al begreep hij zijn eigen verbazing niet. Ze moesten toch ergens wonen, en het scheen dat ze er warmpjes bijzaten. De jongen was sprekend zijn vader, met hetzelfde strokleurige haar en dezelfde Noord-Europese trekken, met het hoge voorhoofd, de stompe neus en de brede bovenlip. Wexford zei goedemorgen.

Ze liep op hem af. Als hij haar niet gekend zou hebben en haar buiten haar eigen omgeving had ontmoet, zou hij haar voor een zwerfster hebben gehouden die in High Street in Myringham op straat sliep. Ze droeg een katoenen rok waarvan de zoom half loshing en een T-shirt dat van een van haar kinderen moest zijn, want op de verschoten rode stof was 'Universiteit van Myringham' gedrukt. Haar kroezende, grijzend blonde haar was met een elastiekje naar achteren gebonden.

Hij bedacht hoe haar glimlach haar veranderde. Ogenblikkelijk was ze bijna mooi, van bedelvrouw tot madonna.

'De vogels zijn een ramp voor onze kersen. Van mij mogen ze ze opeten, maar ze pikken er alleen even aan en laten dan de rest op de grond vallen.' De jongen was inmiddels de ladder opgeklommen en stond met z'n rug naar hen toe, maar toch stelde ze hem voor. 'Mijn zoon Christopher.' Hij nam geen enkele notitie van hen. Ze haalde haar schouders op alsof ze niet anders had verwacht. 'Dag en nacht moet je die vogels zien weg te houden. Vorig jaar is dat aardig gelukt, maar toen hadden we hulp. Hoe kom je in dit land aan personeel?'

'Dat schijnt niet zo makkelijk te zijn.'

'Waarmee u wilt zeggen dat we het zelf maar moeten opknappen? Begin er maar eens aan als je zes slaapkamers hebt en vier kinderen die meestal thuis wonen. Mijn au pair heeft me ook al in de steek gelaten.'

Christopher begon opeens een stortvloed van schuttingwoorden uit te slaan. De wesp die hem had belaagd dook de boom uit en vloog op Susan Riding af. Ze bukte zich en sloeg hem met haar hand van zich af.

'Die pestbeesten! Waarom heeft God toch ooit wespen op aarde gezet?'

'Om hem schoon te houden, vermoedelijk.' Toen hij haar verbaasde gezicht zag, voegde hij eraan toe: 'De aarde bedoel ik.'

'O, ja. Ik moet u nog bedanken dat u zich zaterdagavond hebt willen opofferen voor de kwetsbare vrouwen. Ik heb u een briefje geschreven maar ik heb het pas vanochtend op de post gedaan.'

'Kom nou, ma,' zei de jongen in de boom. 'Je wou toch dat we gingen plukken?'

Wexford riep hem toe: 'Kent u een meisje dat Melanie Akande heet?'

'*Wat?*'

'Melanie Akande. U hebt wel eens iets met haar gedronken. Misschien hebt u haar wel vaker gezien.'

Susan Riding begon te lachen. 'Wat moet dit voorstellen, meneer Wexford? Is dit een verhoor? Gaat het over dat meisje dat wordt vermist?'

Christopher kwam van de ladder af. 'Wordt ze vermist? Dat wist ik niet.'

Hij was bijna even lang als Wexford. Hij had grote handen, grote voeten en gigantische schouders.

'Melanie is afgelopen dinsdagmiddag verdwenen,' zei Wexford. 'Hebt u haar kortgeleden nog gezien?'

'In geen maanden. Ik ben afgelopen dinsdagmorgen vertrokken. Ik kan u de namen van de mensen geven met wie ik ben meegeweest als u m'n alibi wilt weten. U kunt m'n vliegticket zien of wat ervan over is.'

'Christopher!' zei z'n moeder.

'Waarom vraagt hij dat aan mij? Ik ben wel de laatste aan wie je dit moet vragen. Kan ik nu weer gaan plukken?'

Wexford nam afscheid en liep verder. Bij de hoek keek hij om en tussen een opening in de bomen kon hij het huis heel duidelijk zien; een Italiaanse villa met witte muren, een groen dak, en een torentje. Hij kon zelfs de tralies voor de ramen van de benedenverdieping zien. Nou, Susan Riding was in elk geval een Vrouw Wees Waakzaam!-vrouw, die was ongetwijfeld op alles voorbereid. Het huis zag eruit alsof er heel wat te halen viel. Hij ging de hoek om naar Eton Grove en liep heuvelafwaarts weer terug. Het huis van Riding was nu even heel duidelijk vanaf de weg te zien en verdween dan plotseling achter een dichte aanplant van struiken met witte bloemen. Hij deed een paar passen terug om er nog eens naar te kijken en bleef even staan voordat hij linksaf sloeg naar Marlborough Gardens en de paar honderd meter terugliep naar Harrow Avenue.

Donaldson zat achter het stuur van de geparkeerde auto de *Sun* te lezen, maar vouwde hem op toen hij z'n baas zag. Wexford las tien minuten in zijn eigen krant. Om de hoek verscheen een jongeman met een camera om z'n nek. Wexford legde z'n krant weg, hoewel deze passant er duidelijk niet op uit was een foto van hem te maken; hij had hem niet eens opgemerkt of z'n camera uit het foedraal gehaald.

'Ik begin paranoïde te worden.'

'Wat zei u?'

'Niets. Let maar niet op mij.'

De auto leek uit het niets te komen. Hij scheurde de oprijlaan van 101 op en kwam met piepende remmen tot stilstand. Hij bekeek haar aandachtig toen ze uitstapte en snel naar de voordeur liep. Haar deursleutel hing aan dezelfde ring als de autosleutels. Ze was een grote, slanke vrouw, met blondachtig haar, en gekleed in een zwarte broek en een mouwloos topje. Twee minuten nadat ze naar binnen was gegaan liep hij op de voordeur af en belde aan. Ze deed zelf open. Ze was jonger dan hij had verwacht, waarschijnlijk een jaar of veertig, maar ze zag er jonger uit, heel wat jonger dan de arme Annette.

Geen trouwring, dat was het eerste dat hem opviel, maar ze was wel gewend om een ring te dragen, gezien het streepje witte huid op die bruine vinger.

'Ik had u al verwacht,' zei ze. 'Wilt u niet binnenkomen?'

Haar stem was beschaafd, aangenaam en had het soort accent dat hij altijd in verband bracht met een exclusieve meisjeskostschool. Ineens werd Wexford zich tot zijn eigen verrassing ervan bewust hoe aantrekkelijk ze was. Haar haar was zo geknipt dat het wel een hoed van geelbruine veren leek. Ze had geen make-up op en haar huid zag er gezond, zacht en licht goudbruin uit, met alleen wat heel fijne rimpeltjes rond de ogen. Het topje dat ze droeg was van hetzelfde zeeblauw als haar ogen en de bruine armen die het bloot liet hadden die van een jong meisje kunnen zijn.

Hij vroeg zich af wat een man die met zo'n vrouw wettig en eerzaam samenleefde kon zien in iemand als Annette, maar hij wist dat dit soort vragen altijd zinloos was. Wat wettig en eerzaam was, was nooit zo aantrekkelijk als het verborgene en verbodene; daarnaast bestond het eigenaardige verlangen naar het lage en het smerige, om soft porno werkelijkheid te laten worden. Hij zou er een eed op durven doen dat mevrouw Snow geen zwarte en felrode negligés droeg, maar broekjes van Calvin Klein en sportbeha's van Playtex.

Ze liet hem een grote woonkamer binnen met een tapijt van groen fluweel en met genoeg sofa's en leunstoelen om aan twintig mensen plaats te bieden. Er was een open haard van Cotswold-steen met een koperen huif. Het was duidelijk dat ze wist waarvoor hij was gekomen en dat ze haar antwoorden klaar had. Ze was zelfverzekerd en streng, haar bewegingen waren bedachtzaam, haar gezicht stond vastberaden en resoluut.

Hij zei behoedzaam: 'Ik neem aan dat uw man u heeft gezegd dat hij ondervraagd is in verband met de dood van Annette Bystock.'

Ze knikte. Ze legde haar elleboog op de stoelleuning en liet haar wang tegen haar hand rusten. Het was een houding waar onderdrukte ergernis uit sprak.

'Op woensdag zeven juli heeft uw man de avond thuis doorgebracht met u en uw zoon. Klopt dat?'

Ze wachtte zo lang met haar antwoord dat hij op het punt stond te herhalen wat hij had gezegd. Toen haar antwoord kwam, klonk het stroef en kil. 'Hoe komt u daarbij? Heeft hij dat gezegd?'

'Wat bedoelt u, mevrouw Snow? Dat hij niet thuis was?'

De zucht die volgde was even diep en weloverwogen als iemand die ademhalingsoefeningen doet: diep inademen, vol uitademen.

'Mijn zoon was er niet. Joel was boven in de speelkamer. Daar zit hij altijd op doordeweekse avonden, hij moet veel huiswerk maken, hij is veertien. Meestal zien we hem niet behalve tegen etenstijd en bedtijd, en vaak zelfs dan niet eens.'

Waarom vertelde ze hem dit? Haar zoon werd toch niet van moord beschuldigd?

'Dus u en uw man waren met z'n tweeën? Hier in deze kamer?'

'Hoe komt u daar toch bij? Mijn man was er niet.'

Er kwam een mysterieuze, dromerige uitdrukking op haar gezicht. Met de lippen iets van elkaar staarde ze ergens in de verte alsof ze daar een prachtige zonsondergang zag. Ineens wendde ze zich weer tot hem. 'Hij was vaak woensdagavonds niet thuis. Hij werkte op woensdag vaak tot laat op kantoor. Wist u dat niet?'

Dit was wel het laatste wat hij had verwacht. Als hij niet thuis bij zijn vrouw was geweest, waarom had Snow dat dan gezegd? Als hij zo graag zijn affaire met Annette voor haar verborgen had willen houden, waarom had hij haar dan als alibi opgegeven? Hij voelde er niets voor om Carolyn Snow zelf in te lichten over de affaire van haar echtgenoot, maar het zag ernaar uit dat er niets anders op zat. Dus Snow was bang geworden en had zich aan de bekentenis onttrokken. Of niet?

'Mevrouw Snow, bent u ervan op de hoogte dat uw man een relatie had met Annette Bystock?'

Niemand kan onder een bruine huid verbleken, maar haar gezichtshuid leek te krimpen, waardoor ze er ineens veel ouder uitzag. Toch was ze niet verrast. 'O, ja. Hij heeft het me verteld,' zei ze zonder hem aan te kijken. 'U begrijpt wel dat ik het pas gisteren heb gehoord – nee, eergisteren. Ik wist van niets, al die tijd wist ik van niets.' In die korte, kille lach lagen al haar gevoelens over mannen als Snow besloten, over wat ze werkelijk waard waren, over hun lafheid. 'Hij moest het me wel vertellen.'

'En misschien vroeg hij u ook mij te zeggen dat u afgelopen woensdag met hem thuis was?'

'Hij heeft me helemaal niets gevraagd,' zei ze. 'Hij wist heus wel dat hij van mij geen gunsten hoefde te verwachten.'

Er viel op dat moment weinig meer te zeggen. Het was allemaal heel anders dan hij had verwacht. Tot dit moment had hij Snow nooit serieus als een verdachte beschouwd voor deze moord. Tenslotte was Snow niet in de flat op Ladyhall Court geweest. Maar wat dat aanging was er niemand in de flat geweest, behalve Annette zelf en Ingrid Pamber. Er was geen aanwijzing gevonden dat Edwina Harris ooit op bezoek was geweest, zelfs niet dat de dief van de tv, de video en de radiocassetterecorder binnen was geweest. Die dief had wellicht handschoenen aangehad, misschien Bruce Snow eveneens.

Hij had Annette die dinsdagavond gesproken, maar misschien had hij gelogen toen ze volgens hem gezegd had dat ze ziek was en hem de volgende avond niet kon ontmoeten. Ze hield van hem, ze weigerde hem nooit iets, hij kwam op de eerste plaats. Dat ze niet naar haar werk ging, dat ze Ingrid vroeg boodschappen voor haar te doen was tot daar aan toe, maar dat ze een afspraak met Snow, een ontmoeting waar ze altijd zo naar uitzag, zou afzeggen vanwege de niet voor de hand liggende mogelijkheid dat ze vierentwintig uur later nog ziek zou zijn, was hoogst onwaarschijnlijk.

Maar ze spraken altijd af in Snows kantoor. Altijd, behalve deze ene keer? Misschien had ze gezegd: ik voel me niet lekker, ik ga liever niet naar buiten, misschien kun je hiernaartoe komen – kun je niet voor deze ene keer naar mij toe komen? En hij had ermee ingestemd, was naar haar toegegaan, was lang gebleven, had ruzie met haar gekregen en haar ten slotte gedood...

Bob Mole was niet van plan Vine te zeggen waar de radio vandaan kwam. Eerst wilde hij alleen maar kwijt dat die bij een ongeregelde partij had gezeten die uit een brand was gered. Dat er geen brandschade aan was zei helemaal niks. Die tapijten bijvoorbeeld – wilde Vine daar even naar kijken? – hadden ook geen brandschade. Die drie eettafelstoelen ook niet. Er waren genoeg spullen die wel brandschade hadden, maar die zou hij toch niet kunnen verkopen. Het publiek was heus niet achterlijk. Waar kwam die vlek vandaan, wilde Vine weten. Bob Mole had geen idee. Waarom zou hij het ook moeten weten, waar was dit trouwens allemaal voor? Toen Vine het hem vertelde, veranderde z'n houding. Het woord 'moord' gaf de doorslag, speciaal de moord op Annette Bystock, Kingsmarkhams eigen plaatselijke moord die in de krant had gestaan en zelfs op de buis was geweest.

'Was die van haar?'

'Waarschijnlijk wel.'

Bob Mole, wiens gezicht de kleur van stopverf had aangenomen, trok zijn bovenlip op. 'Het is toch geen bloed, hè?'

'Nee, het is geen bloed.' Vine moest bijna lachen. 'Het is rode nagellak. Die heeft ze gemorst. En vertel me nou maar waar je hem vandaan hebt.'

'Net wat ik zei, meneer Vine. Hij is uit die brand gered.'

'Tuurlijk, dat heb ik gehoord. Maar wie heeft hem uit de vlammen gehaald en in jouw onwillige handen gelegd?'

'Mijn leverancier,' zei Bob Mole, alsof hij een respectabele winkelier was die het over een groothandel van nationale reputatie had. 'Weet u zeker dat deze van haar is geweest, van die Annette die dood is?' Hij liet zijn stem dalen bij die naam en keek naar links en naar rechts.

'Net als die tv en die video,' zei Vine.

'Die heb ik nooit gehad, meneer Vine, en dat is de absolute eerlijke waarheid.' Terwijl hij weer schichtig van links naar rechts keek, leunde Bob Mole naar Vine toe en fluisterde: 'Ze noemen hem Zack.'

'Heeft hij nog een achternaam?'

'Die weet ik niet, maar ik kan u wel zeggen waar hij woont.' Het adres had Bob Mole niet, maar wel een beschrijving. Helemaal aan het eind van Glebe Lane, dan door die doorgang daar, bij die methodistenkerk of wat was het, het was nu een soort winkel, achter dat autokerkhof langs, en dan woont hij in een van de twee huizen tegenover Tillers verfkwastenfabriek, het verst afgelegen huis.

Toen Burden dit hoorde ging hij zelf op jacht naar de leverancier van Bob Mole en hij nam Vine met zich mee. Hij verwachtte net zo'n soort buurt als waar Ingrid Pamber woonde, maar vergele-

ken met deze uithoek van Kingsmarkham was de hare een toe-
vluchtsoord. Er kon nauwelijks twijfel over bestaan welk van de
twee huisjes dat van Zack was, want het ene was onbewoonbaar
verklaard en de ramen en de deur waren dichtgetimmerd. Het
had ook weinig meer van een woonhuis, het was een soort keet
waar zwerfdieren zich verscholen, een smerige, bruinige barak,
waarvan de kapotte dakpannen geel waren van het vetkruid.

Het huis van Zack was niet veel beter. Jaren geleden had iemand
een laag roze grondverf op de deur aangebracht, daar nooit een
deklaag op aangebracht maar er kennelijk wel met een kwast vol
verschillende kleuren verf overheen gestreken. Misschien was dat
het werk van een arbeider van het fabriekje aan de overkant. Een
gebroken ruit was gerepareerd met afplakband. Vanaf een gam-
mele lattenconstructie hingen de dunne twijgjes van een klim-
plant naar beneden die zo te zien al enige jaren dood was.

'De raad zou die vuilnisbelt eens aan moeten pakken,' zei Burden geërgerd. 'Waar betalen we anders gemeentebelasting voor?'

De jonge vrouw die naar de deur kwam was mager en bleek, en
niet groter dan een kind van twaalf. Op haar schrale heup droeg
ze een krijsend jongetje van ongeveer een jaar oud.

'Ja, wat is er?'

'Politie,' zei Vine. 'Mogen we binnenkomen?'

'Stil nou, Clint,' zei ze tegen het kind terwijl ze het even slapjes
door elkaar schudde. Ze keek met een soort apathische tegenzin
van Barry Vine naar Burden en weer terug. 'Ik wil eerst jullie papieren zien voor ik jullie binnenlaat.'

'En wie mag u wel zijn?' vroeg Vine.

'Kimberley. Voor u juffrouw Pearson. Hij is er niet.'

Ze haalden hun legitimaties tevoorschijn, die ze onderzocht alsof
ze er de valsheid van wilde aantonen. 'Moet je die gekke foto van
die meneer zien, Clint,' zei ze, waarbij ze het hoofd van het kind
bijna tegen Vines borst duwde.

Toen Clint begreep dat hij de foto's niet mocht vastpakken, begon hij nog harder te krijsen. Kimberley verhuisde hem naar
haar andere heup. Burden en Vine volgden haar naar binnen in
wat Burden naderhand de smerigste zwijnenstal noemde die hij

ooit had gezien. Van de lucht die er hing verklaarde hij dat die een mengeling was van vuile luiers, urine, vet waarin al vijftig keer aardappelen waren gebakken, vlees dat te lang buiten de koelkast was bewaard, sigarettenrook en ingeblikt hondenvoer. Het linoleum op de grond zat vol met gaten en was bedekt met kleverige, harige pootafdrukken en donkere kringen. De resten van het haardvuur van afgelopen winter lagen in en buiten de asla, die boordevol zat met oud papier en sigarettenpeuken. Twee ligstoelen waren voor een gigantisch tv-toestel opgesteld. Dat leek te groot om van Annette te kunnen zijn geweest, maar de videorecorder die ernaast stond had wel van haar kunnen zijn.

Kimberley zette het kind in een ligstoel en gaf hem een zak snoep die ze uit een van de vele kartonnen kruideniersdozen haalde die her en der verspreid stonden en dienstdeden als kastje, tafeltje en voorraadruimte. Uit een andere doos haalde ze een pakje Silk Cut en lucifers.

'Waar hebben jullie hem voor nodig?' vroeg ze, terwijl ze haar sigaret aanstak.

'Paar kleine dingetjes,' zei Vine, 'misschien iets belangrijks.'

'Hoezo belangrijk?' vroeg Kimberley. Ze had heel lichtgroene ogen, als van een witte kat. Haar huid en haar glansden vettig. 'Hij doet nooit wat belangrijks.' Ze corrigeerde zichzelf. 'Hij doet nooit wat.'

'Waar is hij?'

'Het is z'n meldingsdag.'

Alle wegen, zoals Wexford al had gezegd, leidden weer naar het uitkeringskantoor.

'Waar hebt u die video vandaan, juffrouw Pearson?' vroeg Burden.

'Die heb ik van m'n moeder gekregen.' Het antwoord kwam bliksemsnel. Dat zei natuurlijk niets. 'En ik heet mevrouw Nelson.'

'Juist. Dus juffrouw Pearson voor hem en mevrouw Nelson voor mij. Hij heet toch Nelson?'

Ze gaf geen antwoord. Nu het snoep op was begon Clint weer een keel op te zetten. 'Hou toch je kop, Clint,' zei ze. Nadat hij van de ligstoel op de grond was gezet, kroop hij naar een van de dozen toe, krabbelde overeind en begon er stuk voor stuk de voorwerpen uit te nemen. Kimberly sloeg er geen acht op. Zonder enige aanleiding zei ze: 'Ze gaan het hier afbreken.'

'Dat lijkt me ook maar het beste,' zei Vine.

'Ja, dat lijkt u maar het beste. En waar moeten wij dan verdomme heen? Dat vergeet u even, hè...' ze bauwde hem na, 'want dit lijkt u maar het beste.'

'Ze zullen u vervangende woonruimte moeten aanbieden.'

'Zullen we wedden? Ja, in een kosthuis misschien. Als je een ander huis wilt hebben, zal je er zelf voor moeten zorgen. Je kunt zeggen wat je wilt over deze puinbak, maar de sociale dienst betaalt de huur. Die is hij dan wel mooi kwijt. Hij heeft al in maanden geen werk meer gehad.'

Buiten ademde Burden diep de frisse lucht in die enigszins werd aangetast door de rook van de verfkwastenfabriek.

'Niet werken, maar wel kinderen krijgen. En ze hebben ook altijd geld om te roken.'

Als ik daar woonde zou ik me doodpaffen, dacht Vine, maar hij zei het niet hardop.

'Heb je ze niet in de krant zien staan? Rond Kerstmis? Ik herkende z'n naam opeens: Clint. Hij had iets aan zijn hart en ze hebben hem in het Stowerton Ziekenhuis geopereerd. De *Courier* stond vol met foto's van hem en Kimberley Pearson.'

Burden wist er niets meer van. Hij was ervan overtuigd dat Zack Nelson hen op de een of andere manier zou ontglippen, dat die daar een meester in zou blijken. Kimberley had geen telefoon, als het al mogelijk was om mensen die in het uitkeringskantoor zaten te wachten telefonisch te bereiken. Burden wist niet of dat kon en hij was er zeker van dat Vine het ook niet wist. Maar toen ze het kantoor binnenkwamen, was Zack er nog.

Hij zat op een grijze stoel zijn beurt af te wachten. Burden dacht hem direct onder de zeven of acht mannen te herkennen, maar dat bleek niet het geval. De eerste man op wie hij afliep, een jongen van misschien tweeëntwintig met blond stekeltjeshaar, drie ringetjes in elk oor en een in z'n neusgat, bleek ene John MacAntony te zijn. De enige andere die Zack Nelson zou kunnen zijn gaf dit eerst toe met een overdreven schouderophalen en vervolgens met een hoofdknik.

Hij was vrij lang en van alle mannen hier in de beste conditie. Hij zag eruit alsof hij aan gewichtheffen deed, want zijn lichaam was mager en hard en hij hoefde zijn blote armen niet te buigen om de grote ronde spieren te tonen die de mouwen van een vuil, rood poloshirt deden spannen. Zijn lange haar, dat net zo vettig was als dat van Kimberley, hing in een vlecht van een centimeter of vijf en was met een veter samengebonden. In de open hals van zijn shirt, onder kroezig, donker haar, was de groenblauwe, rode en zwarte inkt van een ingewikkelde tatoeage te zien.

'Kunt u mij iets zeggen?'

'Dat zal moeten wachten tot ik opkom met m'n nummer,' zei Zack Nelson, zonder enige ironie.

Burden was uit het veld geslagen, zag toen dat hij doelde op de neoncijfers die aan het plafond hingen. Wanneer het nummer van zijn kaartje daarop verscheen, moest hij zich melden bij een bureau.

'Hoe lang gaat dat duren?'

'Vijf minuten, misschien tien.' Zack trok net zo'n gezicht als Vine had gedaan toen hij de stank in het huisje had opgesnoven.

'Wat is er zo dringend?'

'Niks dringends,' zei Burden. 'We hebben alle tijd.'

Ze namen plaats op een grijze stoel. Burden voelde aan een van de bladeren van de kamerplant in de bak naast hem. Het had de kleverige, rubberachtige structuur van polyethyleen.

Vine zei op gedempte toon: 'Hij lijkt wel wat op je, weet je. Als je je haar liet groeien en je niet zo vaak zou wassen, bedoel ik. Hij zou je jongere broer kunnen zijn.'

Burden was woedend en zweeg. Maar hij moest denken aan wat Percy Hammond had gezegd: dat de man die hij die avond Lady-hall Court uit had zien komen op hem leek. Als dat zo was, en het absurde was dat Vine het bevestigde, dan zei dat wel wat over het observatievermogen van die oude man. Het betekende dat je erop kon vertrouwen.

Hij keek de grote ruimte rond. Achter de bureaus zaten Osman Messaoud, Hayley Gordon en Wendy Stowlap. Deze laatste had kennelijk last van een allergie, want ze bleef haar neus maar afvegen aan de ene na de andere gekleurde tissue die ze uit een doos trok die voor haar stond. Cyril Leyton stond bij de deur van zijn kantoortje en was in diep gesprek met de veiligheidsbeambte.

Messaouds cliënt was klaar en liep van het bureau weg. Er ging een rood neoncijfer branden, waarna de jongen met de ringetjes in z'n oren en neus naar voren liep. Vanwaar Burden zat kon hij niet de aanvrageconsulenten zien, maar alleen de zijkant van hun hokjes. Hij stond op en begon ogenschijnlijk doelloos rond te lopen, waarbij hij Leyton probeerde te vermijden. De man die in het hokje naast dat van Peter Stanton zat, moest de vervanger van Annette zijn, maar hij zat te ver weg om z'n naam te kunnen lezen. Nu hij wat meer wist, bedacht Burden dat hij Stanton voor een tweede keer zou ondervragen. Tenslotte had de man toegegeven dat hij Annette mee uit had genomen. Had ze gehoopt in hem een betere kandidaat te vinden dan Bruce Snow? En zo ja, wat was er dan misgegaan?

Hij schrok op van het geschreeuw van een vrouw en hij draaide zich om. Dit was voor het eerst dat er 'moeilijkheden' waren sinds ze regelmatig op het uitkeringskantoor kwamen. De vrouw, dik en onverzorgd, klaagde tegen Wendy Stowlap over een nooit aangekomen giro en Wendy scheen op de computer te hebben gecheckt dat hij wel was verstuurd. Dat antwoord was kennelijk niet bevredigend en de stortvloed van jammerklachten mondde uit in een stroom van schuttingwoorden die eindigde in een gillend: 'Je bent een doodgewone vuile slet!'

Wendy haalde onverstoorbaar haar schouders op. 'Hoe wist u dat?'

Peter Stanton, die langsliep toen hij een folder wilde halen, grinnikte even. De vrouw richtte haar scheldkanonnade vervolgens op hem en even overwoog Burden om zich ermee te bemoeien. Maar het personeel scheen precies te weten hoe ze dit soort gevallen moesten aanpakken, en de vrouw droop al snel af.

Eindelijk gloeide het nummer van Zack Nelson in rood op en hij liep naar Hayley Gordon. Vine vond haar wel iets hebben van Nelsons vriendin Kimberley, maar dan schoner en beter gekleed en – het was niet anders – ook beter gevoed. Wat zou Zack helemaal krijgen? Hier niets, natuurlijk, maar als zijn giro in de bus lag zou hij bij het ww-loket in het postkantoor voor zichzelf ongeveer veertig pond krijgen en de sociale dienst zou bijstand betalen voor Kimberley en Clint – of kreeg Kimberley zelf kinderbijstand voor Clint? Dat kreeg de moeder toch altijd? Vine moest toegeven dat hij het niet wist. Maar hij wist wel dat ze geen armoede leden omdat ze dat zelf zo graag wilden.

Dit alles deed er niets aan af dat Zack een dief was, bedacht hij, een crimineel. Ze mochten hem hier niet arresteren, tenzij de leiding erom vroeg. 'We praten wel in de auto,' zei hij toen Zack terugkwam en zichzelf verzekerd wist van weer een uitkering voor veertien dagen.

'Waarover?'

'Bob Mole,' zei Burden, 'en een radio met een bloedvlek erop.'

Het was even makkelijk, zei hij later tegen Wexford, als pepermuntjes afpakken van een kind dat ze niet lust. 'Dat was geen bloed,' zei Zack. Hij besefte onmiddellijk wat hij gezegd had, rolde met z'n ogen en sloeg z'n hand voor z'n mond.

'Waarom was het geen bloed?' vroeg Vine, zich naar hem toe buigend.

'Ze werd gewurgd. Het was op tv, het stond in de krant.'

'Dus je geeft toe dat je in Annette Bystocks huis bent geweest? Dat de radio van haar was?'

'Hoor eens, ik...'

'We gaan terug naar het bureau, brigadier Vine. Zack Nelson, u hebt verder het recht om te zwijgen, maar alles wat u zegt zal schriftelijk worden vastgelegd en als bewijsmateriaal worden gebruikt...'

10

'Toch niet voor moord?' zei Zack in de verhoorkamer.
Wexford gaf geen antwoord. 'Wat is uw echte naam eigenlijk? Zachary? Zachariah?'
'Hè, wat? Nee, natuurlijk niet. Gewoon Zack. Mijn ouwe heeft me naar de zoon van een of andere zanger genoemd, oké? Ik wil weten of ik word beschuldigd van moord op die vrouw.'
'Zeg eens wanneer je in die flat bent geweest, Zack,' zei Burden.
'Het was woensdagavond, niet?'
'Wie zegt dat ik ooit in die flat ben geweest?'
'Ze is je die radio toch niet als verjaardagscadeautje komen brengen?'
Een toevalstreffer van Wexford, zonder dat hij erbij had nagedacht. Als het december in plaats van juli was geweest zou hij 'kerstcadeautje' hebben gezegd. Zack staarde hem met afgrijzen aan, alsof Wexford een helderziende was die zojuist zijn bovennatuurlijke gave had bewezen.
'Hoe weet u dat ik woensdag jarig was?'
Wexford kon met moeite zijn lachen inhouden. 'Nog wel gefeliciteerd. Hoe laat ben je die flat binnengegaan?'
'Ik wil m'n advocaat erbij hebben,' zei Zack.
'Ja, dat snap ik best. Dat zou ik ook willen als ik in jouw schoenen stond. Je mag hem straks opbellen. Ik bedoel, je mag er straks een gaan zoeken en hem dan opbellen.'
Zack keek hem achterdochtig aan. Wexford zei: 'Laten we het over de ring hebben.'
'Wat voor ring?'
'Een robijn die zo'n tweeduizend pond waard is.'
'Ik weet niet waar u het over hebt.'
'Was ze dood, Zack, toen je die ring van haar vinger nam?'
'Ik heb helemaal geen ring van haar vinger gehaald! Die zat helemaal niet om haar vinger, hij lag op het nachtkastje!' Weer

had hij zich versproken. 'Krijg de kolere,' zei hij.

'Laten we bij het begin beginnen, Zack,' zei Burden. 'Vertel het maar.' In gedachten zegende hij de taperecorder die dit alles had opgenomen. Het viel niet meer te ontkennen.

Zack deed nog een paar pogingen om eronderuit te komen voordat hij het opgaf. Ten slotte zei hij: 'Wat krijg ik ervoor terug als ik jullie vertel wat ik daar gezien heb?'

'Wat dacht je hiervan? Je komt morgen voor in plaats van vrijdag, dan hoef je maar voor één nacht de cel in en brigadier Camb komt je een cola-light als slaapmutsje brengen.'

'Schei uit met dat gelul. Ik bedoel, door jullie te vertellen wat ik weet, help ik jullie de moordenaar te vinden.'

'Dat doe je toch wel, Zack. Behalve inbraak wil je ook nog niet eens belemmering van het onderzoek aan je broek hebben hangen.'

Zack, die een indrukwekkend strafblad van kleine misdrijven op zijn naam had staan zoals de computer had uitgewezen, kende zijn rechten. 'Het was geen inbraak. Het was niet eens donker en ik heb geen braak gepleegd.'

'Bij wijze van spreken bedoel ik,' zei Burden. 'Ik neem aan dat de deur niet op slot was en dat je zo naar binnen kon wandelen?'

Er kwam een sluwe uitdrukking op Zacks gezicht, waardoor het enigszins scheef vertrok. Hij had iets sinisters over zich, iets boosaardigs. Zijn ogen vernauwden zich. 'Ik kon m'n ogen niet geloven,' zei hij op normale gespreksstoon. 'Ik probeerde de deurkruk en de deur ging gewoon open. Ik wist niet wat me overkwam.'

'Dat zal wel niet. Maar voor alle zekerheid had je toch maar inbraakgereedschap meegenomen? Hoe bedoel je, het was niet eens donker?'

'Het was toch vijf uur in de ochtend? Het was al een uur licht.'

'Voor dag en dauw op, hè Zack?' Burden grinnikte onwillekeurig. 'Sta je altijd zo vroeg op?'

'Dat jong had me wakker gemaakt en ik kon niet meer in slaap komen. Ik ben een eindje gaan rijden om een helder hoofd te krijgen. Ik reed daar langzaam voorbij – om binnen de maximumsnelheid te blijven, weet je wel – en de voordeur stond open, dus ik dacht, ik ga daar eens even kijken.'

'Wil je een verklaring afleggen, Zack?'

'Ik wil mijn advocaat.'

'Laten we het zo afspreken. Jij legt een verklaring af en dan zoeken we in de Gouden Gids een advocaat voor je. Akkoord?'

Zack gaf zich ineens over. Het ene moment was hij agressief, het volgende was hij zo mak als een lammetje. 'Maakt mij niet uit,' zei hij en hij gaapte hartgrondig. 'Ik ben doodop. Door dat jong krijg ik nooit genoeg slaap.'

Zack Nelsons verklaring luidde: 'Op vrijdag 9 juli, om ongeveer vijf uur in de ochtend, ben ik de flat binnengegaan op 15 Ladyhall Avenue, Kingsmarkham. Ik had geen inbraakgereedschap bij me en heb de deur of het slot niet geforceerd. Ik had handschoenen aan. De voordeur was niet op slot. Het was niet donker. De gordijnen in de woonkamer waren dichtgetrokken, maar toch kon ik goed zien. Ik zag een televisietoestel, een videorecorder, een cd-speler en een radiocassetterecorder. Deze heb ik uit de flat gehaald, waarvoor ik één keer ben teruggegaan.

Ik kwam terug in de flat en deed de deur van de slaapkamer open. Tot mijn verbazing lag er een vrouw in het bed. Eerst dacht ik dat ze sliep. Maar iets in haar houding vond ik verdacht. Dat kwam door de manier waarop haar arm naar beneden hing. Ik kwam dichterbij maar ik heb haar niet aangeraakt. Op het tafeltje naast het bed lagen een ring en een horloge. Ik heb ze niet aangeraakt maar ben snel de flat uitgelopen en trok de deur achter me in het slot.

Ik zette het televisietoestel, de videorecorder en de radiocassetterecorder in de vrachtwagen die ik van de vader van mijn vriendin had geleend en reed naar huis. Ik ben handelaar in tweedehands elektronische apparaten. Ik had van voornoemd soort apparaten enkele uit een fabrieksbrand weten te redden, en tegelijk met deze apparatuur heb ik de radiocassetterecorder verkocht aan de heer Bob Mole voor een bedrag van zeven pond. Het televisietoestel en de videorecorder bevinden zich momenteel in mijn huis op Lincoln Cottages 1, Glebe End, Kingsmarkham.'

'Leuk detail, niet? Dat hij die deur zo netjes achter zich in het slot trok,' zei Wexford toen Zack was weggebracht naar een van de twee cellen die het politiebureau van Kingsmarkham rijk was. 'Het verklaart in elk geval waarom de deur op slot was toen jij daar kwam. Als iemand van het arbeidsbureau morgen een verslag van de politierechter onder ogen krijgt, dan kan hij z'n werkloosheidsuitkering wel vergeten. Dan staat in de *Courier* dat hij handelaar is in elektronische artikelen.'

'Waar hij naartoe gaat, heeft hij geen uitkering nodig,' zei Burden.

'Nee, maar Kimberley en Clint wel. Ik weet niet wat er in zo'n geval gebeurt. Wordt dan ook de bijstandsuitkering stopgezet van de mensen die van hem afhankelijk zijn? Maar goed, hij krijgt waarschijnlijk niet meer dan zes maanden, waarvan hij er misschien vier moet uitzitten.' Hij aarzelde. 'Weet je, Mike, er is iets geks met die verklaring, die bevalt me niet helemaal.'

Burden haalde zijn schouders op. 'Bedoel je omdat de deur openstond en hij maar naar binnen hoefde te wandelen? Of omdat hij de ring niet heeft meegenomen?'

'Ja, ook wel, maar dat niet zozeer. De voordeur naar het flatgebouw is meestal niet op slot en we weten dat Ingrid Pamber de deur van Annette niet op slot heeft gedaan. Hij zegt dat hij bang was om een ring en een horloge mee te nemen die naast een lijk lagen, en ik geloof hem. Wat me dwarszit is dat hij kennelijk niets af wist van de flats of van de bewoners voor hij naar binnen ging. Hij zegt dat hij gewoon naar binnen is geglipt zonder de deur achter zich te sluiten. Hij kon niet slapen, maar hij ging niet gewoon een eindje om, hij ging met een *vrachtwagen*. En toevallig had hij handschoenen aan. Bij een hittegolf in juli? Hij zegt dat hij geen inbraakgereedschap bij zich had, maar hij moet toch hebben geweten dat er niet zoveel zorgeloze zielen rondlopen die 's nachts hun voordeur niet op slot doen?'

'Er zijn daar maar twee flats,' zei Burden. 'Hij had niets te verliezen. Hij hoefde alleen maar de deur van Annette te proberen en dan naar boven te gaan voor die van de familie Harris. Als die beide op slot waren geweest, jammer dan.'

'Ja, dat heeft hij ook zelf gezegd. Dat was boffen, dat de eerste deur die hij probeerde niet op slot was.'

'Misschien was het niet de eerste deur.'

'Hij zegt van wel. Dan nog iets eigenaardigs. Als hij de waarheid spreekt, dan kon hij niet weten of er iemand in de flat was of niet. Wat moeten we daarvan denken? Omdat hij van buiten had gezien dat alle gordijnen op nummer een gesloten waren, vervolgens ontdekte dat de voordeur niet op slot was, kwam hij tot de conclusie dat er niemand thuis was? Dat zou gebaseerd zijn op de theorie dat niemand in een huis zou gaan slapen waarvan de voordeur niet op slot was, maar dat ze waren weggegaan en waren vergeten af te sluiten. Ik vind het allemaal maar vaag.'

'Natuurlijk, hij nam een risico. Maar elke inbraak is riskant, Reg.'

Wexford was niet overtuigd. Hij verdiepte zich altijd in de drijfveren en de eigenaardigheden van de menselijke natuur, terwijl Burden zich door de feiten liet leiden en die zelden ter discussie stelde, hoe bizar ze ook waren. Terwijl hij naar het uitkeringskantoor terugging, te voet deze keer, dacht Burden aan wat Wexford eens over Sherlock Holmes had gezegd: dat je met diens methoden weinig kon oplossen. Een paar pantoffels met verschroeide zolen toonde niet zozeer aan dat de drager ernstig verkouden was als wel dat hij last had van koude voeten. En uit het feit dat iemand naar een portret aan de muur stond te staren hoefde niet afgeleid te worden dat hij stilstond bij het leven en werk van de geportretteerde; misschien dacht hij wel hoe deze op zijn zwager leek, of hoe slecht het geschilderd was, of dat het schoongemaakt moest worden. Wat de menselijke natuur betrof kon je alleen maar gissen en proberen zo goed mogelijk te gissen.

Hij kwam Peter Stanton tegen toen deze naar buiten liep om te gaan lunchen.

'Kunnen we even praten?'

'Alleen als ik erbij kan eten.'

'Dan eet ik met u mee.'

'Deze kant uit.' Stanton leidde Burden door de deur met 'Privé' naar de parkeerplaats, vanwaar het een klein eindje was naar High Street.

Zijn vrouw of Wexford zou de man waarschijnlijk als byroniaans hebben getypeerd. Hij had dat donkere, piraatachtige voorkomen dat vrouwen kennelijk zo aantrekkelijk vonden en dat naar men zei de sporen droeg van een losbandig leven. Het donkere, golvende haar zat naar Burdens eigen maatstaven nogal slordig, en zijn oogopslag verried een neiging tot wreedheid, of misschien was het hebzucht. Stanton droeg een zandkleurig, gekreukeld linnen pak, en de das – die hij waarschijnlijk van Leyton moest dragen – was losjes gestrikt onder de boord van een smoezelig overhemd waarvan het bovenste knoopje was opengelaten. Stanton liep op een nonchalante, slungelige manier, met de handen diep in de vervormde zakken van zijn flodderige broek. Bij de deur van een broodjeszaak met vier lege tafeltjes aan de muur tegenover de toonbank bleef hij staan en wees met zijn duim naar binnen.

'Hier eet ik altijd. Oké?'

Burden knikte. De laatste keer dat hij in zo'n gelegenheid was geweest – Kingsmarkham bezat er inmiddels drie – had hij 'verse zoetwatergarnalen' gegeten, en de buikgriep die daar het gevolg van was geweest had hem drie dagen aan bed gekluisterd. Dus toen Stanton een broodje garnalensalade nam, koos hij voor een broodje met kaas en tomaat. Zonder commentaar te geven zag hij dat Stanton de inhoud van een heupflacon in zijn glas met Sprite leegschonk.

'Ik wilde u vragen wat u zoal tegen uw cliënten zegt.'

'Meestal niet wat ik zou willen zeggen.'

Burden zei koeltjes: 'Met name zou ik willen weten wat Annette tegen Melanie Akande kan hebben gezegd.'

'Wat bedoelt u precies?'

'Ik bedoel dit: wat gebeurt er als een nieuwe cliënt z'n formulier terugbrengt – heet dat geen ED of zoiets? – en een meldingsdag krijgt toegewezen?'

'U wilt weten wat ze tegen dat meisje zal hebben gezegd of zo?'

Stanton zei het op een toon alsof hij zich dodelijk verveelde. Zijn ogen waren afgedwaald naar de jonge vrouw die ergens van achteren was verschenen om de man achter de toonbank te assisteren. Ze was ongeveer twintig jaar, blond, lang, en heel knap. Ze droeg een wit schort over een laag uitgesneden rood T-shirt en een heel kort en strak kokerrokje.

'Precies.'

'Goed.' Stanton nam een slok van zijn Sprite-cocktail. 'Annette zal naar het ES 461 hebben gekeken om te zien of het goed was ingevuld. In totaal moeten er vijfenveertig vragen worden beantwoord en die zijn nogal ingewikkeld. Laten we zeggen dat het niet vaak voorkomt dat een cliënt het voor de eerste keer meteen goed doet. Die garnalen smaken een beetje raar, beetje visachtig.'

'Garnalen *zijn* visachtig,' zei Burden.

'Jawel, maar deze smaken wel heel sterk naar vis, net zo'n lucht als je bij de visboer ruikt. Wat denkt u, kan ik ze eten of niet?'

Burden gaf geen antwoord. 'Wat kan Annette tegen haar hebben gezegd?'

'De broodjes hier zijn niet om over naar huis te schrijven, maar dat stuk daar vergoedt een hoop. Vandaar dat ik hier zo vaak kom.' Stanton ving Burdens venijnige blik op. 'Nou ja, nadat dat formulier in orde was gemaakt, zal ze die cliënt, die Melanie hoe-heet-ze hebben gezegd op welke dag ze zich moest melden. Dat gaat alfabetisch. Op dinsdag van A tot en met K, woensdag van L tot R, donderdag van S tot Z. Op maandag en vrijdag zijn er geen meldingen of inschrijvingen. Hoe zei u ook weer dat ze heette? Akande? Dat moet op een dinsdag zijn geweest. Om de week op een dinsdag.

Annette zal haar hebben uitgelegd dat de melding dient om te bewijzen dat je nog steeds in het land der levenden verkeert, dat je niet bent afgetaaid of gestorven, dat je actief naar werk zoekt, en ze zal gezegd hebben dat als je eenmaal bent ingeschreven je een giro toegestuurd krijgt. Die gaat naar je huisadres en die incasseer je bij het postkantoor, maar je kunt hem ook op je bankrekening laten bijschrijven. Dat zal Annette haar allemaal uitgelegd hebben. Vervolgens zal ze gevraagd hebben of alles duidelijk was. Melanie kan niet langer dan twintig minuten met Annette hebben gepraat, veel tijd was er dus niet.'

'Stel dat ze Melanie een baan kon aanbieden? Wat zou dan de procedure zijn geweest?'

Stanton gaapte. Hij had zijn tweede broodje niet aangeraakt. Hij verdeelde zijn aandacht nu tussen het meisje in het kokerrokje en een andere hulp die ineens tevoorschijn was gekomen. Deze vrouw had mahoniekleurig haar dat tot haar middel reikte en waar ze een koksmutsje op droeg, en verder scheen ze niet meer aan te hebben dan een witte jas waarvan de zoom vijf centimeter onder haar kruis kwam. Toen Burden kuchte maakte hij zijn blik van haar los en zuchtte. 'Er zijn geen banen, weet u. Die zijn heel dun gezaaid. Maar misschien dat Annette wel iets voor die Melanie kon hebben gehad, omdat ze was afgestudeerd. Een heel enkele keer komt dat wel voor.'

'En hoe wist ze dat? Zag ze dat in een of ander dossier?'

Stanton keek hem meewarig aan. 'Dat doet ze via de computer.'

'En als ze Melanie iets aan te bieden had, wat dan?'

'Dan zou ze de werkgever hebben gebeld en een afspraak voor Melanie hebben gemaakt. Maar dat is niet gebeurd, weet u,' zei Stanton onverwacht. 'Dat is een ding dat zeker is. De twee aanvrageconsulenten hebben hetzelfde materiaal in hun computer zitten en daar zat niks bij dat ook maar in de verste verte geschikt was voor een meisje van tweeëntwintig met een kleinkunstopleiding. U mag het gerust controleren, maar ik zeg u dat er niets bij was.'

'Hoe wist u dat ze een kleinkunstopleiding had gevolgd?'

'Dat heeft ze me gezegd terwijl ik haar aan het verkrachten en aan het wurgen was natuurlijk.' Stanton moest zich hebben gerealiseerd dat het verspillen van politietijd ook een soort overtreding was. Nors voegde hij eraan toe: 'Kom nou, zeg, dat heb ik in de krant gelezen.'

Burden ging een kop koffie halen. 'En dat is het dan?' vroeg hij. 'Geen adviezen? Jullie zijn toch adviseurs?'

'We adviseren toch ook? We zeggen hoe ze zich moeten inschrijven, en leggen uit hoe ze die uitkering kunnen krijgen. Wat valt er verder nog te adviseren?'

Even had Burden iets van hoop gevoeld. Hij had voor zich gezien hoe Melanie het uitkeringskantoor was uitgelopen en op weg was naar een sollicitatiegesprek vanwaar ze nooit was teruggekeerd. Alleen Annette had geweten waar ze naartoe was gegaan en waarom, en wat het belangrijkste was, wie ze daar had gesproken. Maar dit zorgvuldig opgebouwde scenariootje was al gauw waardeloos gebleken. Toen hij Stanton vroeg of het mogelijk was dat Melanie iets vertrouwelijks tegen Annette had gezegd, iets geheims of gevaarlijks dat de politie aanging, verbaasde het hem niet dat de man een afwijzend gebaar maakte en zijn hoofd schudde.

'Ik moet weer eens terug.'

Ook Burden stond op.

'Zelf heb ik die kleinkunstacademie ook gedaan,' merkte Stanton plotseling zonder aanleiding op. 'Daarom weet ik het nog van haar. Ik was er helemaal klaar voor om een groot acteur te worden, een tweede Olivier, maar dan een die er een stuk beter uitzag. Dat was vijftien jaar geleden, en moet je kijken wat er van me geworden is.'

Het interesseerde Burden niet in het minst. Terwijl ze naar buiten liepen, vroeg hij: 'Heeft iemand haar ooit bedreigd?'

'Annette? Op kantoor? Ze bedreigen ons de hele tijd. *De hele tijd.* Bij de bureaus is het het ergst. Waarom denkt u dat we een veiligheidsman in dienst hebben? Negenennegentig van de honderd keer gebeurt er niets, dan blijft het bij vage dreigementen dat ze ons "wel zullen krijgen". Soms worden we ervan beschuldigd dat we hun giro's zelf inpikken, dat we met opzet hun formulieren kwijtmaken, dat soort dingen. En dan zullen ze ons "te grazen nemen". En er wordt gefraudeerd. Wanneer ze zich onder drie of vier verschillende namen hebben ingeschreven denken ze dat we dat aan de fraude-inspecteurs hebben gemeld, en dan worden we daarvoor weer bedreigd...'

Burden herinnerde zich nu dat Karen Malahyde wel eens naar een 'incident' op het uitkeringskantoor was geroepen, en Pemberton en Archbold bij een andere gelegenheid. Op dat moment had hij er niet bij stilgestaan. Plotseling zei hij tegen Stanton: 'U bent toch een paar keer met haar uit geweest?'

'Met Annette?' Stanton was nu op zijn hoede. 'Twee keer, om precies te zijn. Drie jaar geleden.'

'Waarom twee keer? Waarom niet vaker? Is er iets gebeurd?'

'Ik ben niet met haar naar bed geweest als u dat bedoelt.' Stanton had zijn slenterende gang vertraagd en stond nu helemaal stil. Midden op het trottoir bleef hij besluiteloos staan en ging toen op een laag muurtje zitten dat grensde aan de binnenplaats van een makelaarskantoor. Hij haalde een pakje sigaretten uit een van zijn flodderige zakken. 'Cyril riep me zijn kantoor binnen en zei dat er een eind aan moest komen. Verhoudingen tussen mannelijke en vrouwelijke personeelsleden waren slecht voor het gezicht van de dienst. Ik vroeg of dat betekende dat ik Osman wel mocht naaien, maar hij zei alleen dat ik die gore taal voor me moest houden en dat was dat.'

Uit Burdens blik bleek dat hij het deze keer hartgrondig met Leyton eens was, maar hij zei niets.

'Niet dat ik het nou zo vreselijk jammer vond.' Stanton nam een lange trek van zijn sigaret en liet de rook in twee blauwe spiralen uit zijn neusgaten ontsnappen. 'Zo leuk was het niet om gebruikt te worden als – hoe zal ik het zeggen? Het kwam erop neer dat ze alleen maar met me uitging om die vriend van haar jaloers te maken zodat hij zijn vrouw in de steek zou laten en met haar zou trouwen. Alsof hij dat ooit zou doen. Ze zei zelfs tegen me dat ze tegen die vent zou zeggen dat ik een oogje op haar had, en dat hij maar beter maatregelen kon nemen als hij haar niet kwijt wilde raken. Lekker typje, hè?'

'Bent u bij haar thuis geweest?'

'Nee, nooit. Ik ben met haar naar de bioscoop geweest, daar hadden we afgesproken, en daarna hebben we koffie gedronken. Die andere keer hebben we ergens wat gedronken en een pizza gegeten, en daarna hebben we een ritje in mijn auto gemaakt. We zijn ergens naar buiten gereden en hebben een beetje zitten kletsen, maar verder niks bijzonders, en daarna begon Cyril zich ermee te bemoeien.'

Ze liepen samen terug naar het uitkeringskantoor. Burden volgde hem naar binnen. Aan de veiligheidsman vroeg hij of deze zich kon herinneren dat Annette ooit bedreigd was. Op dat moment hoorde hij bij het bureau van Wendy Stowlap een schrille kreet en hij draaide zich met een ruk om.

'Ik heb je gezegd dat ik zou gaan gillen als je dat nog een keer zei,' schreeuwde de vrouw. 'Als je dat nog een keer zegt dan ga ik op de grond liggen en zet ik het op een krijsen.'

'Wat moet ik anders zeggen? Als u van de bijstand moet rondkomen worden uw tandartskosten vergoed, maar de rekening van de orthopedist wordt niet betaald.'

De vrouw, die goed gekleed was en met een galmende toneelstem sprak, ging op haar rug op de vloer liggen en begon te gillen. Ze was jong en had sterke longen. Het gekrijs deed Burden denken aan dat van driejarige kleuters in de supermarkt. Hij liep naar haar toe, gevolgd door de veiligheidsman. Wendy had zich over haar bureau naar voren gebogen en zwaaide met een blauw-met-geel foldertje dat getiteld was: 'Help ons het goed te doen & Hoe dien ik een klacht in'.

'Vooruit,' zei de veiligheidsman, 'opstaan. Al die herrie heeft geen enkele zin.'

Ze begon harder te gillen. 'Ophouden,' zei Burden en hield zijn politiekaart vlak voor haar neus. 'Ophouden. Dit is ordeverstoring.'

Die kaart was voldoende. Ze behoorde tot het type mensen dat ontzag had voor de politie en voor de suggestie dat ze de wet zou kunnen overtreden. Het geschreeuw ging over in een zacht gejammer. Ze kwam onhandig overeind, griste de folder uit Wendy's hand en zei verbitterd: 'Je had de politie er toch niet bij hoeven halen?'

Man en vrouw zaten voor het bureau in Wexfords kantoor, naast elkaar, maar toch op ruime afstand. Wexford wilde Carolyn Snow geen angst aanjagen – nog niet. Dat kon altijd later nog als het nodig mocht blijken. Rechercheur Pemberton was binnengekomen met opnameapparatuur.

Twee minuten na elkaar waren ze inmiddels gearriveerd. Carolyn Snow had snel uitgelegd dat ze gescheiden woonden. Zij in het huis op Harrow Avenue – 'Waar mijn kinderen thuishoren' – en de echtgenoot die het huis was uitgezet had een hotelkamer betrokken. Wexford merkte op dat Bruce Snow hetzelfde overhemd aanhad als gisteren en hij leek zich niet geschoren te hebben. Daarvoor had hij zijn vrouw toch niet nodig, behalve om te wassen en te strijken en hem op zijn wenken te bedienen?

'We moeten duidelijkheid hebben over wat u beiden op woensdagavond, de zevende juli, hebt gedaan. Meneer Snow?'

'Dat heb ik u al gezegd. Ik was thuis bij mijn vrouw. Mijn zoon was ook thuis. Hij zat boven.'

'Niet volgens mevrouw Snow.'

'Hoor eens, dit is allemaal te gek voor woorden. Ik ben om zes uur thuisgekomen en heb de hele avond met mijn vrouw doorgebracht. We hebben om zeven uur gegeten, zoals altijd. Daarna is mijn zoon naar boven gegaan, hij moest een proefwerk voor geschiedenis maken. Over de Spaanse Successie-oorlog.'

'U hebt een goed geheugen, meneer Snow, in aanmerking genomen dat u zich dat niet hoefde te herinneren.'

'Ik heb juist m'n hersens afgebeuld om me zoveel mogelijk te herinneren.'

'Wat hebt u die avond gedaan? Televisiegekeken? Gelezen? Iemand opgebeld?'

'Daar kan hij geen tijd voor hebben gehad,' zei Carolyn hatelijk. 'Hij is om tien voor acht weggegaan.'

'Dat is een vuile leugen!' zei Snow.

'Helemaal niet, je weet best dat het waar is. Het was *jouw* woensdag, weet je wel? Zo'n woensdagavond waarop je eens in de zoveel weken met die hoer in je kantoor ligt te geilen.'

'Wat zeg je dat elegant, echt iets voor jou. Wat verheffend om je vrouw te horen praten alsof ze zo uit een achterbuurt is geplukt.'

'Van die types zul je meer weten dan ik, ervaring uit de eerste hand. En ik ben je vrouw niet meer. Nog twee jaar, en je zult mijn "ex-vrouw" moeten zeggen, dan zul je moeten zeggen dat je op kamers woont omdat je "ex-vrouw" je heeft uitgekleed en het huis heeft ingepikt, net als de auto en driekwart van je inkomen...' Carolyn Snows normale, zachte stem had een dreigende kracht aangenomen en trilde van woede, 'omdat je zo nodig in die dikke trut haar rode hoerenslip moest duiken!'

Godallemachtig, dacht Wexford, wat had hij haar eigenlijk verteld? Alles? Omdat hij dacht dat een volledige bekentenis zijn enige kans was? Hij liet een vermanend kuchje horen, dat Snow er niet van weerhield om tegen zijn vrouw te schreeuwen: 'En nou hou je je kop dicht, frigide rotwijf dat je d'r bent!'

Carolyn Snow stond langzaam op, terwijl ze haar ogen op haar man gericht hield. Wexford stond eveneens op. 'Hou hiermee op, alstublieft. Ogenblikkelijk. Echtelijke ruzies moet u maar ergens anders uitvechten. Gaat u zitten, mevrouw Snow.'

'Waarom zou ik? Waarom moet ik in het verdomhoekje worden gestopt? Ik heb niets verkeerds gedaan.'

'Ha!' zei Snow, en nog eens, nu vol verbittering: 'Ha!'

'Goed dan,' zei Wexford. 'Ik dacht dat we hier rustig zouden kunnen praten, maar kennelijk heb ik me vergist. We gaan naar verhoorkamer Twee, brigadier Pemberton, en met uw toestemming,' hierbij keek hij de Snows een beetje spottend aan, alsof hun toestemming niet meer dan een formaliteit was, 'zal de rest van dit gesprek worden opgenomen.'

Daarbeneden zag het er heel anders uit. Door de witgeschilderde, ongepleisterde bakstenen en het raampje vlak onder het plafond had het wel iets van een gevangeniscel. De elektronische apparatuur langs de muur achter de metalen tafel riep bij Wexford onaangename associaties op, zo niet met een martelkamer dan toch met zo'n ruimte waar je de hele nacht onder felle lampen moest staan.

Op weg naar beneden vroeg hij Snow terloops en buiten gehoorsafstand van zijn vrouw of het waar was dat een kennis of familielid van hen op Ladyhall Avenue woonde en uitzicht had op de flats. Snow ontkende het. Dat was niet zo, zei hij, en hij had dat ook nooit tegen iemand gezegd.

In de verhoorkamer zette hij de Snows tegenover elkaar en ging zelf aan het hoofd van de tafel zitten. Burden, die weer terug was van het uitkeringskantoor, ging aan het andere eind zitten. De kale soberheid, de grimmigheid van de kamer, had Carolyn tot bedaren gebracht, zoals hij had verwacht. In de lift had ze onafgebroken staan sneren en vitten tegen haar man, die er met gesloten ogen bij had gestaan. Hierbeneden was ze stil. Ze streek het blonde haar van haar voorhoofd en drukte haar vingers tegen haar slapen alsof ze hoofdpijn had. Snow zat met de armen over elkaar en met zijn kin op zijn borst.

Wexford zei in het apparaat: 'Aanwezig de heer Bruce Snow, mevrouw Carolyn Snow, hoofdinspecteur Wexford en inspecteur Burden.' Hij zei tegen de vrouw: 'Vertelt u mij precies wat er op de avond van de zevende juli is gebeurd, mevrouw Snow.'

Ze keek haar man zijdelings aan met een bedachtzame, berekenende blik. 'Hij kwam om zes uur thuis en ik zei: moet je niet werken vanavond? Hij zei: na het eten ga ik weer terug naar kantoor...'

'Je liegt! Dat is weer een smerige leugen!'

'Alstublieft, meneer Snow.'

'Joel vroeg of zijn vader hem wilde helpen met het proefwerk dat hij moest maken, en zijn vader zei: sorry, maar ik moet weg...'

'Dat heb ik niet gezegd!'

'Maar ik moet weg, en hij is weggegaan. Om tien voor acht. Ik koesterde geen enkele argwaan, helemaal niet. Waarom zou ik? Ik vertrouwde hem. Ik vertrouw mensen altijd. Maar goed, ik belde naar zijn kantoor, want Joel had hulp nodig. Ik zei: dan bellen we papa op, dan kun je het hem aan de telefoon vragen. Maar er werd niet opgenomen. Ook toen had ik geen enkele achterdocht. Ik dacht alleen maar dat hij niet opnam. Toen hij thuiskwam lag ik in bed. Het was na halfelf, eerder tegen elven.'

'Ach, laat haar toch raaskallen.'

'Ik ben een waarheidslievend mens, dat weet hij. Terwijl wij weten dat híj liegt. Overwerken! Wist u dat hij haar op kantoor naaide omdat hij dan de telefoon kon opnemen wanneer ik zou bellen? Als ze niet haar verdiende loon had gekregen, als ze niet vermoord was, zou ik bijna medelijden met die arme dikke trut hebben gehad.'

'Mag ik u eraan herinneren,' zei Wexford vermoeid, 'dat dit gesprek wordt opgenomen, mevrouw Snow?'

'Wat kan mij dat schelen? Neem het maar op! Roep het maar om in een megafoon in High Street. Vertel het maar tegen iedereen, anders doe ik het wel. Ik heb het mijn vrienden al gezegd, ik heb mijn kinderen al verteld wat voor schoft hun vader is.'

Toen ze vertrokken waren, schudde Burden met een ernstig gezicht zijn hoofd. 'Niet te geloven,' zei hij tegen Wexford. 'Op het eerste gezicht zou je haar een echte dame noemen, rustig, welgemanierd, stijlvol. Wie had gedacht dat zo'n vrouw zulke taal zou kunnen uitslaan?'

'Je lijkt nou net een politieman uit een detectiveroman van de jaren dertig.'

'Goed, misschien wel, maar vind jij dat dan gewoon?'

'Ze hebben het uit de moderne romans,' zei Wexford. 'Ze hebben de hele dag niets anders te doen dan lezen. Zijn we iets verder gekomen met Stephen Colegate?'

'Annettes ex-echtgenoot? Die woont in Australië, hij is hertrouwd, maar zijn moeder woont in Pomfret en hij komt zondag met zijn twee kinderen bij haar op bezoek.'

'Laat iemand controleren of hij echt in Australië zat, wil je? Wat is er met Zack Nelson gebeurd?'

'Die blijft in voorarrest tot hij voor de rechter moet verschijnen. Waarom kijk je zo?'

'Ik denk aan Kimberley en het kind.'

'Over die Kimberley zou ik me maar geen zorgen maken,' zei Burden. 'Die weet beter hoe ze aan een uitkering moet komen dan Cyril Leyton zelf. Zij is er zo een die in de bijstand is afgestudeerd.'

Wexford lachte. 'Je zult wel gelijk hebben. Dat mens van Snow heeft me doodmoe gemaakt.' Hij aarzelde even en dacht na. 'O, heel ver zal ik reizen, naar de vallei van Avilion, waar ik zal genezen van mijn smartelijke wonde.'

'Hemeltje,' zei Burden. 'En waar mag dat wel zijn?'

'Thuis.'

11

'Ik heb tegen haar gezegd dat we geen oosterse tapijten kopen,'
zei Dora. 'Schei uit zeg, ik moet er niet aan denken, maar dat zei
ik er niet bij. Natuurlijk heeft ze gelijk, al dit soort dingen zouden niet mogen voorkomen, maar ze geeft zich zo direct met
hart en ziel over aan die nieuwe projecten.'

Sheila Wexford was lid geworden van Anti-slavernij Internationaal. Die avond, net voor Wexford binnenkwam, had ze aan de
telefoon haar moeder op het hart gedrukt geen oosterse tapijten
te kopen, want die, had ze gezegd, waren misschien wel geweven
door kinderen van elf, twaalf jaar of nog jonger. Meisjes in Turkije waren blind geworden door dat inspannende werk in slecht
verlichte ruimtes. Kinderen waren verplicht om veertien uur per
dag te werken en ontvingen geen loon omdat ze hiermee de
schuld van hun ouders afbetaalden.

'Waarschijnlijk gaat ze naar Turkije om het met eigen ogen te
zien?' zei Wexford.

'Hoe wist je dat?'

'Ik ken mijn dochter.'

'Vanwaar trouwens dat "internationaal"?' informeerde Sylvia op
klagerige toon. 'Internationaal is een adjectief. Waarom niet gewoon vereniging of stichting?' Dat Wexford aan Sheila refereer-
de als 'mijn dochter' in plaats van 'mijn jongste dochter', zat haar
dwars, wist hij, omdat het in haar ogen leek alsof hij er maar één
had. Wat konden haar adjectieven schelen? 'Sheila zal het wel
niet opvallen, maar het is even erg als "collectief",' zei ze en ze
wierp haar vader een woedende blik toe.

Hij probeerde het snel weer goed te maken door op warme toon
te vragen: 'Weet je al iets meer over een baan, liever?'

'Nee. Neil zit nu in een workshop, waardoor hij misschien in een
omscholingsprogramma kan komen. Nog zo'n vreselijk woord:
workshop.'

'En "geloofwaardig" in plaats van "betrouwbaar",' zei haar vader. Dit soort gesprekken had hij altijd met Sheila. 'En "geslachtsge-relateerd" in plaats van mannelijk of vrouwelijk, en "gezond-heidsprobleem" in plaats van ziekte.'

Sylvia was weer gelukkig. '*Kanena provlima*, om mijn zoons fa-voriete Griekse uitdrukking te gebruiken. Een van de goeie kan-ten van het werkloos zijn is dat ik thuis ben met de zomervakan-tie. De school sluit volgende week.'

Het goot van de regen en Glebe End stond blank. Het afwate-ringssysteem of wat ervoor doorging functioneerde allang niet meer en Lincoln Cottages leek wel op een moeras te drijven. Een enorme plens water golfde door het straatje en klotste tegen de banden van een oude vrachtwagen waarvan de achterdeuren openstonden. Een vuilnisbak van zwart plastic deinde zachtjes in een plas voor de voordeur.

Terwijl Karen Malahyde op de deur klopte, nam Barry Vine een kijkje in de vrachtwagen en zag een vochtig uitziende matras en een leunstoel zonder zitkussen. Het duurde enkele minuten voordat Kimberley de deur opendeed.

'Wat willen jullie?'

'De spullen die je vriend heeft gejat,' zei Vine.

Ze haalde haar magere schouders op en deed de deur verder open om hen binnen te laten. Clint zat in een kinderstoel en be-smeurde zijn gezicht en bovenlichaam met een kleverige bruine substantie uit een gebarsten kom. De witgeschilderde hoge stoel, met plaatjes van konijnen en eekhoorns erop, was een van de weinige fatsoenlijke meubelstukken, misschien een cadeautje van een betrekkelijk welgestelde grootouder.

Met zijn duim naar achteren wijzend, vroeg Vine: 'Aan het ver-huizen?'

'En wat dan nog?'

'Ik had begrepen dat je weinig hoop had op een ander huis.'

Kimberley haalde een smerige lap uit een van de kartonnen do-zen en begon er Clints gezicht mee schoon te vegen. Het kind schreeuwde en spartelde. Vine ging naar boven en kwam terug met het televisietoestel. Karen droeg de video naar de auto. Terwijl ze Clint op de grond zette, zei Kimberley, voor het eerst uit zichzelf met informatie komend: 'Mijn oma is overleden.'

Vine, niet wetend wat hij hiermee aan moest maar goedhartig van aard, zei: 'Dat spijt me voor je,' en vervolgens, omdat het hem begon te dagen: 'Je bedoelt dat je in haar huis gaat wonen of zo?'

'Precies. In één keer goed. Mijn moeder wou het niet, dus ze zei dat wij het konden krijgen.'

'Wanneer is dat gebeurd?'

'Wat, dat mijn oma is overleden of dat mijn moeder zei dat we het huis konden krijgen?' Ze wachtte niet op antwoord. 'Mijn moeder kwam woensdag langs, en toen ik haar vertelde over Zack, zei ze, je kan hier niet blijven, en ik zeg, vertel mij wat, en toen zei zij: je kan in het huis van je oma gaan wonen. Zo goed?'

'Je kunt er alleen maar op vooruitgaan.'

'Clint,' zei Kimberley, 'blijf met je tengels van die flessen af of je krijgt een dreun.'

Vine, die zelf vader was, en een zeer gewetensvolle, was erop tegen dat kinderen geslagen werden, daar was hij 'fel' op, zoals hij het zelf noemde, en Clint was nog heel klein.

'Is alles goed met hem?'

'Hoezo, alles goed? U bedoelt dat hij niet in dit krot thuishoort? Ja, helemaal mee eens. Maar hij gaat toch ergens anders wonen? Gaan we nou een beetje de sociaal werker uithangen?'

'Ik bedoel,' zei Vine, 'of hij weer helemaal van de operatie hersteld is.'

'Godallemachtig, dat is een jaar geleden.' Ineens was ze woedend, haar gezicht zag vuurrood en haar schouders en armen trilden. 'Wat gaat jou dat godverdomme aan? Natuurlijk is hij hersteld – kijk dan naar hem. Hij ziet er fantastisch uit, hij is *normaal*, alsof hij zo geboren is. *Zie* je dat dan niet?' Ze huiverde. 'Nemen jullie die troep nou maar mee en lazer dan op.'

Ze smeet de deur achter hen dicht. Vine kwam met zijn voet in de plas terecht en vloekte.

'Ik moet straks naar een ander kind toe,' zei Karen in de auto. 'Maar dat kind moet ik ondervragen. God sta me bij.'

Alleen al de gedachte dat een kind over zijn eigen vader werd ondervraagd, vond Wexford verfoeilijk. Ergens deed het hem denken aan de vraag die hem tijdens de Vrouwen, Wees Waakzaam!-bijeenkomst was overhandigd. Het was maar het beste dat Karen, een aardig uitziende jonge vrouw met een zakelijke manier van doen, met hem zou praten. Waarschijnlijk zou ze de agressieve toon die ze gewoonlijk reserveerde voor ondervraging van mannen niet aanslaan tegenover een veertienjarige jongen.

Hij ging met haar naar binnen en praatte met de moeder, terwijl zij met Joel in de ruimte zat die zo ouderwets 'speelkamer' werd genoemd, waar echter niets was om mee te spelen maar die geheel voor studiedoeleinden was uitgerust. Joel had een indrukwekkende verzameling studieboeken en naslagwerken, een computer en een cassetterecorder. De posters aan de muren waren van educatieve aard: het leven van de boom, het menselijk spijsverteringssysteem, een klimatenkaart van de wereld.

Joel leek op zijn vader, hij was donker, mager en groot, maar had de koele manier van doen van zijn moeder. Misschien had hij ook diezelfde heftige uitbarstingen. Hij begon al tegen Karen te spreken voordat ze een woord had kunnen zeggen.

'Mijn moeder heeft me verteld waarvoor u gekomen bent, maar u moet het mij niet vragen want ik weet het niet.'

'Joel, ik wil alleen maar dat je zegt of je je kunt herinneren dat je vader even voor achten is weggegaan. Was je in deze kamer?'

De jongen knikte. Hij leek ontspannen maar hij had een behoedzame blik in zijn ogen.

'Dus je was in deze kamer en die ligt boven de garage. Je moet dus gehoord hebben of daar een auto uit weggereden is.'

'Mijn moeders auto staat altijd in de garage. Die van hem staat altijd buiten.'

'Maar dan nog. Je hebt toch een goed gehoor, niet? Of was je verdiept in je proefwerk?' Ze had opgemerkt dat hij Snow niet met 'mijn vader' had aangeduid op een moment dat dat voor de hand had gelegen.

Ze waagde de sprong. 'Heeft je moeder je verteld waar het om draait?'

'Kom zeg,' zei hij, 'ik ben geen kind meer. Hij heeft overspel gepleegd en die vriendin van hem is nu vermoord.'

Karen knipperde met haar ogen. Ze was behoorlijk van haar stuk
gebracht. Ze haalde diep adem en begon weer over de auto, de
garage en het tijdstip.

Beneden vroeg Wexford aan Carolyn Snow of ze wijzigingen
wenste aan te brengen in de verklaring die ze over haar man had
afgelegd.

'Nee. Waarom zou ik?' Ze had geen make-up op. Haar haar zag
eruit alsof ze het niet meer had gewassen sinds haar over Annette
Bystock was verteld. Dat ze dure, onberispelijke kleren aanhad
kwam waarschijnlijk omdat ze geen andere bezat. Opeens zei ze:
'Voor haar was er iemand anders, weet u. Ene Diana. Maar toen
heeft het niet lang geduurd.' Ze bracht haar hand naar haar haar.
'Is het waar dat een vrouw niet tegen haar man kan getuigen?'

'Een vrouw kan niet *gedwongen* worden om tegen haar man te
getuigen,' zei Wexford. 'Dat is niet hetzelfde.'

Ze dacht hierover na, en de gedachte die bij haar opkwam scheen
haar genoegen te doen. 'Dus in dat geval zult u me niet meer
hoeven te spreken?'

'Misschien toch wel. U bent toch niet van plan om weg te gaan,
hoop ik?'

Haar ogen vernauwden zich. 'Waarom vraagt u dat?'

Hij kon zien dat ze het overwoog. 'De school sluit volgende
week, voor de zomervakantie. Ik heb liever niet dat u ergens
heen gaat, mevrouw Snow.' Bij de voordeur bleef hij even staan.
Zij stond achter hem maar liet hem zelf de deur opendoen. 'Er
woont geloof ik familie van u op Ladyhall Avenue?'

'Nee. Hoe komt u daarbij?'

Hij ging haar niet vertellen dat haar man dat als reden had aan-
gevoerd dat hij nooit bij Annette op bezoek was gekomen. 'Een
kennis dan?'

'Niemand.' Ze schudde heftig haar hoofd. 'Mijn familie woont
in Tunbridge Wells.'

Hij vertrok. Als Annette had gedreigd alles aan Carolyn te zullen
vertellen om Snow tot een huwelijk met haar te dwingen, dan

zou dat Snows motief voor de moord geweest kunnen zijn. Carolyns reactie op de ontrouw van haar man liet niets te raden over. Ze was net zo onverzoenlijk en wraakzuchtig als Snow had verwacht. En hij wist wat hij kon verwachten; er was iemand voor Annette geweest.

Aan de andere kant kon hij die avond naar Ladyhall Court zijn gegaan om Annette te smeken het niet te zeggen. Misschien had hij haar allerlei beloften gedaan. Misschien dat hij haar af en toe mee uit eten zou nemen, dacht Wexford. Of hij had beloofd dat ze samen op vakantie zouden gaan, of misschien had hij haar een cadeautje gegeven. Maar het had allemaal niet geholpen. De enige oplossing was dat hij Carolyn zou verlaten en bij haar zou blijven. Ze hadden ruzie gekregen, hij trok het snoer uit de lamp op het nachtkastje en wurgde haar... Maar dat hij dat snoer eruit zou trekken had toch iets onwaarschijnlijks, dacht Wexford. Daar had je kracht voor nodig. Zou hij in zijn drift niet eerder zijn handen om haar keel hebben gelegd?

Hij stak de weg over naar zijn auto, waar Karen al achter het stuur op hem zat te wachten. Dat was dan alle lichaamsbeweging voor die dag. Dokter Crocker, en onlangs dokter Akande, had hem op het hart gedrukt dat hij meer moest wandelen (de beste oefening voor hart en bloedvaten, hadden ze met nadruk gezegd). Even overwoog hij die paar kilometer te lopen en Karen de auto alleen terug te laten rijden, toen hij de arts op zich af zag komen. Wexford was zich onmiddellijk bewust van zijn eerste laffe reactie om net te doen alsof hij hem niet had gezien en gauw zijn blik af te wenden, alsof hij bang was voor een onvriendelijk of verwijtend gesprek. Maar Akande kon hem niets verwijten, integendeel, hij en zijn korps hadden alles gedaan wat in hun macht lag om zijn dochter te vinden. Maar toch schaamde hij zich, omdat hij het gezelschap van iemand die zich zo ongelukkig en wanhopig moest voelen als dokter Akande liever zou vermijden. Hij deed er echter geen enkele poging toe. Een politieman moest elke confrontatie aankunnen, zo niet, dan moest hij een ander vak kiezen (omscholen, om in ASB-termen te blijven). Dit had hij zichzelf zo'n dertig jaar geleden voor het eerst voorgehouden.

'Hoe gaat het met u, dokter?'

Akande schudde zijn hoofd. 'Ik kom net van een patiënt die over twee jaar honderd wordt,' zei hij. 'Zelfs zij vroeg of ik al iets meer wist. Ze zijn allemaal zo aardig, zo meelevend. Ik zeg maar tegen mezelf dat het erger is als ze er niet meer naar vragen.'

Wexford wist niets te zeggen.

'Ik blijf maar denken aan wat Melanie gedaan kan hebben, waar ze naartoe kan zijn gegaan en zo. Het lijkt wel alsof ik aan niets anders meer denk. Het maalt en maalt maar door. Ik ben me zelfs gaan afvragen of we haar lichaam ooit zullen vinden. Vroeger heb ik nooit begrepen waarom mensen die een zoon in de oorlog hadden verloren alles op alles zetten om zijn... zijn stoffelijk overschot terug te krijgen. Of waarom ze wilden weten waar hij begraven was. Toen dacht ik: wat doet het er nog toe? Je wilt je kind, je levende kind dat je zo liefhebt, niet het... omhulsel. Nu begrijp ik het wel.'

Zijn stem brak bij het woord 'liefhebt', een woord waarbij veel ongelukkige mensen het te kwaad krijgen. Hij zei: 'Excuseert u me, ik moet verder.' Hij liep door alsof hij verblind was. Wexford zag hoe hij met de sleutel naar het slot van zijn autoportier zocht en vermoedde dat zijn ogen vol tranen stonden.

'Arme stakker,' zei Karen. Wexford vroeg zich af of dit voor het eerst was dat ze zich zo over een man uitliet.

'Ja.'

'Waar gaan we nu heen?'

'Naar Ladyhall Avenue.' Hij zweeg even. Toen zei hij: 'Ingrid Pamber heeft iets gezegd dat we in al onze opwinding over Snow over het hoofd dreigen te zien. Weet je waar ik op doel?'

'Iets over Snow?'

'Misschien is het niet waar, want ze liegt en overdrijft heel wat af.'

'U doelt op die kennis van zijn vrouw die tegenover Ladyhall Court zou wonen?'

Wexford knikte. Ze reden Queens Gardens uit waar Wendy Stowlap woonde en kwamen langs het winkeltje op de hoek waar Ingrid de boodschappen voor Annette had gehaald. Een man stond woedend tegen de glazen deur van de telefooncel te bonken waar een vrouw onbekommerd bleef doorpraten.

Ze werden binnengelaten door een blinde vrouw. Haar ogen in hun gerimpelde mandjes leken wel van craqueléglas. Wexford sprak haar vriendelijk toe.

'Hoofdinspecteur Wexford van de politie van Kingsmarkham, en dit is rechercheur Malahyde.'

'U bent nog jong, hè?' zei mevrouw Prior terwijl ze ergens in de verte keek.

Karen gaf het toe.

'Ik ruik het. Lekker. Roma, is het niet?'

'Ja, inderdaad. Hoe raadt u dat?'

'O, ik ken die luchtjes allemaal, zo kan ik de ene van de andere vrouw onderscheiden. Dus houden jullie die legitimaties maar bij je, want daar zal wel geen luchtje aan zitten.' Gladys Prior giechelde om haar woordspeling. Ze ging hen voor de trap op en ze liepen achter haar aan. 'Hoe is het toch met die jonge knaap B.U.R.D.E.N.?' Kennelijk had ze een binnenpretje, want ze moest weer lachen.

'Die had vandaag iets anders te doen,' zei Wexford.

Percy Hammond zat niet uit het raam te kijken. Hij sliep. Maar zoals veel heel oude mensen sliep hij heel licht en hij werd direct wakker toen ze de kamer inkwamen. Wexford vroeg zich af hoe hij eruit had gezien toen hij jong was geweest. Niets in dat verkreukelde, uitgezakte, geplette en geplooide gezicht verried hoe hij er op middelbare leeftijd kon hebben uitgezien, laat staan toen hij nog jonger was geweest. Het had bijna niets menselijks meer. Alleen zijn kunstgebit met het roze tandvlees en de witte tanden wees erop dat hij ooit, vijftig jaar geleden, echte tanden moest hebben gehad.

Hij droeg een gestreept pak met vest en een overhemd zonder boord. De grijze kamgaren broek hing om zijn knieën als om een metalen frame met scherpe hoeken, en de handen die erop rustten waren als duivenklauwen. 'Moet ik nou naar zo'n herkenningsparade?' vroeg hij. 'Moet ik er een uit een rijtje pikken?'

Dat hoefde niet van Wexford. Terwijl hij meneer Hammond in

gedachten feliciteerde met de snelheid van zijn begrip, zei hij hardop dat er geen twijfel aan bestond wie Annettes huis had beroofd. Er was al iemand anders bezig met dat onderzoek.

'Je had er toch niet naartoe gekund,' zei mevrouw Prior. 'Niet zoals je er nu aan toe bent.' Ze wendde zich tot Karen, die ze direct aardig scheen te vinden. 'Hij is tweeënnegentig, weet u.'

'Drieënnegentig,' zei meneer Hammond, daarmee de Wet van Wexford bevestigend dat alleen mensen onder de vijftien en boven de negentig zich ouder willen voorgeven dan ze in werkelijkheid zijn. 'Volgende week word ik drieënnegentig, en ik had er best naartoe gekund. Ik heb al in jaren niet meer geprobeerd om eruit te gaan, dus hoe moet jij nou weten of ik het niet kan?'

'Ja, waar haal ik het vandaan,' zei Gladys Prior, terwijl ze in Karens richting giechelde.

'Meneer Hammond,' begon Wexford, 'u hebt inspecteur Burden al verteld wat u afgelopen donderdag heel vroeg in de ochtend op straat hebt gezien. Hebt u die avond daarvoor ook uit uw raam gekeken?'

'Ik kijk altijd naar buiten. Behalve wanneer ik in bed lig of als het donker is. Maar soms ook in het donker – dan heb je goed zicht als de straatlantaarns aan zijn en je binnen het licht uitdoet.'

'En hebt u het licht uitgedaan, meneer Hammond?' vroeg Karen.

'Ik moet aan de elektriciteitsrekening denken, juffie. Maar inderdaad, afgelopen woensdagavond had ik het licht uitgedaan, als u het weten wilt. Wilt u weten wat ik heb gezien? Ik heb erover nagedacht. Ik wist dat jullie terug zouden komen.'

Wat een zegen, deze getuige, dacht Wexford dankbaar. 'Kunt u ons vertellen wat u hebt gezien, meneer?'

'Ik zie ze altijd van hun werk thuiskomen. Maar u moet weten dat er een paar op vakantie zijn. Meestal negeren ze me, maar die knaap van Harris zwaait altijd even. Die kwam thuis om tien voor halfzes, en tien minuten na hem kwam er een meisje. Ze was met de auto en had die buiten geparkeerd. Er is daar zo'n gele streep, die betekent dat je er tot halfzeven niet mag parkeren,

maar daar trok ze zich niets van aan. Ik heb haar nooit eerder gezien. Het was een knap meisje, zo'n jaar of achttien.'

Ingrid zou gevleid zijn, wat dat ook waard mocht zijn. Tegen de
tijd dat je drieënnegentig bent, dacht Wexford, denk je dat mensen van vijftig jaar dertig zijn, en wie in de twintig is zie je aan
voor kinderen. 'Ging ze naar binnen?'

'En ze kwam na vijf minuten weer buiten. Nou ja, zeven minuten om precies te zijn. Ik ben niet zo goed in het schatten van
tijd, maar bij haar heb ik het bijgehouden, ik weet niet waarom.
Om wat te doen te hebben. Dat doe ik wel eens, ik beschouw het
als een spelletje, dan wed ik met mezelf. Dan zeg ik: tien bob,
Percy, dat ze weer terug is voor er tien minuten voorbij zijn.'

'De jongedame weet niet wat tien bob is, Percy. Je leeft echt in
het verleden. Dat betekent vijftig pence, kind, dat betekent het
al twintig jaar, maar hij is er nog steeds niet aan gewend.'

Wexford onderbrak haar. 'Wat gebeurde er toen?'

'Er gebeurde niks. Als u tenminste bedoelt of er nog andere
vreemden naar binnen gingen. Mevrouw Harris ging naar buiten en kwam terug met een avondkrant. Toen heb ik gegeten,
een boterhammetje met een glas Guinness, zoals altijd. Toen zag
ik de auto aankomen die Gladys naar haar blindenclubje brengt.'

'Precies om zeven uur,' zei mevrouw Prior. 'En om halftien was
ik weer terug.'

'Toen u aan het eten was, meneer Hammond,' zei Wexford, 'zat
u toen aan die tafel daar? Hebt u naar de televisie gekeken?'

De oude man schudde zijn hoofd. Hij wees naar het raam.

'Dat is mijn televisie.'

'Maar veel seks en geweld krijg je daar niet op, hè Percy?' Gladys
Prior moest haar buik vasthouden van het lachen.

'Dus u bent uit het raam blijven kijken, meneer Hammond? Wat
zag u nadat mevrouw Prior naar buiten was gekomen?'

Percy Hammond trok zijn al geplooide gezicht in nog diepere
vouwen. 'Niet veel, moet ik u helaas zeggen.' Hij wierp Wexford
een sluwe blik toe. 'Wat wilt u dat ik gezien heb?'

'Alleen wat u echt hebt gezien,' zei Karen.

'Ik ben vooral geïnteresseerd in het tijdstip rond acht uur, meneer Hammond,' zei Wexford. 'Ik wil geen suggesties bij u wekken, maar hebt u tussen vijf voor acht en kwart over acht een man Ladyhall Court binnen zien gaan?'

'Alleen die knaap met zijn hond. Ik weet zijn naam niet, Gladys ook niet. Hij heeft een spaniël. Hij laat hem 's avonds altijd uit. Die heb ik wel gezien. Er zou iets niet goed zitten als ik hem niet had gezien.'

Er zat iets niet goed, dacht Wexford, er zat iets totaal verkeerd.

'Niemand anders?'

'Helemaal niemand.'

'Geen man en geen vrouw? Rond acht uur hebt u niemand naar binnen zien gaan en tussen tien uur en halfelf hebt u niemand naar buiten zien komen?'

'Ik zei al dat ik niet zo goed ben met tijden. Maar ik heb geen sterveling gezien totdat die knaap opdook over wie ik dinges heb verteld.'

'B.U.R.D.E.N.,' zei mevrouw Prior, terwijl ze proestte van het lachen.

'Het was toen donker, ik lag in bed, ik sliep, maar ik ben opgestaan – waarom ben ik opgestaan, Gladys?'

'Dat moet je mij niet vragen, Percy. Misschien wou je wat aan de deur kopen.'

'Ik heb het licht even aangedaan, maar dat was zo fel dat ik het meteen weer uitdeed. Ik keek uit het raam en toen zag ik die jonge knaap naar buiten komen met een grote doos in z'n armen – of was dat later?'

Karen zei voorzichtig: 'Dat was 's morgens vroeg, meneer Hammond. U zag hem 's morgens vroeg, weet u nog? U vroeg nog of u hem uit een rijtje zou moeten pikken.'

'Ja, dat is zo. Ik zei al dat ik niet zo goed met tijden ben...'

'Ik denk dat we u te veel vermoeid hebben, meneer Hammond,' zei Wexford. 'U hebt ons fantastisch geholpen en we zouden graag nog één ding van u willen weten. Van u en mevrouw Prior. Is een van u bekend met de familie Snow van Harrow Road in Kingsmarkham?'

Twee oude, teleurgestelde gezichten wendden zich naar hem toe.

Ze hielden beiden van spanning, ze vonden het vreselijk om een antwoord schuldig te moeten blijven. 'Nooit van gehoord,' zei mevrouw Prior nors.

'U zult iedereen in deze straat wel... eh, kennen, is het niet?' vroeg Wexford haar terwijl ze de trap af liepen.

'U wilde zeker zeggen: van gezicht kennen? Geeft niks hoor. Maar in mijn geval kun je beter zeggen: van geur kennen.' Ze wachtte tot ze onder aan de trap was voordat ze haar giechel weer liet ontsnappen. 'Er wonen hier heel veel oude mensen, dit zijn oude huizen, ziet u, en de meesten wonen er al veertig of vijftig jaar. Zijn ze jong of oud, de mensen die een kennis zouden moeten zijn van die mevrouw hoe-heet-ze?'

'Ik weet het niet,' zei Wexford. 'Ik weet het werkelijk niet.'

12

Het huis was nieuw, net klaar, de laatste verflaag was misschien nog geen week geleden aangebracht. Toch had hij het gevoel dat hij in een gat in de tijd was terechtgekomen. Niet dat hij Mynford New Hall als een oud huis beschouwde, het was net alsof hij tweehonderd jaar eerder leefde en naar deze tijd was gebracht om een gloednieuw huis te bekijken.

Het was Georgiaans van stijl, met een zuilengalerij en een balustrade langs het platte dak. Een groot, ivoorkleurig huis, met perfect geproportioneerde schuiframen en gegroefde pilaren. In de prieeltjes aan weerskanten van de voordeur stonden stenen vazen met gebeeldhouwde draperieën en levende klimop en venushaar. Een oprijlaan met grind zou meer in stijl zijn geweest, maar deze was geplaveid. In de bakken en kuipen die erlangs gegroepeerd waren stonden laurierbomen en gele cipressen, rode fuchsia's in volle bloei, oranje en witte aardbeiboompjes en roze pelargoniums. De bloembedden daarentegen waren kaal; de aarde was omgespit zonder dat er een sprietje zichtbaar was.

'Geef ze even de tijd,' fluisterde Dora. 'Ze wonen hier nog geen vijf minuten. Die bakken hebben ze voor deze gelegenheid gehuurd.'

'Waar woonden ze hiervoor dan?'

'In dat huis onder aan de heuvel, dat weduwenhuis.'

De heuvel was een zachte glooiing van groene weiden die afliep naar een beboste vallei. Tussen de bomen door kon je net een grijs dak onderscheiden. Wexford herinnerde zich het oude landhuis op de heuveltop. Het was een saaie constructie van pleisterwerk die niet oud of bijzonder genoeg was om op de momumentenlijst te komen. Vermoedelijk hadden de Khoori's geen enkele tegenwerking ondervonden toen ze het wilden laten afbreken om er een nieuw huis neer te zetten.

Hun gasten verdrongen zich op het grote gazon. In het midden was een enorme, gestreepte luifel opgetrokken die Wexford laconiek 'die theetent' noemde, wat Dora op de een of andere manier oneerbiedig of zelfs *lèse majesté* vond. Haar echtgenoot had eerst niet willen komen. Ze had hem toen niet helemaal naar waarheid gezegd dat hij het had beloofd, en vervolgens dat het hem goed zou doen om er even uit te zijn. Uiteindelijk was hij ter wille van haar meegegaan omdat ze zei dat ze er zonder hem geen zin in had.

'Ken je hier iemand? Want anders kunnen we net zo goed een eindje gaan wandelen. Ik zou het weduwenhuis wel weer eens willen zien.'

'Nee, sst. Daar komt onze gastvrouw, volgens mij loopt ze regelrecht op jou af.'

Anouk Khoori was iemand die steeds van uiterlijk veranderde. In gedachten zag hij dat ene beeld van haar in trainingspak, met onopgemaakt gezicht en het haar in een energieke paardenstaart; het tweede beeld was dat van de salonwelzijnswerkster, de vurige campagnevoerster die politieke ambities had en gekleed was op macht: op hoge hakken, met juwelen en een diamant aan haar vinger.

Ook nu droeg ze die ring, maar nu samen met vele andere die wit en blauw aan haar vingers flonkerden terwijl ze naar hen toe kwam lopen. En weer was ze anders, niet gewoon doordat ze een andere jurk droeg of een ander kapsel had, maar ze was volstrekt onherkenbaar. Als hij haar hier niet had ontmoet en Dora er niet geweest was om te zeggen dat zij het was, zou hij niet weten of hij Anouk Khoori herkend zou hebben. Deze keer was ze de kasteelvrouwe in geel chiffon en met een grote strohoed op die was afgeladen met madeliefjes, waaronder gouden haarlokjes ontsnapten die op haar voorhoofd krulden en naar haar schouders afhingen.

'Meneer Wexford, ik *wist* dat u zou komen, en toch ben ik zo blij u hier te zien. En dit is mevrouw Wexford? Hoe maakt u het? Hebben we niet geweldig geboft met deze schitterende dag? Ik wil u graag aan mijn man voorstellen.' Ze keek om zich heen en tuurde de horizon af. 'Op dit moment kan ik hem nergens ontdekken. Maar laat ik u voorstellen aan een paar zeer dierbare vrienden van ons van wie ik zeker weet dat u ze direct aardig zult vinden.' Ze was een van die vrouwen die zich weinig om andere vrouwen bekommeren. Ze keek uitsluitend naar Wexford met die stralende glimlach rond haar lippen die met een fijn penseel felrood waren geverfd en die de Wedgwood-witte kronen van haar tanden toonde. 'En zij u,' voegde ze eraan toe.

De zeer dierbare vrienden bleken een oude, gerimpelde en ver-schrompelde man die het gezicht had van een stokoude goeroe en die gekleed was in spijkerpak en cowboylaarzen, en een meis-je dat zo'n vijftig jaar jonger was dan hij. Anouk Khoori, die een talent bezat om voornamen op te pikken en te onthouden en die achternamen al snel overbodig vond, zei: 'Reg en Dora, ik heb er zo naar verlangd om jullie voor te stellen aan Alexander en Cookie Dix. Cookie, lieverd, dit is Reg Wexford die iets ver-schrikkelijk hoogs is bij de politie.'

Cookie? Hoe in godsnaam kwam iemand aan een naam als Cookie? Ze was minstens dertig centimeter groter dan haar man en gekleed als de prinses van Wales voor Ascot. Ze had zwart haar dat tot haar middel reikte. 'Zoiets als een sheriff?' zei ze.

Anouk Khoori liet een lange, vibrerende en galmende lach horen en zeilde toen van hen vandaan alsof haar lach daartoe het teken had gegeven. Wexford verbaasde zich over de heftige reactie die ze bij hem had opgeroepen: die van fysieke weerzin. Maar waar-om? Ze was mooi, althans veel mensen zouden dat vinden, ge-zond en sterk, en goed verzorgd met deodorant, poeder en par-fum. Toch was hij bij de aanraking van haar hand teruggedeinsd en was haar geur hem voorgekomen als bedorven adem.

Dora deed een poging een gesprek aan te knopen met Cookie Dix. Woonde ze hier in de buurt? Wat vond ze van deze omge-ving? Hij kon net zo goed over koetjes en kalfjes praten als ieder ander, maar hij zag er het nut niet meer van in. De verschrom-pelde man stond er zwijgend en nogal dreigend bij. Hij deed Wexford denken aan een griezelfilm die hij eens had gezien toen hij niet kon slapen. Daar was een mummie in voorgekomen die door de onderzoeker was uitgepakt, weer zo'n beetje tot leven was gebracht en naar net zo'n soort tuinfeest als dit was meege-nomen.

'Heb je Anouks diamanten gezien?' vroeg Cookie ineens.

Dora, die op zachte conversatietoon iets had gezegd over het weer in deze tijd van het jaar, dat het in Engeland nooit echt warm werd voor het juli was, zweeg verbaasd.

'Alleen al wat ze nu om heeft kost minstens honderdduizend. Toch niet te geloven? En dan heeft ze binnen in huis nog eens tien keer zoveel.'

'Hemeltje,' zei Dora.

'Hemeltje kun je wel zeggen.' Ze boog zich voorover, ze moest zich bukken om haar gezicht vlak bij dat van Dora te houden, maar in plaats van te fluisteren bleef ze op dezelfde toonsterkte doorpraten. 'Dat huis is toch vreselijk? Dat vind jij toch ook? Zielig eigenlijk, ze denken dat het een of ander chic ontwerp is voor een huis dat nooit is gebouwd, maar dat is niet zo, hè snoep?'

De mummie blafte. Dat was in de griezelfilm precies zo gebeurd, alleen hadden de mensen zich toen gillend uit de voeten ge-maakt.

'Mijn man is een heel beroemde architect,' zei Cookie. Ze strek-te haar nek en bracht haar gezicht bij dat van Wexford. 'Als we romanfiguren waren, dan heb ik u een aanwijzing gegeven over die diamanten, die worden dan geroofd terwijl wij buiten zijn en dan moet u al deze mensen ondervragen. Dat zijn er vijfhon-derd, weet u dat wel?'

Wexford lachte. Hij mocht Cookie Dix wel met haar spontani-teit en meterslange benen. 'Als het er niet meer zijn. Maar het huis zal heus wel bewaakt worden.'

'Nee hoor, alleen door Juana en Rosenda.'

Onverwacht begon de mummie met gebarsten tenor een lied uit de *Mikado* te zingen: 'Twee jonge meisjes der Filippijnen, een van hen nog geen twintig jaren...'

'Ik dacht dat ze wel een grote huishoudelijke staf zouden heb-ben,' zei Dora zwakjes.

'Vroeger hadden ze er nog een, dat was de zus van de onze, maar die rijke mensen zijn zo gierig, is je dat nooit opgevallen? Nou, mijn lieve Alexander niet, en God weet dat hij bulkt van het geld.' Het gezicht van de mummie spleet uiteen. Bij net zo'n gruwelijke glimlach waren de vrouwen in de film half hysterisch geworden. 'Ze doen alles meestal via catering,' zei Cookie, 'want al hun hulpen lopen steeds weg. Nou ja, behalve die twee dan. Dat rottige beetje geld dat ze verdienen hebben ze nodig om naar huis te sturen.' Om een of andere reden liet ze haar stem dalen. 'Dat doen Filippino's altijd.'

'Filippina's,' zei de mummie.

'Dank je, snoep. Wat ben je toch een Pietje precies. Ik noem hem soms Mijn Pietje. Zullen we thee gaan drinken?'

Ze liepen de groene helling af, waarbij ze van hun doel werden afgeleid door het soort attracties dat onmisbaar wordt geacht bij liefdadigheidsevenementen. Een knappe donkere vrouw in een trui die tot de enkels reikte hield een soort loterij voor Fortnum and Mason-manden. Een jongeman in een kiel en met een ezel en palet maakte voor vijf pond een snelportret. Onder een langwerpige gele spandoek met in zwart 'Voor baby's en kinderen met kanker' erop, stelde een man zijn tweelingdochters tentoon: kleine blonde meisjes in witte organdie met tierelantijntjes en met zwarte lakschoenen aan. Het publiek mocht de leeftijd van Phyllida en Fenella raden en wie het dichtst bij de juiste geboortedatum kwam kreeg de grote witte teddybeer die op de tafel tussen hen in zat.

'Dit is toch gewoon ordinair?' zei Cookie. 'Dat is hun probleem. Ze zien het onderscheid niet.'

Dora keek even naar de volgzame kinderen. 'Bedoel je dat de loterij wel kan en die schilder ook, maar die teddybeer niet?'

'Precies. Dat is precies wat ik bedoel. Zielig eigenlijk, en dan heb je zoveel geld.'

Eindelijk liet Alexander Dix van zich horen, en deze keer niet in zangvorm. Wexford vond dat hij praatte met de Franse tongval van iemand die tot zijn dertigste in Casablanca had gewoond en de rest van zijn leven in Aberdeen. 'Wat kun je anders verwachten van een kind uit een achterbuurt van Alexandrië.'

Waarschijnlijk doelde hij op Wael Khoori. Omdat Wexford

nieuwsgierig was geworden, vroeg hij hem wat meer te vertellen, toen er iets gebeurde dat op party's onvermijdelijk is. Vanuit het niets verscheen opeens een echtpaar bij de Dixen met uitbundige begroetingen en kreten van verbazing, en zoals het altijd gaat, was het eerdere gezelschap vergeten. Wexford en Dora werden achtergelaten bij Phyllida, Fenella en de teddybeer.

'Laten we dan maar wat voor het goede doel doen,' zei Wexford en haalde een briefje van tien tevoorschijn. 'Wat zeg jij? Ik zeg dat ze vijf jaar zijn en dat ze de eerste juni zijn geboren.'

'Ik wil liever niet zo dichtbij komen. Het zijn geen dieren in de dierentuin. Ik begrijp nu wat Cookie bedoelt. Ach, nou ja, ik zeg ook dat ze vijf jaar zijn, maar dat ze jarig zijn in september, vijf september.'

'Ouder,' zei een stem achter Dora. 'Die zijn zes, waarschijnlijk zeseneenhalf.'

Wexford draaide zich om en zag Swithun Riding. Zijn vrouw leek heel klein vergeleken bij hem. Het verschil in grootte tussen hen was veel meer dan dat tussen Wexford en Dora, of, bijvoorbeeld, tussen Cookie Dix en de kleine architect.

Susan zei: 'Kent u mijn man?'

Ze werden aan elkaar voorgesteld. In tegenstelling tot zijn zoon nam Swithun Riding wel de beleefdheden in acht. Hij glimlachte en reageerde met een cliché dat ooit belangstelling voor iemands gezondheid had uitgedrukt.

'Hoe maakt u het?'

Wexford gaf het geld aan de vader van de tweeling en gaf de door hem geschatte leeftijd op.

'Ach, schei toch uit,' zei Riding. 'Hebt u zelf geen kinderen?'

Hij zei het op een toon waarin zowel ergernis als arrogantie doorklonk. Tot zover de goede manieren. Alsof Riding in Wexford een asociaal vermoedde die een vurig aanhanger was van radicale anticonceptie.

'Hij heeft er twee,' zei Dora nogal scherp. 'Twee *meisjes. En* hij heeft een goed geheugen.'

'Nou ja, Swithun is tenslotte kinderarts,' zei Swithuns vrouw licht verwijtend.

173

Haar man negeerde haar. Hij overhandigde een biljet van twintig pond, ongetwijfeld als bewijs van maatschappelijke en wellicht ook ouderlijke superioriteit, waarbij Swithun Riding meedeelde dat ze zeseneenhalf waren.

'Op twaalf februari zijn ze zes jaar geworden,' gokte hij, maar op zó'n autoritaire toon dat hij leek te suggereren dat dit de natuurlijke geboortedatum van Phyllida en Fenella moest zijn, wat de officiële kanalen ook mochten beweren.

De Ridings kregen gezelschap van de potige Christopher in shorts en poloshirt, en van een ongeveer tienjarig blond meisje met wie ze naar de plantenkraam liepen. Dora zag dit als een aanleiding om de tegenovergestelde richting te kiezen die naar de theetent leidde. De thee was een overdadige bedoening met twintig soorten sandwiches, scones met frambozenjam en dikke room, chocoladetaart, koffie-walnotentaart, passievruchtentaart, pecannotentaart, éclairs, roombroodjes, gemberwafeltjes en aardbeien met slagroom.

'Dat lijkt me wel wat,' zei Wexford, die zich in de rij aansloot.

Het was een heel lange rij, een enorme slang van gasten die zich door de geel-met-wit gestreepte tent kronkelde. Het was ook een rij die je zelden zag en die hemelsbreed verschilde van de rij moedeloze, slechtgeklede mensen die op een bus stonden te wachten, of erger, zoals Wexford onlangs had gezien, bij de soepkeuken in Myringham. De theesalon in Glyndebourne kwam nog het meest bij deze theetent in de buurt. Hij was er één keer geweest en had zich weinig op zijn gemak gevoeld toen hij in zijn smoking om vier uur 's middags in de rij had gestaan voor sandwiches met gerookte zalm, net als nu. Maar daar hadden ze tenminste nog avondkleding aangehad die uit de tijd was: mannen in smokings van net na de oorlog, oude dames in zwart kanten japonnen uit de jaren veertig, terwijl het hier leek alsof een centrefold uit de *Vogue* tot leven was gekomen. Dora zei dat de vrouw voor hen een pak van Lacroix aanhad en dat het wemelde van de creaties van Caroline Charles. Ze voegde er terloops aan toe: 'Geen dikke room nemen, Reg.'

'Was ik ook niet van plan,' loog hij. 'Maar een stukje pecannotentaart kan toch geen kwaad? En een paar aardbeien?'

'Natuurlijk niet, maar je weet wat dokter Akande heeft gezegd.'

'Die stakker heeft nu wel wat anders aan zijn hoofd dan mijn cholesterolgehalte.'

Alle tafels in de tent waren bezet. Zoals hij had verwacht was de commissaris er ook. Met zijn magere, roodharige vrouw en twee vrienden zat hij aan een tafeltje. Wexford zorgde haastig dat hij uit zijn gezichtsveld kwam en hij en Dora liepen met hun blad naar buiten. Ze moesten genoegen nemen met een laag muurtje als zitplaats en de bovenkant van een balustrade als tafel. Ze wilden net hun blad neerzetten, toen een stem achter Wexford zei: 'Ik dacht al dat u het was! Ik ben zo blij om u hier te zien, we kennen hier helemaal niemand.'

Ingrid Pamber. Achter haar stond Jeremy Lang met zijn wilde haarbos. Hij had een blad in zijn handen dat bijna bezweek onder de lading sandwiches, taart en aardbeien.

'Ik weet wat u denkt,' zei Ingrid. 'U denkt: wat hebben die nou te zoeken tussen al die grootheden hier?'

Gelukkig wist ze niet wat hij dacht. Als hij zich niet al lang geleden had aangeleerd om nooit in gezelschap van zijn vrouw andere vrouwen te bewonderen, zelfs niet in gedachten, dan zou hij nu gemijmerd hebben over haar blanke en roze huid, dat glanzende, satijnachtige haar, dat figuurtje, die ontwapenende glimlach waarbij ze haar mondhoek even optrok. Eigenlijk, zei hij bij zichzelf, was ze in haar witte truitje en katoenen rok tien keer mooier dan Anouk Khoori of Cookie Dix of de vrouw van de mandenloterij. Hij zette zijn heimelijke overpeinzingen van zich af en zei dat dat niet de vraag was die hij in gedachten had, maar nu ze erover begon, inderdaad, hoe was ze hier zo verzeild geraakt?

'Jerry's oom is een vriend van meneer Khoori. In Londen hebben ze naast elkaar gewoond.'

De oom. Dus de oom bestond echt. 'O, vandaar.' Omdat Khoori in Londen niet ver van Mayfair, Belgravia of Hampstead gewoond kon hebben, moest die oom wel een rijke man zijn.

Nogmaals zijn gedachten radend maar nu iets nauwkeuriger, zei

Ingrid: 'Eaton Square,' en vervolgens: 'Mogen we bij u komen zitten? Ik ben zo blij iemand te zien die ik ken.'

Hij stelde Dora voor, die uitnodigend zei: 'Jullie kunnen onze muur delen.'

Ingrid begon te babbelen over hoe heerlijk het was om twee weken vrij te hebben, waar zij en Jeremy allemaal heen waren geweest, naar een popconcert, het theater in Chicester. Onder het praten wist ze heel wat voedsel te verstouwen. Hoe konden magere mensen zoveel eten zonder aan te komen? Zoals Ingrid en die stakerige Jeremy die vette scones naar binnen zaten te werken die bezweken onder de dikke room? Ze schenen er niet over na te denken, ze aten gewoon.

In elk geval kon hijzelf beter over de gevolgen van eten nadenken dan over dit charmante meisje dat nu Dora uitvoerig zat te complimenteren met haar jurk. Deze middag leken haar ogen blauwer dan ooit, bijna zo blauw als de veren van een ijsvogel. Ze wilde weten of zij ook hadden meegedaan aan het raden van de leeftijd van de tweeling. Jeremy had gezegd dat hij het stompzinnig vond, maar ze had hem toch zover gekregen omdat zij zo graag de teddybeer wilde winnen.

Ze legde haar witte hand op Wexfords mouw. 'Ik ben verzot op knuffelbeesten. Ik weet niet meer of... zijn we in mijn slaapkamer geweest toen u bij me thuis was?'

Alsof de slang in de tuin zich ontrolde. Hoe gracieus en voorkomend ze ook was, onder haar tong lag een heel klein zakje met gif. Dora keek enigszins verbaasd, maar meer ook niet. Jeremy, die een tweede stuk passievruchtentaart nam, zei: 'Natuurlijk is hij niet in de slaapkamer geweest, Ing. Waarom zou hij? Daar kan een kat zijn kont nog niet keren.'

'Of een teddybeer.' Ingrid giechelde. 'Ik heb een goudbruine spaniël die mijn vader voor me in Parijs heeft gekocht toen ik tien was, en een roze varken en een dinosaurus uit Florida. Die dinosaurus klinkt niet zo knuffelig maar hij is het wel, misschien wel het knuffeligst van allemaal, hè Jerry?'

'Maar niet zo knuffelig als ik,' zei Jerry, die een gemberwafeltje nam. 'Hebt u oom Wael al ontmoet?'

'Nog niet. Mevrouw Khoori hebben we wel gesproken.'

'Ik weet eigenlijk niet waarom ik hem nog steeds oom noem. Behalve die ene keer laatst heb ik hem niet meer gesproken sinds ik achttien was. Ik kan hem wel aan u voorstellen als u wilt.'

Wexford en Dora hadden er weinig behoefte aan, maar konden dat moeilijk zeggen. Jeremy veegde de kruimels van zijn spijkerbroek en stond op. 'Blijf jij maar zitten, Ing,' zei hij goedhartig, 'en maak die éclairs maar op, daar hou je toch zo van?'

Het nam heel wat tijd in beslag om Wael Khoori te zoeken; ze liepen om heel Mynford New Hall heen, maar vonden hem niet. Wexford kreeg de commissaris weer in het oog, die nu afging op een of ander spel met kokosnoten. Waarschijnlijk zou hij hem wel kunnen ontlopen. Jeremy zei dat ze bij aankomst die middag een huis hadden verwacht dat zou lijken op een van die supermarkten van zijn oom, die hij 'minaretgevallen' noemde, of anders zoiets als het vliegveld van Abu Dhabi. En niet zoiets saais als er nu stond. Hadden meneer en mevrouw Wexford het vliegveld van Abu Dhabi wel eens gezien? Terwijl Dora luisterde naar een beschrijving van de uitzonderlijke verlokkingen van dit sprookjesachtige oord, keek Wexford omhoog naar de ramen van het nieuwe huis in de vage veronderstelling dat hij Juana of Rosenda naar buiten zou kunnen zien kijken.

Voor twee vrouwen zou het een heel karwei zijn om dat grote huis op orde te houden. Mevrouw Khoori leek niet het type dat haar eigen bed zou opmaken of de ontbijtbordjes zou afwassen. Het moest zeker twintig slaapkamers hebben en ongetwijfeld even zovele badkamers. Hoe zou het zijn om de halve wereld af te moeten reizen om je kinderen te kunnen onderhouden?

De lucht begon te betrekken en boven de heuvels was de hemel donker en dreigend geworden. Terwijl ze de helling afliepen was er een bries vanuit de bossen opgestoken. Wexford had weinig zin om weer de heuvel op te gaan en kreeg er genoeg van om achter een gastheer aan te jagen die volgens de regels der wellevendheid hen zelf had moeten verwelkomen. Hij wilde daar net een beleefde opmerking over maken, toen Jeremy plotseling om zich heen keek en naar mensen achter hen zwaaide.

Drie mannen, van wie er twee gearmd liepen. Het zou er minder gek hebben uitgezien, dacht Wexford, als ze in een boernoes of jellaba gestoken waren, maar ze droegen alle drie westerse kleren en een van hen was onmiskenbaar Angelsaksisch met zijn roze gezicht en kalende hoofd en blonde haar. De andere twee waren corpulent en groot, nog groter dan Wexford. Beiden hadden een knap, Semitisch gezicht met haviksneus, smalle lippen en dicht bij elkaar staande ogen. Het was duidelijk dat ze broers waren. De jongste had een bruine, zeer pokdalige huid, die van de ander was niet donkerder dan die van een gebruinde Engelsman. Zijn dikke, nogal lange haar was spierwit. Hij oogde tien jaar ouder dan zijn vrouw, maar die kon natuurlijk ouder zijn dan ze eruitzag.

Het laatste waar Khoori kennelijk op dit moment behoefte aan had, terwijl hij mogelijk in een diepgaand zakelijk gesprek was verwikkeld, was om door zijn aangewaaide neef aan mensen te worden voorgesteld die hij helemaal niet wilde ontmoeten. Dat bleek duidelijk uit zijn in gedachten verzonken en vervolgens licht geïrriteerde blik. Hij bleek Jeremy inderdaad goed te kennen, wat dat betrof had hij niet overdreven, dacht Wexford, hoewel het tegendeel hem niet verbaasd zou hebben. Hij noemde hem 'beste jongen', als een of andere Victoriaanse peetoom.

Ze werden aan Khoori voorgesteld als 'Reg en Dora Wexford, vrienden van Ingrid,' waarvan Dora achteraf zei dat ze dat een beetje overdreven vond. Khoori gedroeg zich zoals naar men zei een lid van het koninklijk huis onbekende gasten tegemoet trad. Maar bij het stellen van de gebruikelijke vragen was zijn houding eerder ongeduldig dan hoffelijk, hij wilde liefst zo snel mogelijk doorlopen.

'Komt u hier ver vandaan?'

'We wonen hier,' zei Wexford.

'En dat bevalt u goed, zeker? Mooie omgeving, zo groen. Al thee gedronken? Gaat u toch een kopje thee drinken, mijn vrouw zegt dat het tiptop verzorgd is.'

'Ja,' zei Jeremy, 'ik lust nog wel wat.'

'Neem dan nog wat, beste jongen. Doe de groeten aan je oom

wanneer je hem ziet.' Van Wexford en Dora nam hij afscheid met de aloude woorden: 'Prettig kennis gemaakt te hebben. Hoop u gauw weer te ontmoeten.'

Hij haakte zijn arm in die van zijn twee metgezellen, die geen van beiden waren voorgesteld, en dirigeerde hen door struiken die wel een doolhof leken te vormen. 'Gek accent heeft hij, hè?' zei Jerry vertrouwelijk toen ze terugliepen naar de tent. 'Is u dat niet opgevallen? Typisch Engels bekakt en toch een beetje cockney.'

'Maar dat kan toch niet?'

'Hoezo niet? Zijn broer Ismael praat net zo. Ze hadden een Engelse kinderjuf en híj zegt dat die uit Whitechapel kwam.'

'Dus dan is hij niet opgegroeid in een achterbuurt van Alexandrië?'

'Hoe komt u erbij? Zijn ouders waren van heel goede komaf. Oom William zegt dat zijn vader een bei of kalief was of zoiets, en dat was in Riaad. Hoi Ing, sorry dat we zo lang zijn weggebleven.'

'Ze hebben de uitslag van de wedstrijd bekendgemaakt,' zei Ingrid, 'en ik heb de beer niet gewonnen en jij ook niet. Nummer drie-zes-acht heeft hem. Nou ja, die heeft hem niet, want niemand met dat nummer is op komen dagen. Waarom doen ze dan mee, als ze niet eens willen weten of ze gewonnen hebben?'

Dora zei dat ze weer eens op moesten stappen, en met een variant op de formule van Khoori zei ze dat ze het leuk vond hen ontmoet te hebben. Wexford zei tot ziens.

'Eigenlijk hadden we ze een lift moeten aanbieden. Jeremy zei dat ze niet met de auto waren omdat die in reparatie was.'

'Dat zal best,' zei Wexford.

Dat had leuk kunnen worden. Ze zouden hen terugbrengen naar Kingsmarkham, misschien voor een kop thee uitgenodigd worden en dan zou Dora in haar onschuld hen voor volgende week of zo uitnodigen voor een gezellig avondje. 'Dan kun je met mijn dochter Sylvia kennismaken...' Hij zag het al helemaal voor zich. Vol genegenheid nam hij haar arm in de zijne. Ze had haar nummer te voorschijn gehaald en keek ernaar terwijl ze de kraam passeerden waar de tweeling had gezeten. De kinderen waren verdwenen, maar hun vader – en de teddybeer – waren er nog.

'Drie-zes-zeven,' zei ze. 'Dat scheelt maar één cijfer.' Ze keek Wexford aan. 'Reg, jij moet óf drie-zes-zes hebben, óf drie-zes-acht.'

Hij had het winnende nummer, natuurlijk had hij dat. Hij had het intuïtief geweten toen Ingrid het nummer had genoemd. Het juiste antwoord op de vraag wat de geboortedatum van de tweeling was, was 1 juni. Op die datum was Phyllida vijf jaar eerder geboren, om twee minuten voor middernacht, en op 2 juni, twaalf minuten later, was Fenella geboren. Niemand had het geraden en met 1 juni was Wexford er het dichtste bij geweest.

'Houdt u hem maar, zet u hem maar weer in voor het goede doel.'

'O nee, geen sprake van,' zei de vader van de tweeling kwaad. 'Ik heb mijn buik vol van dat pestbeest. U neemt hem mee en anders smijt ik hem de rivier in en vervuil ik het milieu.'

Wexford nam de beer aan. Het beest was zo groot als een tweejarig kind. Hij wist wat hij ermee zou moeten doen, wilde dat ook en tegelijkertijd ook niet. Dora zei: 'Je kunt...'

'Ja, weet ik. Doe ik ook.'

Ze hadden Khoori's advies opgevolgd en zaten weer te eten en thee te drinken. De meeste mensen waren al vertrokken, dus hadden ze het beste tafeltje buiten de tent weten te bemachtigen, onder de schaduw van een moerbeiboom. Wexford zette de beer op de lege stoel tussen hen in. Ingrids stralende ogen sperden zich wijd open, verlangend, begerig. Hoe konden ogen die wel licht absorbeerden maar het nooit konden uitstralen zo'n blauwe schittering afgeven?

'Je mag hem hebben, als je wilt.'

'Dat meent u niet!'

Ze was overeind gesprongen. 'O, wat fantastisch. Wat aardig van u! Ik noem haar Christabel.'

Wie had er nou ooit van een vrouwelijke teddybeer gehoord? Hij wist wat er nu zou gebeuren. En dat gebeurde ook, voor hij zich terug kon trekken. Ze sloeg haar armen om zijn nek en kuste hem. Dora keek toe met een ondoorgrondelijke blik. Jeremy at verder van zijn walnotentaart. Ingrids lichaam, dat zo verukkelijk slank en tegelijkertijd ook zo verrassend stevig was, bleef iets te lang en te dicht tegen het zijne gedrukt. Hij pakte haar handen, maakte die zachtjes los van zijn nek en zei: 'Fijn dat je er zo blij mee bent.'

Omdat hij geen reden kon bedenken waarom ze zich tot hem aangetrokken zou voelen – hij was niet rijk, zoals Alexander Dix, niet jong, zoals Jeremy, of knap, zoals Peter Stanton – en omdat nymfomanie een mythe was, bleef er maar één mogelijkheid over. Ze koketteerde. Ze was een flirt met de blauwste ogen ter wereld. 'In geen honderd jaar zijn uw ogen te beschrijven, en kijkend in uw aangezicht...' Hij zou haar *geen* lift aanbieden.

'Misschien wordt het toch nog een jongen,' zei Ingrid. 'Uw voornaam is toch Reg, is het niet?'

Wexford lachte. Hij nam weer afscheid van haar en zei over zijn schouder: 'Die naam is niet beschikbaar voor teddyberen.'

Er was nog een tweede mogelijkheid. Hij dacht er net pas aan. Ze was een leugenaar, dat wist hij al. Was ze ook een moordenares? Was ze zo aardig tegen hem, of wat zij dacht dat daarvoor doorging, om hem aan haar kant te krijgen? Ze waren bij het parkeerterrein toen Dora eindelijk iets zei. De eerste regendruppels begonnen te vallen. De bries was veranderd in een harde wind en een vrouw voor hen met een hoed als een karrenwiel moest de rok van haar doorschijnende jurk naar beneden houden.

'Dat meisje hing helemaal over je heen,' zei Dora.

'Ja.'

'Wie is het eigenlijk?'

'Een verdachte in een moordzaak.' Meer dan dat vertelde hij haar nooit over over de zaken waar hij mee bezig was. Ze keek hem opgewekt aan.

'Werkelijk?'

'Werkelijk. Laten we in de auto stappen. Anders wordt je hoed nog nat.'

Om van het landgoed af te komen moesten ze zich bij een korte file aansluiten. Alle auto's moesten een smal hek door en omdat

Rolls Royces, Bentley's en Jaguars in de meerderheid waren, ging het nogal traag. Er waren nog maar twee auto's voor hem toen zijn telefoon begon te rinkelen. Hij nam de hoorn op en hij hoorde Karens stem.

'Ja,' zei hij, 'ja,' en: 'Ik begrijp het.'

Dora kon Karens stem horen maar niet de woorden verstaan. De auto slipte en botste tegen de hekspijlen terwijl ze door de smalle opening reden. Wexford zei: 'Waar zei je?' En vervolgens: 'Ik breng mijn vrouw naar huis en kom er dan direct naartoe.'

'Wat is er, Reg? O Reg, toch niet Melanie Akande?'

'Ik ben bang van wel.'

'Is ze dood?'

'Ja,' zei hij, 'ze is dood.'

13

Kingsmarkham ligt in het deel van Sussex dat ooit bewoond is geweest door een Keltische stam die door de Romeinen de Regnenzen werd genoemd. De kolonisten vonden het een aangenaam oord om te wonen, een mooie, niet te koude streek, waar de inheemse bevolking werd beschouwd als een welkome bron van slaven. De talloze overblijfselen van zuigelingen die door archeologen bij Pomfret Monachorum zijn opgegraven, wijzen erop dat de Romeinen onder de Regnenzen kindermoord pleegden om vrouwen voor de arbeid te kunnen behouden.

Tegelijk met deze gruwelijke vondsten werd ook een schat opgegraven. Niemand wist precies hoe deze enorme hoeveelheid gouden munten, beeldjes en juwelen ooit terecht was gekomen onder een stuk landbouwgrond op een paar kilometer afstand van Cheriton, maar kennelijk had daar ooit een Romeinse villa gestaan. Er bestond de nogal romantische opvatting dat de familie die daar aan het begin van de vijfde eeuw woonde, had moeten vluchten, en dat ze al hun kostbaarheden daar hadden begraven in de hoop ze ooit weer eens op te kunnen halen. Maar de Romeinen waren nooit teruggekomen en daarna hadden de Middeleeuwen hun intrede gedaan.

Deze schat was door een boer ontdekt, terwijl hij een stuk land aan het omploegen was dat tot dan toe deel had uitgemaakt van grasland waar schapen graasden, maar waar hij nu maïs wilde verbouwen om er fazanten mee vet te mesten. De waarde werd geschat op meer dan twee miljoen pond, waarvan hij het grootste deel ontving. Hij gaf het boerenbedrijf eraan en ging in Florida wonen. Het gouden beeldje van de zogende leeuwin en de twee welpen, en de twee gouden armbanden, waarvan in de ene een voorstelling van een berenjacht was gegraveerd en in de andere een hertenbok, kunnen nu worden bezichtigd in het British Museum, waar ze bekend zijn als de Framhurst Horde.

Deze vondst had goudzoekers aangemoedigd. Met hun metaal-detectors zochten ze langdurig, geduldig en in stilte het heide-land en het groene dal af. De boeren hadden geen bezwaar – er was weinig bouwland in deze streek – en zolang ze geen schade aanrichtten en de schapen niet verjoegen, waren ze niet alleen ongevaarlijk maar misschien zelfs een bron van ongekende rijk-dom. Elke succesvolle goudzoeker zou zijn buit met de landeige-naar moeten delen.

Tot dusver was er niets meer gevonden. De schat waarvan de leeuwin en de armbanden deel hadden uitgemaakt, scheen op zichzelf te staan. Maar de schatzoekers bleven komen, en het was een van hen die, terwijl hij rondzwierf in de buurt van het uitver-koren gebied en zijn detector steeds maar weer over een krijtach-tige steenhelling heen liet gaan, eerst een munt had gevonden, en vervolgens het lichaam van een meisje.

Het was in het gebied waar het heuvelland begon, tussen Cheri-ton en Myfleet. Tussen de heuvels aan de voet van de berg liep een smal landweggetje, zonder hekwerk, muur of haag, en twin-tig meter links daarvan, waar de bossen begonnen, was ze aan de rand van een bos begraven. Terwijl Colin Broadley met zijn me-taaldetector aan het werk was, waren de weersomstandigheden gunstig geweest. De bodem was nog wel vochtig van de regen van de afgelopen dagen, maar niet te nat, wat ideaal was om te graven. Toen Broadley de munt had gevonden was hij zo opge-wonden dat hij verder was gegaan met zijn graafwerk.

'Waarom,' vroeg Wexford, 'bent u niet opgehouden toen u zich realiseerde wat u had gevonden?'

Broadley, een zware man van een jaar of veertig met een bierbuik, haalde zijn schouders op. Hij zag er onbetrouwbaar uit. Hij was geen archeoloog, maar een werkloze loodgieter die gedreven werd door hebzucht en hoop. Niet hij had de politie gewaarschuwd, maar een passerende automobilist, die bij het zien van de vérstrek-kende graafwerkzaamheden achterdochtig was geworden, zijn au-to tot stilstand had gebracht en was gaan kijken. Deze James Ran-ger uit Myringham boette voor zijn gemeenschapszin door ter plekke te moeten blijven, waar hij nu al twee uur in zijn auto zat.

'Dat is toch vreemd?' drong Wexford aan.

'Ze moest toch opgegraven worden,' zei Broadley ten slotte. 'Iemand moest het toch doen.'

'Dat had de politie moeten doen,' zei Wexford, en de politie had het karwei ook afgemaakt. Natuurlijk wist hij heel goed waarom Broadley verder was gegaan. Na de vondst van de munt was hij, niet gehinderd door enig gevoel of mededogen, dieper gaan graven om hopelijk meer munten te vinden, misschien wel juwelen. Die waren er niet. Het lichaam was naakt. Het was op dit moment niet te zeggen of er enig verband bestond tussen het lijk en de munt. Broadley had de munt aangezien voor een onderdeel van een Romeinse schat, maar toen Wexford hem goed bekeek, zag hij dat het een Victoriaanse halfpenny was waarop het hoofd van de jonge koningin was afgebeeld. Het haar was opgemaakt in de stijl die deed denken aan het kapsel van actrices die in films over het oude Rome hadden gespeeld. Wexford liet Broadley door Pemberton wegleiden naar een van de politieauto's.

Het bleef maar regenen. Ze hadden een zeildoek over het graf gelegd, dat door de bomen enigszins beschut was. De patholoog was het lichaam aan het onderzoeken. Niet sir Hilary Tremlett of Wexfords *bête noire* doctor Basil Sumner-Quist, die beiden met vakantie waren, maar een assistent of vervanger die zich had voorgesteld als Mavrikiev. Wexford, met een paraplu boven zijn hoofd – er waren tien paraplu's op het terrein onder de druipende bomen – hield het plastic zakje met de munt vast. Niet dat het waarschijnlijk was dat er een vingerafdruk op te vinden zou zijn nadat het ding in die fijne, kalkachtige grond had gelegen die het muntoppervlak had afgeschuurd. Toen Mavrikiev klaar was met zijn werk en de foto's waren genomen, moest hij datgene doen waar hij zo verschrikkelijk tegen opzag: naar Ollerton Avenue rijden om het de Akandes te vertelllen.

Hij moest het zelf doen, dat wist hij. Hij kon niet Vine of Burden erop afsturen. Sinds Melanie vermist werd, had hij de dokter en zijn vrouw dagelijks opgezocht, met uitzondering van die dag dat hij Akande toevallig op straat was tegengekomen. Hij had zich als een vriend van hen voorgedaan, alleen omdat ze zwart waren, vanwege hun ras en huidkleur hadden ze zijn speciale aandacht verdiend. Hij wist dat dit niet in de haak was. Als hij werkelijk onbevooroordeeld was, dan zou hij hen behandeld hebben als elk ander ouderpaar wiens kind was vermist. Straks zou hij de rekening gepresenteerd krijgen.

Mavrikiev lichtte een flap van het zeildoek op en kwam tevoorschijn. Een of andere assistent hield een paraplu boven zijn hoofd. Het was ongelooflijk, Wexford was verbijsterd. De patholoog stevende zonder een woord te zeggen op zijn Jaguar af.

'Dokter Mavrikiev!' zei hij.

De arts was nog betrekkelijk jong, blond, en met een bleek, Noord-Europees gezicht. Zijn voorouders kwamen waarschijnlijk uit de Oekraïne, vermoedde Wexford. Hij draaide zich om en zei nogmaals: 'Meneer, meneer Mavrikiev!'

Wexford probeerde zijn woede te bedwingen. Waarom waren ze altijd zo onbeschoft? Deze was wel het ergst van allemaal. 'Hebt u enig idee wanneer ze is gestorven?'

Mavrikiev keek Wexford aan alsof hij hem om zijn papieren zou gaan vragen. Hij tuitte zijn lippen en zei op dreigende toon: 'Tien dagen. Misschien meer. Ik ben geen helderziende.'

Nee, je bent een hufter... 'En de doodsoorzaak?'

'Ze is niet doodgeschoten en niet gewurgd. Ze is niet levend begraven.'

Hij dook zijn wagen in en smeet het portier dicht. Hij vond het natuurlijk niet leuk om op een regenachtige zaterdagavond te worden weggeroepen. Wie wel? Hij zou het ook niet leuk vinden dat hij zondag de autopsie moest verrichten, jammer dan. Burden strompelde uit het glibberige, natte struikgewas tevoorschijn. Hij had zijn kraag opgezet en zijn haar droop van de regen. Voor hem geen paraplu.

'Heb je haar gezien?'

Wexford schudde zijn hoofd. Het deed hem niets meer om naar doden te kijken die door geweld om het leven waren gekomen, zelfs niet als het lichaam al in staat van ontbinding was. Hij was eraan gewend, je kunt aan alles gewend raken. In sommige opzichten was het een geluk dat zijn reukvermogen niet meer was wat het geweest was. Hij dook onder het zeildoek en keek naar haar. Niemand had haar bedekt, er was niet eens een laken over haar heen gelegd. Ze lag op haar rug, haar lichaam was nog in redelijke staat. Met name het gezicht was bijna nog helemaal gaaf. Zelfs nu ze dood was en al dagen begraven, zag ze er heel jong uit.

De zwarte plekken op haar donkere huid, in het bijzonder de kleverige zwarte massa bij haar haar, kon een teken van ontbinding zijn maar ook van verwondingen. Hij wist het niet, maar Mavrikiev zou het wel weten. Een arm lag in een onnatuurlijke hoek en hij vroeg zich af of deze gebroken was voordat ze stierf. Toen hij weer in de regen stond haalde hij diep adem.

'Hij zei tien dagen of meer,' zei Burden, 'dat kan dus wel kloppen.'

'Ja.'

'Teruggerekend naar die dinsdag is dat elf dagen. Als ze hier met een auto is gebracht, dan is die vanaf de weg niet hiernaartoe gereden. Natuurlijk kan ze nog in leven zijn geweest toen ze hier kwam. Misschien heeft hij haar hier vermoord. Wil je dat ik naar de lijkschouwing ga? Om negen uur morgenochtend, zei hij. Ik ga wel, als je dat liever wilt. Ik zal alleen geen woord met die Mavridinges wisselen, tenzij hij me aanspreekt.'

'Bedankt, Mike,' zei Wexford. 'Al ga ik liever naar de lijkschouwing dan naar het adres waar ik vanavond heen moet.'

Tien minuten voor negen en nog steeds licht, dat hopeloos mistroostige licht van een natte zomeravond zoals je dat alleen in Engeland vindt. Het was bijna niet te zeggen of het nu regende of dat er alleen maar regenwater van de bomen droop. De lucht was zwaar en de vochtigheid was als een koude witte damp. Er brandde geen licht in het huis, maar dat zei niets. Het schemerde nog nauwelijks. Wexford drukte op de bel, waarna bijna onmiddellijk het licht in de gang aanging en een ander boven zijn hoofd in het portiek. De jongen die de deur opendeed herkende hij direct als Akandes zoon die met Melanie op de foto had gestaan.

Wexford stelde zich voor. De aanwezigheid van de jongen maakte alles nog erger, dacht Wexford, maar misschien gemakkelijker voor de ouders. Eén kind was nog over om hen te troosten.

'Ik ben Patrick. Mijn vader en moeder zijn achter, we zijn net klaar met eten. Ik ben vandaag pas teruggekomen en ik heb geslapen. Ik ben een uur geleden wakker geworden.'

Moest hij hem waarschuwen of niet? 'Ik ben bang dat ik slecht nieuws heb.'

'O.' Patrick keek hem aan en wendde toen zijn blik af. 'Ja, nou, dan moet u met m'n ouders praten.'

Bij het horen van hun stemmen was Raymond Akande van tafel opgestaan, maar Laurette bleef zitten waar ze was, kaarsrecht, met beide handen op het tafelkleed aan weerskanten van een bord met sinaasappelpartjes. Ze zeiden geen van beiden iets.

'Ik heb slecht nieuws voor u, dokter Akande, mevrouw Akande.'
De dokter hield zijn adem in. Zijn vrouw wendde langzaam haar hoofd naar Wexford toe.

'Wilt u gaan zitten, dokter? Vermoedelijk kunt u wel raden waarom ik hier ben.'

Een lichte trilling van Akandes hoofd betekende een knik.

'Melanies lichaam is gevonden,' zei Wexford. 'Althans, voorzover we zeker kunnen zijn zonder een positieve identificatie.'

Laurette wenkte haar zoon. 'Ga zitten, Patrick.' Haar stem klonk vast. Tegen Wexford zei ze: 'Waar is ze gevonden?'

Hij had zo gehoopt dat ze het niet zou vragen! 'In Framhurst Woods.'

Laat het daarbij, vraag niet verder. 'Was haar lichaam begraven?' vroeg Laurette genadeloos. 'Hoe wisten ze waar ze moesten graven?'

Patrick legde zijn hand op zijn moeders arm. 'Mam, nee.'

'Hoe wisten ze waar ze moesten graven?'

'Er lopen vaak mensen met metaaldetectors rond om naar een schat te zoeken, net als bij de Framhurst Horde. Een van hen heeft haar gevonden.'

Hij dacht aan de zwarte plekken en de gebroken arm, de zwarte, klitterige plekken op haar schedel, maar ze vroeg er niet naar, dus hoefde hij niet te liegen. Ze zei: 'We wisten dat ze dood moest zijn. Nu weten we het zeker. Wat is het verschil?'

Er was een verschil, namelijk dat je nog hoop had of dat je geen hoop meer had. Iedereen in de kamer wist dat. Wexford trok de vierde stoel aan tafel naar achteren en ging zitten. Hij zei: 'Het is waarschijnlijk niet meer dan een formaliteit, maar ik moet u vragen haar te komen identificeren. Misschien kunt u dat het beste doen, dokter.'

Akande knikte. Voor het eerst zei hij iets, en zijn stem was onherkenbaar. 'Ja, dat is goed.' Hij liep naar zijn vrouw toe en bleef naast haar stoel staan, maar raakte haar niet aan.

'Waar?' vroeg hij, 'en hoe laat?'

Nu? Nee, ze moesten eerst maar proberen wat nachtrust te krijgen. Mavrikiev zou zeker vroeg met de autopsie willen beginnen, maar die kon wel eens wat tijd kosten. 'We sturen een wagen naar u toe. Zullen we zeggen halftwee?'

'Ik wil haar graag zien,' zei Laurette.

Tegen deze vrouw kon je niet zeggen dat ze dat beter niet kon doen, dat het een bezoeking was die geen enkele moeder zou mogen doormaken. 'Zoals u wilt.'

Ze zei niets meer maar keek naar Patrick, die bij haar een zeldzaam teken van kwetsbaarheid moest hebben gezien, of die had aangevoeld dat ze haar zelfbeheersing zou verliezen. Hij sloeg zijn armen om zijn moeder heen en hield haar stevig vast. Wexford liep de kamer uit en verliet het huis.

Als die grove gelaatstrekken niet zo onmiskenbaar waren geweest, zou hij de patholoog niet hebben herkend. En dat had niets te maken met zijn angstaanjagende vermomming in de groene rubberjas en kap. Mavrikiev was een ander mens. Zulke heftige gemoedswisselingen zijn zeldzaam bij normale mensen, en Wexford vroeg zich af wat voor rampzalige gebeurtenis gisteren zijn humeur bedorven had of welk geluk hem vandaag had getroffen. Het vreemdste was dat hij eerst deed alsof hij geen van beide politiemannen eerder had ontmoet.

'Goedemorgen, goedemorgen. Andy Mavrikiev. Hoe maakt u

het? Ik denk dat dit niet lang hoeft te duren.'

Hij ging aan het werk. Wexford voelde zich niet geroepen van dichtbij mee te kijken. Niet dat hij niet bestand was tegen het geluid van een zaag op een schedel of te zien hoe organen verwijderd werden, maar hij vond het gewoon niet interessant. Burden keek bij alles toe, net zoals toen sir Hilary Tremlett bezig was geweest met Annette Bystock. Hij stelde een hele reeks vragen die Mavrikiev met genoegen scheen te beantwoorden. Mavrikiev praatte aan één stuk door, en niet alleen over het stoffelijk overschot op tafel.

Hoewel hij het niet als verklaring gaf voor zijn omgeslagen stemming, was het er wel een. Om vijf uur de vorige ochtend waren de weeën van zijn vrouw begonnen, die in verwachting was van hun eerste kind. Het zou een zware bevalling worden en Mavrikiev had gehoopt bij haar te kunnen blijven, maar hij was naar Framhurst Heath geroepen op het moment dat ze moesten beslissen over de vraag: blijven wachten en hopen op een normale bevalling of een keizersnede uitvoeren?

'Ik had behoorlijk de pest in, dat kunt u zich voorstellen. Maar ik was op tijd terug om te zien dat Harriet als een prinses lag te slapen en dat ze van een gezonde baby was bevallen.'

'Gefeliciteerd,' zei Wexford. 'Wat is het?'

'Een prachtig klein meisje. Nou ja, een prachtige dikkerd, bijna tien pond. Ziet u dit? Weet u wat dat is? Dat is een gescheurde milt, ja, ja.'

Toen hij klaar was, zag het lichaam op het steen – althans het gezicht, want het arme lege lichaam was nu geheel verborgen onder een plastic laken – er veel beter uit dan toen het net was opgegraven. Het leek zelfs alsof de staat van ontbinding minder was geworden, want Mavrikiev had niet alleen zijn werk als patholoog gedaan maar ook dat van een begrafenisondernemer. De gruwelijke confrontatie die de Akandes te wachten stond zou nu minder een marteling zijn.

Hij trok zijn handschoenen uit. 'Ik kom terug op wat ik gisteravond heb gezegd. Toen zei ik tien dagen of iets meer, is het niet? Ik kan nu preciezer zijn. Op z'n minst twaalf dagen.'

Wexford knikte, het verbaasde hem niet. 'Waar is ze aan gestorven?'

'Ik zei u al dat haar milt gescheurd was. Er is een fractuur aan de elleboog en een fractuur aan het spaakbeen aan de linkerkant – de arm dus, de linkerarm. Maar daar is ze niet aan gestorven. Ze was heel mager. Ze had boulimisch kunnen zijn. Ze heeft kneuzingen over haar hele lichaam. En een zware cerebrale embolie – bloedprop dus. Ik zou zeggen dat die knaap haar heeft doodgeslagen. Ik geloof niet dat er een voorwerp bij gebruikt is, alleen maar zijn vuisten en misschien zijn voeten.'

'Kun je iemand doodslaan met je vuisten?' vroeg Burden.

'Zeker als je een sterke jonge vent bent. Denk maar aan boksers. Denk maar eens aan een bokser die hetzelfde doet bij een vrouw als wat hij bij zijn tegenstander in de ring doet, maar dan zonder handschoenen. Begrijpt u wat ik bedoel?'

'O, zeker.'

'Het was nog maar een kind,' zei Mavrikiev. 'Nog geen twintig?'

'Ouder,' zei Wexford, 'tweeëntwintig.'

'Echt waar? Dat verbaast me. Goed, ik moet maken dat ik wegkom want ik heb een lunchafspraak met Harriet en Zenobia Helena. Heren, het was me een genoegen. Mijn rapport krijgt u zo snel mogelijk.'

Toen hij vertrokken was, zei Burden: 'Zenobia Helena Mavrikiev. Hoe klinkt dat?'

De vraag was retorisch, maar Wexford gaf toch antwoord. 'Als een dienstmeisje in een verhaal van Tolstoi.' Hij sloeg zijn ogen op. 'Hij was een stuk aangenamer dan gisteravond, maar wat is dat een ongevoelige rotzak! Grote God, je zou er niet goed van worden, hij had het in één adem over zíjn dochter en de gescheurde milt van de dochter van de Akandes.'

'Hij maakte tenminste niet van die walgelijke grappen als Sumner-Quist.'

Wexford had geen trek in zijn lunch. Dit gebrek aan eetlust, dat hij zelden vertoonde, scheen Dora plezier te doen. Ze probeerde hem altijd met subtiele of minder subtiele middelen duidelijk te maken dat hij minder moest eten. Maar het riep wel commentaar op bij Sylvia en haar gezin, die zichzelf voor de lunch hadden uitgenodigd, wat op zondag een gewoonte leek te worden. Vandaag had hij hun gezelschap best kunnen missen.

Nu het nieuwtje er een beetje af was dat ze 'kostwinner' voor haar gezin was, had Sylvia de irrante gewoonte aangenomen om commentaar te geven op de gerechten die op tafel kwamen en de dingen die in de kamer waren, bloemen en boeken bijvoorbeeld, en erbij te zeggen dat mensen die van vierenzeventig pond per week moesten rondkomen zich dat soort dingen niet konden veroorloven. Dat was het totale bedrag aan werkloosheids- en bijstandsuitkering dat de Fairfaxes was toegewezen. Hoe snel had ze niet naar dat wapen van de minder bedeelden gegrepen om de gevoelige snaar te raken van degenen die er beter voorstonden. Haar vader vroeg zich wel eens af waar ze die waslijst aan horendol makende gewoontes vandaan had.

Veel van die commentaren gingen vergezeld van een tinkelend lachje. 'Dat is dikke room voor over je frambozen, Robin. Neem maar lekker veel, want thuis krijg je het niet.'

Natuurlijk zei Robin dat het geen probleem was. '*Koi gull knee.*'

'Je moet niet nog meer wijn drinken, Neil. Drinken is een gewoonte, en die gewoonte kunnen wij ons niet verloorloven.'

'Als er geen wijn is, kan ik ook geen wijn drinken, oké? Maar nu is die er wel, en dus neem ik er lekker veel van, net zoals je zei over die dikke room, oké?'

'*Mafesh*,' zei Robin uit de grond van zijn hart.

Wexford had het gevoel dat hij voortdurend bezig was om te ontsnappen: aan onaangename situaties, aan andermans ellende, aan vervelende gebeurtenissen. Het was weer gaan regenen. Hij reed naar het mortuarium, nadat hij een masochistische opwelling om de Akandes zelf op te halen had weerstaan.

Ze waren er om tien over twee. Voor één keer het heft in handen nemend, zei Akande tegen zijn vrouw: 'Ik ga eerst. Ik zal haar identificeren.'

'Goed.'

Laurettes ogen waren hol en leeg. Haar gelaatstrekken schenen grover te zijn geworden en haar gezicht kleiner. Maar haar glanzende haar was zorgvuldig opgestoken en op haar achterhoofd met een haarklem vastgezet. Ze had zich ook met zorg gekleed. In het zwarte pakje met de zwarte blouse zag ze eruit alsof ze naar een begrafenis ging. Sinds de verdwijning van zijn dochter was Raymond Akandes gezicht grauw geworden en had hij steeds meer gewicht verloren. In die twee weken was hij tien pond afgevallen. Wexford leidde hen het mortuarium binnen, de kille ruimte die nu werd gedeeld door de lichamen van twee dode vrouwen. Met twee handen lichtte hij een hoek van het laken op en onthulde het gezicht. Akande aarzelde even en kwam dichterbij. Hij boog zich voorover, keek naar het gezicht, en deinsde toen achteruit.

'Dat is mijn dochter niet! Dat is Melanie niet!'

Wexford voelde het vocht uit zijn mond wegtrekken. 'Dokter Akande, weet u het zeker? Kijkt u nog eens, alstublieft.'

'Natuurlijk weet ik het zeker. Dat is mijn dochter niet. Dacht u dat ik mijn eigen kind niet zou herkennen?'

14

Shock doet alles tijdelijk stilstaan. Er zijn geen gedachten, alleen automatische reacties, mechanische woorden en bewegingen. Wexford volgde Akande het mortuarium uit, hij kon niet denken, zijn lichaam gehoorzaamde aan motorische instructies.

Laurette zat met de rug naar hen toe. Ze had met Karen Malahyde zitten praten, voorzover dat ging tenminste. Bij het geluid van hun voetstappen stond ze langzaam op. Haar man liep enigszins onzeker op haar toe. Toen hij zijn hand naar haar uitstak en haar arm vastgreep, was het alsof hij steun zocht.

'Letty,' zei hij, 'het is Melanie niet.'

'*Wat!*'

'Ze is het niet, Letty.' Zijn stem beefde. 'Ik weet niet wie het is, maar Melanie is het niet.'

'Wat bedoel je?'

'Letty, het is Melanie niet.'

Hij stond heel dicht bij haar. Hij legde zijn hoofd tegen haar schouder. Ze sloeg haar armen om hem heen en hield hem vast, ze drukte zijn gezicht tegen haar borst en staarde over zijn schouder naar Wexford.

'Ik begrijp het niet.' Ze was koud als ijs. 'We hebben u een foto gegeven.'

Het besef van de gruwelijke blunder begon door de schok heen te dringen. Wexford zei: 'Ja,' en 'Ja, dat is waar.'

Haar stem verhief zich. 'Is dat dode meisje zwart?'

'Ja.'

Karen Malahyde, die Wexfords gezicht had gezien, zei: 'Mevrouw Akande, wilt u...'

Zachtjes, alsof ze een baby in haar armen hield die ze niet wakker wilde maken, fluisterde Laurette Akande: 'Hoe durft u ons zoiets aan te doen!'

'Mevrouw Akande,' zei Wexford, 'Het spijt me verschrikkelijk dat dit gebeurd is.' Hij voegde eraan toe, wat niet waar kan zijn geweest: 'Niemand betreurt dit meer dan ik.'

'Hoe durft u ons zoiets aan te doen?' schreeuwde Laurette hem toe. Ze vergat de baby die aan haar borst lag. Haar handen liefkoosden hem niet langer. 'Hoe durft u ons zo te behandelen? U bent net zo'n smerige racist als alle anderen. U komt naar ons huis en hangt de grote beschermer uit, de grote blanke man die zich verwaardigt met ons om te gaan, hoe grootmoedig, hoe ruimdenkend...'

'Letty, nee,' smeekte Akande. 'Alsjeblieft, hou op.'

Ze negeerde hem. Met geheven vuisten deed ze een stap naar Wexford toe. 'Omdat ze zwart was, hè? Ik heb haar niet gezien, maar ik weet precies hoe het is gegaan. Voor u is het ene zwarte meisje gelijk aan het andere, hè? Een *negerin*. Een *nikker*, een *zwartje*...'

'Mevrouw Akande, het spijt me, het spijt me verschrikkelijk.'

'Het spijt u. U bent een vuile hypocriet. U bent niet bevooroordeeld, hè? O nee, u bent geen racist, zwart en blank zijn allemaal gelijk in uw ogen. Maar als u een dood zwart meisje vindt moet het *onze* dochter zijn omdat we zwart zijn!'

Akande schudde zijn hoofd. 'Ze leek niet op haar,' zei hij, 'in de verste verte niet.'

'Maar wel zwart, ze is toch zwart?'

'Dat is het enige dat ze gemeen hebben, Letty, dat ze zwart is.'

'We hebben de hele nacht geen oog dichtgedaan. Onze zoon is de hele nacht op geweest en wat doet hij? Hij huilt. Uren achter elkaar. Hij heeft in geen tien jaar gehuild, maar de afgelopen nacht heeft hij gehuild. En we hebben het tegen de buren gezegd, die aardige, blanke, ruimdenkende buren die goedhartig genoeg zijn om medelijden te hebben met ouders van wie de dochter is vermoord, *ook al was ze maar een kleurlinge, zo'n zwarte.*'

'Geloof me, mevrouw Akande,' zei Wexford, 'deze vergissing is veel vaker voorgekomen, en dan betrof het blanken.' Dat was waar, maar toch wist hij dat ze gelijk had. 'Ik kan alleen maar nogmaals mijn excuses aanbieden. Het spijt me verschrikkelijk dat dit gebeurd is.'

'Laten we naar huis gaan,' zei Akande tegen zijn vrouw.

Ze keek Wexford aan alsof ze hem graag in het gezicht had ge-spuugd. Ze deed het niet. De tranen die er niet waren geweest toen ze dacht dat het lichaam daarbinnen van haar dochter was, stroomden nu over haar wangen. Snikkend greep ze met beide handen de arm van haar man vast en hij bracht haar naar buiten, waar de auto op hen wachtte.

Een heilzame les. We denken dat we onszelf kennen, maar dat is niet zo, en om op deze manier tot die ontdekking te komen is een bittere ervaring. Wat hij Laurette Akande had gezegd over soortgelijke vergissingen met betrekking tot blanken was feitelijk naar waarheid. Maar naar de geest was het niet waar. Hij *had* aangenomen dat het lichaam van een zwart meisje dat van een vermist zwart meisje was, en dat had hij aangenomen *omdat ze zwart was*. De foto die hij van Melanie Akande had gezien had hij niet geraadpleegd. De lengte van het vermiste meisje en van het dode meisje was niet vergeleken. Met een schok herinnerde hij zich hoe Mavrikiev nog deze zelfde ochtend, nog maar drie uur geleden, zijn verbazing erover had uitgedrukt dat het li-chaam op tafel tweeëntwintig jaar was, en niet achttien of negen-tien. Nu herinnerde hij zich uit een forensisch rapport van lang geleden dat bepaalde essentiële beenderen in het vrouwelijk li-chaam zijn samengegroeid wanneer ze tweeëntwintig zijn...

Het ergste voor hem was dat het had aangetoond dat hij zich in zichzelf had vergist. Deze fout was ontstaan uit vooroordeel, uit racisme, omdat hij zich op een vermoeden had gebaseerd dat hij nooit gehad zou hebben als het vermiste meisje blank en het ge-vonden lichaam blank waren geweest. Dan zou hij veel meer on-derzoek hebben gedaan naar uiterlijke kenmerken voordat hij de ouders had opgeroepen om het lichaam te identificeren. De ver-wijten van Laurette waren terecht, zij het nogal heftig.

Maar goed, het was een les, en zo moest hij het maar bekijken. Er was geen sprake van dat hij met zijn dagelijkse bezoek aan de Akandes zou ophouden. Het eerstvolgende, maar alleen dat eer-ste, zou voor hen allen niet makkelijk zijn. Tenzij ze wilden dat

dat eerste bezoek ook zijn laatste zou zijn. Hij had zijn excuses aangeboden, nederiger dan hij gewoon was. Hij zou zich niet op-nieuw verontschuldigen. Enigszins ironisch bedacht hij dat de les al vruchten begon af te werpen, want vanaf morgen zou hij de Akandes niet meer behandelen als leden van een gediscrimineer-de minderheidsgroep die speciale consideratie verdienden, hij zou hen behandelen als gewone mensen.

Maar als het dode meisje Melanie niet was, wie was ze dan wel? Er werd een zwart meisje vermist en er was het lichaam van een zwart meisje gevonden, maar kennelijk was er geen onderling verband.

Burden, die niet de minste last had van de gewetensnood en ge-voeligheden waar Wexford onder gebukt ging, zei dat het niet moeilijk kon zijn om haar te identificeren omdat de politie over een landelijk register van vermiste personen beschikte. En het zou nog makkelijker zijn omdat ze zwart was. Hoe het ook in Londen of Bradford mocht zijn, in dit deel van het zuiden van Engeland woonden niet veel zwarte mensen en werden er nog minder vermist. Maar nu, vandaag, maandagmiddag, was het al duidelijk geworden dat geen enkel politiebureau in Midden-Sus-sex een vermist persoon in de computer had zitten van wie het signalement ook maar bij benadering beantwoordde aan dat van het dode meisje.

'Sinds februari wordt een Tamilse vrouw vermist. Zij en haar man hadden dat Kandy Palace-restaurant in Myringham. Maar zij is dertig, en hoewel ze technisch gesproken misschien zwart genoemd moeten worden, zijn die Tamils eigenlijk heel don-ker...'

'Laten we het daar niet weer over hebben,' zei Wexford.

'Dan ga ik verder met het landelijk register,' zei Burden. 'Ze kan natuurlijk, dood of levend, bijvoorbeeld van Londen-Zuid hier-naartoe zijn gebracht. Daar zullen wel elke dag meisjes vermist worden. En wat is er over van onze theorie dat Annette werd ver-moord vanwege iets dat Melanie haar had verteld?'

'Daar is nog alles van over,' zei Wexford langzaam. 'Dit meisje heeft niets met Melanie te maken. Dit staat er los van, dit is een heel andere zaak. Er is nog steeds de status-quo. Melanie doet of zegt iets dat de moordenaar geheim wil houden en hij vermoordt Annette, omdat Annette waarschijnlijk als enige is verteld wat dat geheim is. Dat dit meisje dood is, hoeft helemaal niet te betekenen dat Melanie nog in leven is. Melanie leeft niet meer, we hebben alleen haar lichaam nog niet gevonden.'

'Denk je niet dat dit meisje – hoe moeten we haar noemen? Ik stel voor dat we haar een naam geven.'

'Goed, maar kom in vredesnaam niet aan met iets uit *De negerhut van oom Tom.*'

Met een vragende blik zei Burden: 'Dat heb ik nooit gelezen.'

'We noemen haar de Zoekende,' zei Wexford, 'naar "De waarheid van de zoekende", de dichteres van "Ben ik geen vrouw?" En misschien... weet je, ik zie haar ook als iemand die zoekt, die geen thuis heeft, die alleen is. "Ik ben een vreemde met u, een zoekende", je weet wel.'

Burden wist het niet. Hij kreeg weer die uiterst achterdochtige en onrustige blik. 'De Zoekende?'

'Precies. Wat wilde je net zeggen over dat meisje?'

'O, ja. Denk je niet dat dít meisje, hoe heet ze, die Zoekende, dat zij iets belangrijks tegen Annette gezegd kan hebben?'

Wexford keek hem belangstellend aan. 'Je bedoelt op het uitkeringskantoor?'

'Ze kan net zo goed een uitkering hebben gehad als ieder ander. Misschien dat we haar zo kunnen identificeren, misschien dat ze haar daar herkennen.'

'Annette werd vermoord op woensdag de zevende, de Zoekende daarvoor, misschien op de vijfde of de zesde. Het sluit aan, Mike. Wat een goed idee. Wat slim van je.'

Burden zag er vergenoegd uit. 'We kunnen ook checken welke immigranten bij ons geregistreerd staan. Ik ga zelf wel naar het uitkeringskantoor. Ik neem Barry mee. Waar is Barry trouwens?'

Brigadier Vine klopte op de deur en stond in de kamer voordat Wexford 'ja' had kunnen roepen. Hij was in Stowerton geweest en had met James Ranger gesproken. Ranger was gepensioneerd, weduwnaar, een eenzame man, die zaterdag onderweg was geweest om die avond op zijn kleinzoons te passen, toen hij vanuit zijn auto Broadley een graf had zien opgraven.

'Hij zegt dat dat eens maar nooit weer was,' zei Vine. 'Kennelijk had hij hierdoor het avondje uit van zijn dochter en haar man verknald. Hij zegt dat de eerstvolgende keer dat hij, ik citeer, weer een boer het milieu ziet ontheiligen, hij zijn snelheid zal verhogen en er straal voorbij zal rijden. Wat denkt u dat hij dacht dat Broadley aan het doen was? U zult het niet geloven. Hij dacht dat hij orchideeën aan het uitgraven was. Het schijnt dat daar zeldzame orchideeën groeien, en hij heeft zichzelf tot bewaker ervan benoemd.'

'Wat je noemt een natuurliefhebber,' zei Wexford. 'Toch een beetje vreemd, vind je niet, dat zo'n oudere man, hoeder van bedreigde plantensoorten, babysitter, eigenaar van een tien jaar oude maar nog onberispelijke 2CV, dat zo'n man een autotelefoon heeft? Waar*voor* heeft hij die? Om de milieupolitie te bellen als hij iemand een sleutelbloem ziet plukken?'

'Dat heb ik hem ook gevraagd. Hij zei dat het maar goed was dat hij die had, zodat hij ons kon bellen.'

'Dat was geen antwoord op je vraag.'

'Nee. Toen ik doorvroeg, zei hij – en nou komt het – dat hij hem had voor het geval hij 's nachts autopech kreeg.' Vine lachte. 'Die staat hoog op mijn verdachtenlijstje. Toen ik bij hem vandaan ging – zoals gewoonlijk had ik de auto een kilometer verderop moeten parkeren – zag ik opeens Kimberley Pearson uit dat flatgebouw in High Street komen, hoe heet het ook weer, iets met Court, Clifton Court.'

'Heb je haar aangesproken?'

'Ik vroeg hoe het haar beviel in haar nieuwe huis. Ze had Clint bij zich, die zat in een spiksplinternieuw babypak in een heel duur wandelwagentje. Ze was zelf ook behoorlijk opgetut, met een rode legging, zo'n topjesding en schoenen met zulke hoge hakken.' Vine gaf met zijn vingers een hoogte van tien centimeter aan. 'Het was een totaal ander mens. Ze vertelde dat ze aan het verhuizen was, naar het huis van haar overleden grootmoeder.

Maar volgens mij woonde die niet in die flats, ik bedoel, die zien er nogal duur en nieuw uit.'

Burden keek Wexford van terzijde aan. 'Ben je nou gerustgesteld?' vroeg hij op nogal onaangename toon. 'Je was toch zo bezorgd over ze?'

'Bezorgd is wat sterk uitgedrukt, inspecteur Burden,' snauwde Wexford. 'Iedereen die ook maar een greintje gevoel bezit zou zich afvragen hoe een kind onder zulke omstandigheden moet opgroeien.'

Even was er een ongemakkelijke stilte. Toen zei Vine: 'Ze schijnt zich best te redden zonder Zack. Vermoedelijk is ze allang blij dat hij uit de buurt is.'

Wexford zei niets. Hij moest een afspraak maken met de Snows. Zou de dood van de Zoekende invloed hebben op zijn benadering? Was zijn hele houding er misschien door veranderd? Hij had opeens het gevoel dat hij in een donker bos was verdwaald. Waarom had hij Mike zo afgesnauwd? Hij pakte de telefoon en vroeg Bruce Snow om vijf uur naar het politiebureau te komen. 'Ik ben pas om halfzes klaar met mijn werk.'

'Vijf uur graag, meneer Snow. En ik wil dat uw vrouw er ook is.'

'Dat kunt u wel vergeten,' zei Snow. 'Die vertrekt vanavond met de kinderen naar Malta of Elba of weet ik waar.'

'O, nee, helemaal niet,' zei Wexford. Hij draaide het nummer van het huis op Harrow Avenue, waar een jong meisje opnam. 'Is mevrouw Snow thuis?'

'U spreekt met haar dochter. Met wie spreek ik?'

'Hoofdinspecteur Wexford, politie Kingsmarkham.'

'O, een ogenblikje.'

Hij moest een hele tijd wachten en voelde woede in zich opkomen. Toen ze ten slotte aan de telefoon kwam, was ze weer even koel als vanouds. De ijskoningin was weer helemaal terug.

'Ja, wat is er?'

'Ik wil graag dat u om vijf uur op mijn kantoor bent, mevrouw Snow.'

'Sorry, maar dat zal niet gaan. Mijn vlucht naar Marseille vertrekt om tien voor vijf.'

'Die zal dan zonder u moeten vertrekken. Bent u vergeten dat ik u heb gevraagd hier te blijven?'

'Nee, maar dat heb ik niet serieus genomen. Het is ook zo absurd – wat heb ik ermee te maken? Ik ben tenslotte de benadeelde partij, en ik wil mijn kinderen er even helemaal uit hebben. Het gedrag van hun vader heeft hen buitengewoon gekwetst.'

'Hun wonden moet u dan maar een paar dagen later verzorgen, mevrouw Snow. U wilt toch niet aangeklaagd worden wegens belemmering van een politieonderzoek?'

Hij wist dat het geen zin had om te proberen mensen te begrijpen. Waarom moest deze vrouw bijvoorbeeld zo nodig liegen? Zoals ze net al zei, was zij de benadeelde partij. Door je echtgenote *negen jaar lang* te bedriegen met een maîtresse deed je haar ernstig onrecht aan, het was niet alleen vernederend maar ook kwetsend, ze voelde zich voor gek gezet. En wat Snow betrof, aan het gedrag van die man viel al helemaal geen touw vast te knopen. Hij zou het niet hebben geloofd als iemand hem had gezegd dat hier, in dit Engeland van de jaren negentig, een man jaren achtereen de seksuele gunsten van een vrouw kon genieten zonder haar te betalen, zonder haar attenties te geven of mee uit te nemen, zonder een hotelkamer of zelfs maar een bed, maar op de vloer van zijn kantoor, zodat hij binnen het bereik van de telefoon kon zijn als zijn vrouw mocht bellen.

En als hij dat al niet begreep, hoe zou hij dan de andere aspecten van Snows gedrag kunnen begrijpen? Het kwam hem absurd voor dat deze man de Zoekende zou hebben vermoord omdat Annette haar over hun verhouding verteld zou hebben. Maar *al* Snows gedragingen kwamen hem onbegrijpelijk voor. Dus kon hij haar doodgeslagen en begraven hebben in Framhurst Woods? Kon hij Annette hebben vermoord, en de vrouw aan wie zij haar geheim had verteld? Alleen omdat zijn vrouw het niet te weten mocht komen? Nou ja, ze wisten allemaal wat er was gebeurd toen zijn vrouw het toch te weten kwam... De Zoekende zou hem gechanteerd kunnen hebben. Alleen maar een beetje, misschien, en had hij haar van tijd tot tijd wat geld gegeven om haar zwijgen af te kopen. Misschien had ze toen meer geld geëist, of een groot bedrag ineens. Wexford vond het geen prettige gedachte. Onbewust zag hij de Zoekende als iemand die goed was, een onschuldig slachtoffer van laaghartige mannen die haar exploiteerden en misbruikten, terwijl zijzelf oprecht en zachtaardig was, iemand die geheimen koesterde en niet verried, een angstige, eenvoudige en trouwhartige ziel. Natuurlijk was dit een veel te sentimentele benadering. Had hij dan toch niets geleerd van dat voorval met de Akandes? Hij wist niets van dat meisje, niet hoe ze heette, waar ze vandaan kwam, of ze familie had, hij wist niet eens hoe oud ze was. En van het autopsierapport van Mavrikiev zou hij wat dat betreft ook niet veel wijzer worden. Hij wist ook niet of ze ooit ook maar een voet in het uitkeringskantoor had gezet.

Bruce Snow zat met Burden in Verhoorkamer Een. Zijn vrouw zat met Wexford in Verhoorkamer Twee. Een herhaling van de kiftpartij die was ontstaan toen ze beiden in één ruimte zaten, wilde Wexford voorkomen. Hij zat tegenover een mokkende Carolyn Snow aan tafel. Karen Malahyde stond achter haar met een uitdrukking van onverholen afkeer op haar gezicht – van weerzin tegen alles wat mevrouw Snow vertegenwoordigde, vermoedde Wexford: haar levensstijl, haar status als vrouw zonder baan of eigen inkomen, en, helaas, haar nieuwe positie als de verraden, bedrogen echtgenote.

'Ik wil graag vastgelegd zien,' zei Carolyn, 'dat ik het krankzinnig vind dat ik niet op vakantie kan. Dat is een onrechtmatige inbreuk op mijn vrijheid. En die arme kinderen van mij – die hebben toch niets gedaan?'

'Het gaat er niet om wat zij hebben gedaan, maar wat ú hebt gedaan, mevrouw Snow. Of liever gezegd wat u niet hebt gedaan. U kunt vastgelegd krijgen zoveel u wilt. Maar hoe oprecht u ook beweert te zijn, tegen mij hebt u niet de waarheid gesproken.'

In de andere ruimte vroeg Burden of Snow zijn verklaring wilde wijzigen en of hij er misschien nog iets aan toe wenste te voegen. Zou hij Burden bijvoorbeeld willen zeggen hoe hij de avond van de zevende juli had doorgebracht?

'Ik was thuis, gewoon thuis. Ik heb zitten lezen, geloof ik, ik weet het niet meer. Samen met mijn vrouw. Ik heb televisiegekeken. Maar vraag me niet wat ik gezien heb, ik weet het niet meer.'

'Hebt u dit meisje wel eens gezien, meneer Snow?'

Burden liet hem de foto van het gezicht van de Zoekende zien toen ze twaalf dagen dood was. De opname was heel behendig gemaakt, maar toch was het duidelijk het gezicht van een dode, en nog behoorlijk toegetakeld ook. Snow deinsde terug.

'Is dat de dochter van Akande?'

Weer diezelfde fout... Maar Burden was niet van plan eraan voorbij te gaan. 'Waarom zegt u dat?'

'O, in godsnaam, ik heb haar toch nooit eerder gezien?'

Met een tragische blik in haar ogen, alsof het een sterfgeval betrof, vroeg Carolyn Snow of Wexford haar op vakantie liet gaan. Haar reis was al zes maanden geleden geboekt. Snow zou toen ook zijn meegegaan, maar zijn plaats werd nu ingenomen door zijn oudste dochter. Het hotel zou volgende week geen kamers meer voor hen hebben, het vliegtuig geen plaatsen, en het geld dat aan het reisbureau was betaald was niet terugvorderbaar.

'Daar had u eerder aan moeten denken,' zei Wexford, en hij liet haar de foto van de Zoekende zien, met de gesloten ogen, de gehavende huid, de kale plekken op het voorhoofd en de slapen waar het haar was begonnen uit te vallen. 'Kent u haar?'

'Ik heb haar nooit van m'n leven gezien.' Ze vertrok geen spier, maar bekeek de foto zelfs wat aandachtiger. 'Is het een kleurlinge? Ik ken helemaal geen kleurlingen. Hoort u nou eens, ik heb mijn vliegtuig gemist, maar het reisbureau denkt dat we meekunnen met de vlucht van morgenochtend om kwart over tien.'

'O ja? Niet te geloven, vindt u niet, wat de luchtvaart tegenwoordig allemaal voor zijn passagiers overheeft.'

'Ik word doodziek van u! U bent gewoon een sadist. U geniet van deze situatie, is het niet?'

'Het werk dat ik doe schenkt heel wat bevrediging,' zei Wexford.
'Mag ik er ook wat aan overhouden?' Hij keek op zijn horloge.
'Al de overuren die niet betaald worden. Ik ben ook liever thuis
bij mijn vrouw dan hier vast te zitten om de waarheid uit u te
krijgen.'
'Zeker een goed huwelijk, hè, hoofdinspecteur? Al dit gedoe
heeft het mijne geruïneerd, ik hoop dat u zich dat realiseert.'
'Dat heeft uw man gedaan, mevrouw Snow. Neemt u maar wraak
op hem, als u wilt. Van ons zult u geen genoegdoening krijgen.'
'Hoe bedoelt u, wraak?'
Wexford schoof zijn stoel dichterbij en legde zijn ellebogen op
tafel. 'U bent zich toch aan het wreken? Op hem? Omdat hij met
twee vrouwen een verhouding heeft gehad? U ontkent dat hij
thuis was die avond, u houdt vol dat hij om acht uur is weggegaan en tweeëneenhalf uur is weggebleven, en misschien krijgt u
niet alleen het huis en een flinke hap van zijn inkomen, maar
zult u ook nog de genoegdoening krijgen dat hij van moord
wordt beschuldigd.'
Hij had midden in de roos geschoten, hij zag het aan haar ogen.

'Werd u door haar gechanteerd, meneer Snow?' vroeg Burden
aan de andere kant van de muur.
'Schei toch uit. Ik heb haar nog nooit gezien.'
'We weten wat er gebeurt als uw vrouw erachter komt dat u
haar ontrouw bent geweest. Dat hebben we gezien. Ze is niet
erg vergevensgezind, wel? Ik denk dat u er geld voor over zou
hebben gehad om haar onwetend te houden, en misschien hebt
u ook lange tijd betaald.' Nogmaals de grenzen overschrijdend,
zei hij: 'Wat kan Annette Bystock in vredesnaam hebben gehad
dat u maar met haar doorging?' Er kwam geen antwoord, alleen
een dreigende blik. 'Toch zette u de verhouding voort. Kreeg u
er genoeg van om te blijven betalen? Begreep u dat er geen eind
aan zou komen, zelfs al maakte u een eind aan de relatie met
Annette? Was het vermoorden van degene die u chanteerde de
enige uitweg?'

Achter de scheidingswand zei Carolyn Snow: 'Alles wat ik gezegd heb is waar, maar inderdaad, ik zou hem graag zien boeten – waarom niet? Ik had hem graag voor die twee vrouwen zien boeten met jaren gevangenisstraf.'

'Dat klinkt tenminste eerlijk,' zei Wexford. 'En uzelf, mevrouw Snow? Denkt u dat u niet voor uw wraak hoeft te boeten?'

'Ik weet niet wat u bedoelt.'

'U schijnt de zaak maar van één kant te bekijken. U bent er steeds van uitgegaan dat we u hebben ondervraagd om te bevestigen of te ontkennen wat uw man heeft beweerd. Dat het uw *man* is die verdacht wordt, dat uw *man* de enige is die de moord op Annette Bystock kan hebben gepleegd. Maar dat ziet u helemaal verkeerd. U bent er ook nog.'

Opnieuw zei ze, maar nu met angst in haar stem: 'Ik weet niet wat u bedoelt.'

'We hebben alleen uw eigen verklaring dat u niets af wist van de rol die Annette in het leven van uw man speelde totdat ze was gestorven. Ik geloof dat we nu wel weten wat uw woorden waard zijn, mevrouw Snow. U had een beter motief dan hij om haar te doden, u had een beter motief dan wie dan ook.'

Ze stond op. Ze was doodsbleek geworden. 'Natuurlijk heb ik haar niet vermoord! Natuurlijk niet!'

Wexford glimlachte. 'Dat zeggen ze allemaal.'

'Ik zweer u dat ik haar niet heb vermoord!'

'Misschien wilt u nu een verklaring afleggen, mevrouw Snow. En als u er geen bezwaar tegen hebt dan nemen we die op. Dan kan ik naar huis.'

Ze ging weer zitten. Haar ademhaling was zwaar en snel, haar voorhoofd gerimpeld en haar mond vertrokken. Met gebalde vuisten en haar nagels in haar handpalm gedrukt wist ze zich weer enigszins onder controle te krijgen. Ze begon het opname-apparaat te vertellen wat er gebeurd was, hoe ze alleen met haar zoon in het huis op Harrow Avenue was geweest, hoe haar man om acht uur was weggegaan en om halfelf was teruggekomen, maar ze onderbrak zichzelf en vroeg rechtstreeks aan Wexford: 'Kan ik dan morgenochtend vertrekken?'

'Ik ben bang van niet. Ik wil niet dat u het land verlaat. Maar gaat u gerust een paar dagen naar Eastbourne, daar heb ik niet het minste bezwaar tegen.'

Carolyn Snow begon te huilen.

Dinsdag, 20 juli

In het verleden had brigadier Vine heel wat uren aan een van die bureaus achterin doorgebracht, waar hij net deed alsof hij tot het personeel behoorde, maar waar hij in werkelijkheid zat te wachten tot een bepaalde persoon zich kwam melden. Meestal ging het om iemand die een klein misdrijf had begaan, en dit was de enige plek waar hij hem zeker zou aantreffen. Wat ze ook binnenhaalden aan inbraak, tasjesroof of winkeldiefstal, hun uitkering lieten ze niet lopen.

Dus toen Wexford en Burden nog weinig ervaring met het uitkeringskantoor hadden, was Vine er al op vertrouwd terrein. Niemand kon goed overweg met Cyril Leyton, en Osman Messaoud was over het algemeen een weinig toegankelijk mens, maar met Stanton en de meisjes kon Vine best overweg. Terwijl Burden zich met Leyton en de veiligheidsman had teruggetrokken in het privé-kantoortje, nam Vine de rest voor zijn rekening. Terwijl hij wachtte tot Wendy Stowlap even vrij zou zijn, liet hij zijn blik over de wachtenden gaan. Hij zag twee bekenden. Een van hen was Broadley, de man die het lichaam van de Zoekende had gevonden, de ander was Wexfords oudste dochter. Hij probeerde zich haar naam te herinneren, die moest beginnen met een letter tussen A en G. Toen de cliënt van Wendy Stowlap wegliep van haar bureau liep hij op haar af.

Ze keek op. 'Al die buitenlanders die hier komen, Italianen, Spanjaarden, noem maar op. Waarom moeten we die van ons belastinggeld onderhouden? Die Europese Gemeenschap heeft heel wat op haar geweten.'

'Er zijn zeker weinig zwarte uitkeringstrekkers bij, hè?' zei hij. 'Ik bedoel in zo'n uithoek als deze.'

'Hier in de rimboe, bedoelt u zeker?' Wendy was afkomstig uit Kingsmarkham en wilde nooit een kwaad woord over haar geboortestad horen. 'Als het u hier niet bevalt, ga dan terug naar Berkshire of waar dan ook als het daar allemaal zo opwindend en modern is.'

'Oké, sorry, maar ziet u ze wel eens?'

'Kleurlingen bedoelt u? Dat zal u nog verbazen. Nu meer dan twee jaar geleden, veel meer. Er mag dan een eind aan de recessie zijn gekomen, maar de werkloosheid is nog steeds enorm.'

'Dus een zwart meisje zou u niet speciaal opgevallen zijn?'

'Vrouw,' verbeterde Wendy hem. 'Ik noem u toch ook niet jongen.'

'Was het maar zo,' zei brigadier Vine.

'Hoe dan ook, ik heb nooit een zwarte *vrouw* met Annette zien praten. Die Melanie heb ik trouwens ook nooit gezien, zoals u weet. Eerlijk gezegd heb ik het veel te druk om andere mensen in de gaten te houden.' Wendy drukte op de knop waarmee het volgende nummer ging branden. 'Dus als u me wilt excuseren, ik kan mijn cliënten niet langer laten wachten.'

Peter Stanton wilde weten of de Zoekende knap was. Hij zei eerlijk dat hij viel op zwarte vrouwen, ze hadden van die fantastisch lange benen. En van die prachtige lange nekken, net zwarte zwanen, en van die smalle handen. En ze liepen alsof ze een zware kruik op hun hoofd droegen.

'Ik heb haar alleen maar gezien toen ze dood was,' zei Vine.

'Als ze een uitkering heeft aangevraagd – dat wil zeggen als ze een ES 461 heeft ingevuld – dan moeten we haar kunnen vinden. Hoe heet ze?'

Hayley Gordon vroeg ook naar de naam van de Zoekende. De twee afdelingschefs stelden een hoop niet ter zake doende vragen: of ze werkloosheids- of bijstandsuitkering had aangevraagd, of ze ooit gewerkt had en wat voor soort baan ze had gezocht. Osman Messaoud, die deze week achter hetzelfde bureau zat waar Vine vroeger had zitten wachten, zei dat hij altijd zijn geest en vaak ook zijn ogen sloot voor jonge vrouwen. Zodra hij hen zag dwong hij zichzelf een andere kant uit te kijken.

'Uw vrouw vertrouwt u niet, is dat het?'

'Een vrouw hoort bezitsdrang te hebben,' zei Osman.

'Het is maar hoe je erover denkt.' Er kwam een idee bij Vine op. Hij dacht even na en probeerde de vraag zo tactisch mogelijk in te kleden. 'Is... komt uw vrouw ook uit India, net als u?'

'Ik ben Brits staatsburger,' zei Osman koeltjes.

'O, sorry. En waar komt uw vrouw vandaan?'

'Uit Bristol.'

De man had er echt plezier in, dacht Vine. 'En waar komt haar familie vandaan?'

'Waarom vraagt u dit allemaal? Word ik soms verdacht van de moord op Annette Bystock? Of wordt mijn vrouw misschien verdacht?'

'Ik wil alleen maar weten...' Vine gaf het op en zei grofweg: 'of ze ook gekleurd is.'

Messaoud glimlachte van genoegen dat hij de brigadier in een hoek had weten te drijven. 'Gekleurd? Wat een interessante uitdrukking. Rood misschien, of blauw? Mijn vrouw, brigadier Vine, is een Afro-Caraïbische en afkomstig uit Trinidad. Maar ze leeft niet van de steun en ze heeft nog nooit een voet in dit kantoor gezet.'

Uiteindelijk wist Vine het gezamenlijke personeel – hun politieke correctheid ten spijt – te ontlokken dat er onder de uitkeringsaanvragers vier zwarten waren. Twee mannen en twee vrouwen, en allen ouder dan dertig jaar.

15

Wist hij, vroeg Sheila aan de telefoon, dat de BNP met een kandidaat voor de gemeenteraadsverkiezingen van Kingsmarkham was gekomen?'
'Maar die zijn volgende week,' zei Wexford, terwijl hij zich probeerde te herinneren wie of wat de BNP was.
'Weet ik. Ik heb het ook nog maar net gehoord. Ze hebben al een raadszetel.'
Hij wist het weer. De BNP was de Britse Nationale Partij, dat een blank Engeland voor blanke mensen voorstond. 'Ja, in Londen-Oost,' zei hij. 'Hier is het wat anders, hier zal het wel een overgelopen Tory zijn.'
'De racistische aanslagen in Sussex zijn het afgelopen jaar verzevenvoudigd, pap. Dat is een feit. Over statistieken valt niet te twisten.'
'Ja, ja, Sheila. Je dacht toch niet dat ik zit te wachten op een stel fascisten in de raad, wel?'
'Dan kun je maar beter stemmen op de Liberaal Democraten – of op mevrouw Khoori.'
'Zij heeft zich kandidaat gesteld, hè?'
'Namens de Onafhankelijke Conservatieven.'
Wexford vertelde haar over zijn ontmoetingen met Anouk Khoori en over het tuinfeest. Ze wilde weten hoe het met Sylvia en Neil ging. Voor het eerst sinds vele jaren was er geen man in Sheila's leven. Ze scheen er kalmer door te zijn geworden, ook somberder. Ze zou de rol van Nora spelen in *Het poppenhuis* tijdens het Edinburgh Festival. Misschien konden hij en moeder komen kijken? Wexford dacht aan Annette, aan de Zoekende en aan de vermiste Melanie, en zei dat dat jammer genoeg niet ging, dat het echt niet ging.

Toen hij voor het eerst sinds die scène in het mortuarium de Akandes weer zou gaan opzoeken, zei hij tegen zichzelf dat hij geen lafaard moest zijn, dat hij hen onder ogen moest komen, dat hij in goed vertrouwen, zij het onvoorzichtig had gehandeld. Maar evengoed kon hij bij het ontbijt geen hap door zijn keel krijgen. Hij dronk alleen een kop koffie. Er kwam een regel van Montaigne in hem op: 'Wie vreest te lijden, lijdt reeds datgene wat hij vreest'. Wie kon zeggen of hij in de juiste richting dacht?

Na de stormen van het weekend was het warme weer teruggekomen, maar het was niet meer zo benauwd. Vandaag was het een warme dag met een glasheldere lucht en een hardblauwe hemel. In de voortuin van de Akandes waren roze en witte lelies uitgekomen. Hij had hun begrafenislucht al geroken voor hij bij het tuinhek was. Laurette Akande deed de deur open. Wexford zei: 'Goedemorgen,' en verwachtte dat de deur voor zijn neus werd dichtgesmeten.

In plaats daarvan deed ze hem verder open en vroeg hem enigszins stroef om binnen te komen. Het was stil in huis. Hun zoon Patrick was waarschijnlijk nog niet op – het was nog maar even over achten. De arts stond in de keuken bij de tafel een beker thee te drinken. Hij zette de beker neer, kwam op Wexford af en schudde hem om een of andere reden de hand.

'Hij spijt me wat er zondag gebeurd is,' zei hij. 'Het is duidelijk dat u die fout niet met opzet hebt gemaakt. We hoopten dat het niet tot gevolg zou hebben dat u ons niet meer kwam opzoeken, hè Letty?'

Laurette Akande haalde haar schouders op en wendde haar blik af. Wexford bedacht dat hij het tot een van zijn wetten zou maken – in gedachten hield hij een lijst bij van de eerste Wet van Wexford, de tweede, enzovoort – dat, wanneer je na een of twee spijtbetuigingen ophoudt met je te excuseren tegenover degene die je beledigd hebt, deze zich algauw tegenover *jou* zal verontschuldigen.

'Om eerlijk te zijn,' zei Akande, 'waren we ook wel een beetje opgelucht. Het heeft ons weer hoop gegeven. Dat dit meisje Melanie niet was, heeft ons echt weer hoop gegeven dat Melanie nog in leven is. Of vindt u dat onverstandig?'

Dat vond hij inderdaad, maar dat zou hij niet zeggen. Ze waren in de voor ouders ergst denkbare situatie, erger dan voor degenen van wie het kind is gestorven, erger dan voor de ouders van de Zoekende, als ze die nog had. Zij waren de ouders van een kind dat verdwenen was, en ze zouden misschien nooit weten hoe ze aan haar eind was gekomen, welke kwellingen ze had moeten doorstaan en waaraan ze gestorven was.

'Ik kan u alleen maar zeggen dat ik niet meer weet over Melanie dan twee weken geleden. We gaan door met zoeken. Dat zullen we nooit opgeven. En wat hoop betreft...'

'Verspilling van tijd en energie,' zei Laurette scherp. 'Excuseert u mij, ik moet nu naar mijn werk. Patiënten blijven verpleging nodig hebben, ook al heeft zuster Akande haar dochter verloren.'

'Trekt u zich niet te veel aan van mijn vrouw,' zei de arts, nadat ze was vertrokken. 'Ze staat onder verschrikkelijke spanning.'

'Ik weet het.'

'Ik ben alleen maar dankbaar dat ik tegen alle logica in het gevoel heb dat Melanie nog leeft. Misschien is het belachelijk, maar ik zou bijna zeggen dat ik *weet* dat ik op een middag thuis zal komen en haar hier zal zien zitten. En dat ze een volstrekt logische verklaring kan geven voor haar verdwijning.'

Zoals? 'Het zou niet juist zijn als ik u in die gedachte zou aanmoedigen,' zei Wexford, denkend aan zijn besluit om de Akandes te behandelen als ieder ander. 'We hebben geen reden om aan te nemen dat Melanie nog in leven is.'

Akande schudde zijn hoofd. 'Weet u wie het... het andere meisje is dat u voor Melanie had aangezien? Misschien mag ik het niet vragen, net zomin als u me iets over een patiënt zou kunnen vragen.'

'Dat wilde ik juist van u weten, of u haar ooit eerder hebt gezien.'

'Daar hebt u toen weinig kans voor gekregen, hè? We hadden opgelucht moeten zijn, maar we waren alleen maar kwaad. Ik heb haar nooit eerder gezien. Maar het moet toch niet zo moeilijk zijn om erachter te komen wie ze is? Er zijn tenslotte niet zoveel mensen als wij in deze omgeving. Onder mijn patiënten heb ik er maar één die zwart is.'

Of deze nu met de eerste verband hield of niet, deze tweede moord betekende onvermijdelijk dat alle mogelijke getuigen die betrokken waren bij de eerste opnieuw moesten worden ondervraagd over de tweede. Als een van hen de Zoekende in wat voor verband ook had gezien, haar gezicht herkende, zich iets van haar herinnerde, hoe vaag ook, dan zou dat de schakel kunnen zijn waar ze naar zochten. Het zou al heel wat zijn als ze haar identiteit konden achterhalen. Het ergste scenario dat hij kon bedenken was dat het lichaam van de Zoekende honderden kilometers per auto was vervoerd en misschien uit een noordelijker gelegen stad afkomstig was, waar even zoveel zwarte als blanke prostituées waren, die geen verleden hadden, al helemaal geen toekomst en wier verdwijning niet eens zou worden opgemerkt.

Hij betrapte zich erop dat hij nog steeds in vertederende termen aan haar dacht, en het autopsierapport had daar weinig afbreuk aan kunnen doen. Mavrikiev had vastgesteld dat ze niet ouder was dan zeventien. Ze was verschrikkelijk mishandeld. Behalve de arm waren ook twee ribben gebroken. Blauwe plekken aan de binnenkant van de dijen, oude, genezen verwondingen aan de geslachtsorganen die uitwezen dat ze meer dan eens met bruut geweld moest zijn verkracht. De patholoog meende dat ze door een krachtige vuistslag achterover was geslagen, waarbij ze met haar hoofd op een hard, scherp voorwerp was gevallen. Dat had haar dood veroorzaakt.

De vezels die in de hoofdwond waren aangetroffen waren voor analyse naar het lab gegaan. Mavrikiev was van mening dat deze wolvezels van een trui afkomstig waren, niet van een tapijt, maar zou zich daar niet op durven vastleggen omdat dit zijn vakgebied niet was. Het laboratoriumrapport bevestigde evenwel zijn vermoeden. De vezels bestonden uit Shetland-wol en mohair, de typische componenten van breiwol. Hetzelfde soort vezels was onder haar vingernagels aangetroffen, samen met aardkorreltjes van de grond waarin ze begraven was. Maar er was geen bloed onder de nagels. Ze had niemand gekrabd om voor haar leven te vechten.

Alle Afrikaanse landen hadden hier ambassades en andere zaakgelastigde instanties. Misschien kon dat wat opleveren. Hij stuurde Pemberton eropaf. Karen Malahyde organiseerde het onderzoek op onderwijsinstellingen, waarvan de meeste nu gesloten waren, zodat met hoofdonderwijzers, rectoren en universiteitsbestuurders afzonderlijk contact moest worden gezocht. Als de Zoekende nog maar zeventien jaar was geweest, dan had ze misschien nog op school gezeten. De kans dat ze vlak voor haar dood in een hotel had gezeten, was gering, maar toch moesten ze alles controleren, vanaf de Olive and Dove tot de eenvoudigste bed-and-breakfast-gelegenheid aan Glebe Road.

Annette had tegen haar nicht gezegd dat ze iets wist wat de politie zou moeten weten en Wexford vroeg zich af waarom ze dat niet tegen Bruce Snow had gezegd toen hij haar diezelfde dinsdagavond had opgebeld, de avond voor haar dood. Hij dacht aan dat familielid op Ladyhall Avenue van wie beide Snows het bestaan ontkenden. En hij vroeg zich af wat een jong, kwetsbaar en, naar het scheen, ongewenst meisje als de Zoekende kon hebben gedaan dat iemand haar had doodgeslagen. Zag hij de dingen misschien van achter naar voren? Kon het zijn dat Annette niet was vermoord vanwege hetgeen haar verteld was, maar dat de Zoekende was gedood om hetgeen Annette tegen *haar* had gezegd? Bewaarde Annette zelf een of ander geheim waar Snow of Jane Winster of Ingrid Pamber niets van wist?

Hij had met Burden afgesproken bij Nawab. Hij zei: 'Vanochtend kon ik geen ontbijt naar binnen krijgen en nu heb ik dat niet onprettige, lege gevoel dat de stille maaltijdgong van de ziel is.'

'Dat is P.G. Wodehouse.'

Wexford zei niets. Dit moest de eerste keer zijn dat Burden de bron van een van zijn citaten had geraden. Het was een hartverwarmende ervaring waarover de inspecteur direct een plens koud water goot door op zure toon te zeggen: 'Messaoud heeft een West-Indische vrouw.'

'Ik heb een Engelse vrouw,' zei Wexford toen ze in het Indiase restaurant waren, 'maar dat wil nog niet zeggen dat ze Annette Bystock heeft gekend.'

'Dat is iets anders. Je weet best dat dat iets heel anders is.'

Wexford aarzelde en nam een stuk *nan* van het bord dat voor hem stond. 'Oké, ja, ik weet het. Het is iets anders. Sorry. En nog iets: het spijt me van gisteren. Ik had niet zo tegen je mogen uitvallen.'

'Ach, laat maar.'

'Nee, zeker niet waar Barry bij was. Het spijt me.' Wexford dacht aan zijn nieuwe wet en veranderde van onderwerp. 'Ik hou wel van dat Indiase brood, jij niet?'

'Meer dan van Indiërs. Sorry, maar met die Messaoud valt geen normaal woord te wisselen. Ik moet toch maar eens met zijn vrouw gaan praten, vind je niet?'

De speciale zakenlunch die ze hadden besteld, de 'snelle Thali', arriveerde inderdaad snel. Hij bestond uit vrijwel alles wat je maar aan Indiaas voedsel kon bedenken en was op een grote schaal rond een berg rijst gerangschikt met op de rand een *poppadom*. Wexford schonk een glas water in.

'Ik wou dat ze er op die foto niet zo dood uitzag, niet zo *lang dood*, maar daar is niets aan te doen. Het kan geen kwaad om er Ladyhall Avenue mee langs te gaan. We moeten hem ook aan de winkeliers in High Street laten zien, en in de winkelcentra en bij de kassa's van de supermarkt.'

'En het station,' zei Burden, 'en het busstation. Ook de kerken?'

'Zwarte mensen gaan meer naar de kerk dan blanken, dus ja – waarom niet?'

'En de bedrijven op het industrieterrein van Stowerton? Die zijn allang blij als er iemand vermist wordt – hoeft er weer een minder af te vloeien. Sorry, flauwe grap. Maar we kunnen het proberen, vind je niet?'

'We moeten alles proberen, Mike.'

Wexford zuchtte. Met 'alles' had hij niet bedoeld dat ze met elke zwarte bewoner van de Britse Eilanden moesten praten. Hij had bedoeld dat ze net zo te werk moesten gaan als de Zoekende een blank schoolmeisje was geweest. Maar ineens wist hij dat dat niet kon, dat dat niet de manier was, hoe moreel verantwoord het ook mocht lijken.

Een snelle blik op de fax van de politie van Myringham die op zijn bureau lag vertelde hem dat geen van de signalementen overeenkwam met dat van de Zoekende. De vermiste vrouwen waren gerangschikt volgens hun etnische afkomst, maar die classificatie was in dit geval onvermijdelijk geweest. Hij moest denken aan het gesprek dat hij ooit met hoofdinspecteur Hanlon van de politie van Myringham over politieke correctheid had gevoerd.

'Ik weet niet beter,' had Hanlon gezegd, 'of PC staat voor politie-commissaris.'

Er stonden vier vrouwen op de lijst wier voorouders afkomstig waren van het Indiase subcontinent, en een Afrikaanse. Myringham, met zijn industriële bedrijvigheid, hoewel die nu weinig meer voorstelde, had veel meer immigranten aangetrokken dan Kingsmarkham of Stowerton, en de twee universiteiten werden bezocht door studenten uit alle delen van de wereld. Melanie Akande was niet de enige oud-leerling van de voormalige Polytechnische School die werd vermist. Op deze lijst stond Demsie Olish uit Gambia, een studente sociologie, afkomstig uit een plaats die Yarbotendo heette. Een van de Indiase vrouwen, Laxmi Rao, was post-doctoraal studente aan de Universiteit van het Zuiden. Men had haar sinds Kerstmis niet meer gezien, maar het was bekend dat ze niet naar haar vaderland was teruggekeerd. De vrouw uit Sri Lanka die Burden al had genoemd was de vermiste restauranthoudster. De Pakistaanse, Naseem Kamar, een weduwe, had als naaister op een kledingfabriek gewerkt, totdat het moederbedrijf in april in handen van een curator was gegeven. Nadat ze haar baan had verloren was mevrouw Kamar verdwenen. Darshan Kumari, dat wist de politie van Myringham bijna zeker, was er met de zoon van haar mans beste vriend vandoor gegaan. Ze vermoedden dat Surinder Begh door haar vader en ooms was vermoord omdat ze weigerde met de man van hun keuze te trouwen, maar er waren geen bewijzen om deze theorie te ondersteunen.

Familieleden van deze vrouwen zouden voor identificatie naar het mortuarium moeten komen. Nou ja, niet die van mevrouw Kamar. Zij was zesendertig. En de leeftijd van Laxmi Rao, tweeëntwintig, riep een onaangename herinnering op aan de vergissing die hij al eerder had gemaakt. De meest in aanmerking komende kandidaat was Demsie Olish. Zij was negentien, was in april naar Gambia gegaan en weer teruggekomen, dat was bevestigd door haar hospita, door twee andere studenten die in hetzelfde huis woonden, en door verschillende jaargenoten van Myringham – en was na de vierde mei niet meer gezien. Dat was een week voordat ze als vermist werd opgegeven. Iedereen die haar kende dacht dat ze wel ergens anders zou zitten. Wat tegen de mogelijkheid sprak dat zij de Zoekende kon zijn, was haar lengte, een meter vijfenzestig. Als ze deze vrouwen eenmaal uitgesloten hadden, zouden ze het netwerk verder uitbreiden.

Om vijf uur riep hij een vergadering bijeen om de taken te verdelen, waarbij hij zelf Demsie Olish voor zijn rekening zou nemen. Een vriendin van haar die in Yorkshire woonde zou de volgende dag naar het lichaam komen kijken. Ook Dilip Kumari zou gevraagd worden, voor het geval de vriendin het lichaam niet kon identificeren. Zijn vrouw was nog maar achttien.

Claudine Messaoud was even behulpzaam geweest als haar man tegendraads. Het leek wel of Burden haar aardig had gevonden, dat was dan werkelijk een triomf voor de interraciale verhoudingen. Hoewel ze geen zwarte vrouw tussen de zestien en twintig kende die werd vermist, zette ze Burden op het spoor van de kerk die ze bezocht en waar ook andere zwarte mensen naartoe gingen. Dat waren de doopsgezinden van Kingsmarkham. De dominee had tegen Burden gezegd dat daar van bijna alle zwarte gezinnen van Kingsmarkham wel een familielid kwam, meestal een vrouw van middelbare leeftijd. Niettemin waren het er maar weinig.

'Laurette Akande gaat daar ook naartoe,' zei hij. 'Dus dan blijven er maar vier families over. Ik ben er bij een geweest, maar zij zijn nog jong en hun kinderen zijn nog maar twee en vier. Ik dacht dat Karen misschien wel met de rest zou willen praten.'

'Karen?' zei Wexford, terwijl hij zich naar haar omdraaide.

'Natuurlijk, ik ga er vanavond op af. Maar ik heb al twee families gesproken, en vermoedelijk kunnen we die uitsluiten. Die hebben kinderen hier op de middenschool. Twee meisjes van zestien en een jongen van achttien. Ze wonen thuis, en ze worden niet vermist. Ik heb ze gezien.'

'Dan blijven alleen de Lings nog over,' zei Burden. 'Mark en Mhonum, M.H.O.N.U.M., op Blakeney Road. Hij komt uit Hongkong, hij heeft dat Moonflower-restaurant, zij is zwart. De leeftijd van hun kinderen weet ik niet, als ze die al hebben. Zij is dokter Akandes enige zwarte patiënt.'

Pemberton had met iemand van de Gambiaanse ambassade gesproken. Ze waren op de hoogte van de verdwijning van hun landgenote, Demsie Olish, en zouden de zaak 'goed in de gaten houden'. De talloze andere Afrikaanse ambassades hadden nog minder opgeleverd. De vrouwen op het landelijk register die het dichtst bij het signalement van de Zoekende kwamen, had hij teruggebracht tot vijf. Familieleden, voorzover die er waren – en vaak waren die er niet – of vrienden zouden naar Kingsmarkham gehaald moeten worden voor de onaangename taak in het mortuarium.

Wexford had berekend dat er voorzover hij kon nagaan achttien zwarte mensen in Kingsmarkham woonden en misschien nog een stuk of vijf in Pomfret, Stowerton en de omringende dorpen. Dat was inclusief de drie Akandes, Mhonum Ling, negen mensen van wie drie kerkgangers, de twee mannelijke cliënten van het uitkeringskantoor, een moeder en zoon die tot de andere doopsgezinden van Kingsmarkham behoorden, samen met Melanie Akande en de zuster van een van de doopsgezinden.

De Epsons, die in Stowerton woonden, waren de ouders van wie Sylvia de kinderen onder haar hoede had toen ze bij de sociale dienst werkte. Hij was zwart, zij was blank. Een jaar geleden waren ze op vakantie naar Tenerife gegaan en hadden de zorg voor hun vijfjarig kind overgelaten aan hun negenjarig kind. Het scheen dat ze weer op reis waren, maar toen Karen opbelde werd er opgenomen door een oppas. De vrouw klonk gejaagd en geïrriteerd en kende geen zeventienjarig zwart meisje dat werd vermist.

'We moeten ook informeren bij de jongens die altijd bij het uitkeringskantoor rondhangen. Het zullen wel niet altijd dezelfde zijn, maar toen ik daar was op de dag nadat we Annette hadden gevonden, zat er een bij die zwart was. Met die vlechtjes en zo'n gebreide muts. Als we nou toch in alle hoeken en gaten van Kingsmarkham naar zwarte personen zoeken, dan moeten we hem zeker ondervragen.'

'Vandaag was hij er niet,' zei Barry, en tegen Archbold: 'Nee, toch, Ian?'

'Ik heb hem niet gezien. Maar er staan een moeder en zoon op de lijst – misschien is hij de zoon wel.'

'Waarschijnlijk is hij die achttienjarige over wie ik het net had,' zei Karen.

'Niet als die van jou nog op school zit. Tenzij hij een fulltime spijbelaar is natuurlijk. We moeten hem vinden.' Wexford keek van de een naar de ander en voelde zich ineens eeuwen ouder dan zij. Wat hij verder wilde zeggen lag op het puntje van zijn tong, maar hij zei het bij zichzelf. Het is allemaal niet zo eenvoudig. Niet al hun moeders gaan naar de kerk. De meesten maken de school niet af en volgen geen andere opleiding. Wat de ambassades betreft: we vergeten altijd maar weer dat de meeste van deze mensen Britten zijn, dat ze voor de wet net zo Brits zijn als wijzelf. Ze staan nergens geregistreerd, hebben geen identiteitspapieren, er bestaan geen dossiers van. En zij glippen door de mazen van het net.

Ze was heel jong, had een olijfkleurige huid en lang zwart haar. Ze zag er breekbaar uit. Dit was de studievriendin van Demsie Olish, Yasmin Gavilon uit Harrogate, die onzeker was over wat van haar werd verwacht en buitensporig verlegen. Wexford had liever dat een ander met haar naar binnen was gegaan, maar deze taak kon hij niet delegeren. Wat de laatste keer was gebeurd, lag hem nog vers in het geheugen. En dit meisje zag er nog zo jong uit, veel jonger dan twintig.

Hij had haar nu drie keer uitgelegd dat het misschien niet Demsie was die ze te zien zou krijgen, dat het zelfs heel waarschijnlijk Demsie níét was. Ze hoefde alleen maar even te kijken en hem de waarheid zeggen. Maar toen hij neerkeek op haar vragende, vertrouwende gezicht, zo onschuldig, zo onervaren, had hij haar bijna gezegd weer naar huis te gaan, de eerstvolgende trein te nemen, hij zou iemand anders wel vragen om naar de Zoekende te kijken.

De lucht van formaldehyde was verstikkend. Het plastic dek was teruggevouwen, het laken teruggeslagen. Yasmin keek. Haar gezichtsuitdrukking bleef vrijwel dezelfde als waarmee ze Wexford had aangekeken toen ze aan hem werd voorgesteld. Toen had ze gemompeld: 'Hallo,' en nu mompelde ze: 'Nee. Nee, ze is het niet.' Ook de toon was hetzelfde.

Wexford bracht haar naar buiten. Hij vroeg het haar opnieuw. 'Nee,' zei ze, 'nee, het is Demsie niet,' en vervolgens: 'Gelukkig niet.' Ze probeerde te glimlachen, maar haar gezicht had een groenachtige kleur gekregen, en ze zei vlug: 'Ik wil graag even naar het toilet.'

Nadat ze een kop hete, zoete thee had gedronken en met de auto naar het station was gebracht, arriveerde Dilip Kumari. Als Wexford hem op straat was tegengekomen, zonder zijn naam of zijn stem gehoord te hebben, zou hij hem voor een Spanjaard hebben aangezien. Kumari had een zangerig, Welsh-achtig accent, maar sprak het perfecte Engels van de Indiër van geboorte. Hij was assistent-manager van de NatWest Bank in Stowerton High Street en zag eruit als een vijftiger.

'Uw vrouw is toch heel jong?' vroeg Wexford.

'Te jong voor mij, bedoelt u? Ja, inderdaad, maar toen leek dat niet zo.' Hij was filosofisch, fatalistisch, bijna zwierig. Het was algauw duidelijk dat hij, zonder haar gezien te hebben, ervan overtuigd was dat de Zoekende niet Darshan Kumari was. 'Ik weet bijna zeker dat ze er met een jongen van twintig vandoor is gegaan. Maar als zij het is, wat ik ernstig betwijfel, kan ik me in elk geval de kosten en moeite van een scheiding besparen.'

Hij lachte, misschien om Wexford te laten zien dat hij het niet ernstig meende. Ze gingen naar binnen, waar de Zoekende lag. 'Nee,' zei hij. 'Nee, beslist niet.' Buiten zei hij: 'Volgende keer beter. Weet u toevallig of je van een vrouw kunt scheiden die je niet kunt vinden? Misschien pas na vijf jaar, jammer maar helaas. Wat zou hierover in de wet staan? Ik moet het toch eens uitzoeken.'

Door welk net was hij heen geglipt? Misschien door hetzelfde als de jongen met de vlechtjes en de gebreide muts, die niet voor het uitkeringskantoor zat toen Wexford daar tien minuten later arriveerde. De jongen met het geschoren hoofd was er wel, nu met een T-shirt aan dat zo verbleekt was dat de dinosaurus erop nog maar een schaduw van zichzelf was, evenals de jongen met de paardenstaart en de trainingsbroek, die de ene sigaret met de andere aanstak. Er was ook een heel kleine, stevige jongen bij met blond krullend haar dat hij naar achteren had gekamd om groter te lijken, en een onopvallende, puisterige knaap in shorts. Maar de zwarte jongen met de vlechtjes was er niet bij.

Twee zaten aan de rechterkant op het ruwe, afgebrokkelde en bevlekte oppervlak van de balustrade, en twee aan de linkerkant, waar een afvalhoop was ontstaan van lege, gedeukte colablikjes en verfrommelde sigarettendoosjes. De jongen met de paardenstaart rookte een shagje. De puisterige jongen zat met zijn voeten in een massa peuken en maakte met de neus van zijn zwarte canvas schoenen willekeurige patronen in de as. Hij zat aan zijn nagelriemen te kluiven. Zijn buurman tegenover hem met de bleke dinosaurus op zijn borst vermaakte zich door met kiezelsteentjes, waarvan hij een handvol had, naar de stapel blikjes te gooien, misschien met het doel het bovenste eraf te mikken.

Hij schonk geen enkele aandacht aan Wexford. De anderen evenmin. Hij moest twee keer zeggen wie hij was voor een van hen reageerde. Het was de korte, stevig gebouwde jongen die naar hem opkeek, waarschijnlijk omdat hij de enige was die niets anders te doen had.

'Waar is je vriend?'

'Je wat?'

'Waar is je vriend? Die met die gestreepte muts?' Dat was ook een manier om iemand niet met zijn etnische afkomst te hoeven aanduiden. Hou in vredesnaam op met dit soort onnodige overgevoeligheden, zei Wexford bij zichzelf. 'Die zwarte, met die vlechtjes?'

'Ik weet niet waar je het over hebt.'

'Hij bedoelt Raffy.' Een steen had doel getroffen, het blikje wiebelde en viel. 'Hij bedoelt natuurlijk Raffy.'

'Ja, die bedoel ik. Weten jullie waar hij is?'

Niemand gaf antwoord. De roker concentreerde zich op zijn sigaret alsof het een studieobject was waarbij een zwaar beroep werd gedaan op zijn geheugen. De nagelriembijter kloof verder en trok met zijn schoenen nog meer cirkels in de sigarettenas. De steentjesgooier gooide een handvol kiezels over zijn schouder en haalde een pakje sigaretten tevoorschijn waar hij er een uitnam. Nadat hij Wexford had aangekeken alsof hij een kwaadaardige hond was, kwam de dikke jongen met de krullen van de muur af en ging het uitkeringskantoor binnen.

'Ik vroeg of jullie weten waar hij is.'

'Zou kunnen,' zei de steentjesgooier in het dinosaurusshirt.

'En?'

'Misschien weet ik waar zijn moeder uithangt.'

'Dat is alvast iets.'

Het was de nagelriemkluiver die met meer informatie kwam. Op een toon die suggereerde dat alleen een wereldvreemde schizofrene idioot niet op de hoogte was van dit feit, zei hij: 'Die doet de kids bij Thomas Proctor, niet dan?'

Uit deze zin, hoe duister ook, begreep Wexford ogenblikkelijk dat Raffy's moeder de klaarover was die om negen uur 's morgens en halfvier 's middags de kinderen van de Thomas Proctor-basisschool de weg hielp oversteken.

Aan de steentjesgooier vroeg hij: 'Heeft hij een zuster?'

Hij haalde zijn magere schouders op.

'Een vriendin?'

Ze keken elkaar aan en begonnen te lachen. De blonde jongen was weer naar buiten gekomen en de nagelriemkluiver fluisterde hem iets toe. Hij begon eveneens te lachen, en algauw lag het hele stel in een stuip. Wexford schudde zijn hoofd en liep terug in de richting vanwaar hij gekomen was.

16

De verwrongen takken van een kersenboom met onnatuurlijk hardroze bloesem waarachter een volle maan was opgedoemd. Deze afbeelding, die op bamboerol was geschilderd, werd overal aan de muren in de wachtruimte van het Moonflower-afhaalrestaurant herhaald. Het was de enige plek die Wexford kende waar de radio en de televisie tegelijkertijd aan stonden. De cliëntèle keek tijdens het wachten op de gebakken rijst en citroenkip nooit naar de maan en de kersenbloesem, en naar de televisie keken ze alleen wanneer er een sportprogramma op was.

Vandaag was rond lunchtijd Michelle Wright op de radio te horen met 'Baby, Don't Start With Me', en op televisie was *South Pacific*. Net toen Mitzi Gaynor, in haar felle competitie met de country-zanger, voorgoed met hem ging afrekenen, liep Karen Malahyde naar binnen en ging naar het buffet waar een vrouw de achter haar klaargemaakte bestellingen uitdeelde.

Het was een halfopen ruimte waar je Mark Ling in de glanzend stalen keuken bezig kon zien met vijf woks tegelijk, terwijl zijn broer onder het overhevelen van een zak rijst met hem stond te praten.

Mhonum Ling was een kleine, forse vrouw met een koffiebruine huid. Haar gladgetrokken, nog licht kroezende haar glansde als steenkool. Ze droeg een witte doktersjas en deelde met folie bedekte dozen met bami goreng en zoetzuur varkensvlees uit aan klanten van wie de nummers in rood neon boven haar hoofd oplichtten. Het was hetzelfde systeem als op het uitkeringsbureau, maar dan in een aangenamer omgeving, en de klanten van de Moonflower zaten op rieten stoelen *Today* en *Sporting Life* te lezen.

Nadat Karen had gezegd wat ze wilde, maakte Mhonum Ling een gebiedend gebaar naar haar zwager en knikte ze nadrukkelijk naar het buffet. Hij kwam ogenblikkelijk.

Ze keek naar de foto. 'Wie is dat?'

'Weet u dat niet? Hebt u haar nooit eerder gezien?'

'Van mijn leven niet. Wat heeft ze gedaan?'

'Niets,' zei Karen voorzichtig. 'Ze heeft niets gedaan. Ze is dood. Hebt u er niets over op tv gezien?'

'Wij moeten werken,' zei Mhonum Ling trots. 'Wij hebben geen tijd om daarnaar te kijken.' Met een lange paarsrode vingernagel porde ze haar zwager in de arm. Deze stond te smoezen met een klant en had niet gezien dat er een bestelling van gebakken rijst en bamboescheuten achter hem was gezet. Ze wierp een strenge blik op de clientèle. 'Ook geen tijd om kranten te lezen.'

'Goed, dus u kent haar niet. Iets anders. We zijn op zoek naar een jongen van ongeveer achttien jaar met rastahaar en een gebreide muts op, hij is de enige in deze buurt die er zo uitziet, dat is toch niet toevallig uw zoon?'

Even dacht Karen dat Mhonum zou zeggen dat ze geen tijd had om kinderen te krijgen, maar ze zei: 'Raffy? Dat moet Raffy zijn. Vergeet de gelukskoekjes niet, Johnny. Ze vinden het niet leuk als we hun gelukskoekjes vergeten.'

'Is hij familie van u?'

'Raffy?' zei ze. 'Raffy is een neef van me, de zoon van mijn zuster. Hij is twee jaar geleden van school gekomen maar heeft nooit werk gevonden. Dat zal wel nooit gebeuren, er zijn geen banen. Mijn zuster Oni wilde dat Mark hem hier een baantje bezorgde, gewoon als keukenhulpje, zei ze, je kunt best een paar extra handen gebruiken. Maar ik zag er de zin niet van in, we hebben niemand nodig en we zijn niet van de liefdadigheid, we zijn niet van de hulpverlening in Afrika.'

Karen vroeg waar de zuster van Mhonum woonde en ze kreeg het adres. 'Maar die zal wel niet thuis zijn, die is aan het werk. Zíj heeft wel werk.'

In de hoop Raffy misschien thuis aan te treffen, reed Karen naar Castlegate, de enige torenflat van Kingsmarkham, waar Oni en Raffy Johnson woonden op nummer vierentwintig. Veel torenachtigs was er niet aan; het gebouw was acht verdiepingen hoog en bestond uit woningwetflats die de gemeente graag aan de huurders had verkocht, als die huurders daartoe bereid waren geweest. Wexford had voorspeld dat ze binnenkort geen andere keus hadden dan het hele geval neer te halen en er een nieuw gebouw neer te zetten. Nummer vierentwintig bevond zich op de zesde verdieping en de lift was zoals gebruikelijk buiten dienst. Tegen de tijd dat ze boven was, wist Karen zeker dat Raffy niet thuis was. Ze had gelijk.

Waarom dacht Wexford dat Raffy hen zou kunnen helpen? Hij had niets om zich op te baseren, niet het minste bewijs, alleen maar een gevoel. Je kon het intuïtie noemen, en vaak genoeg, dacht ze, had hij het bij het rechte eind gehad. Ze moest vertrouwen hebben en zichzelf voorhouden dat wanneer Wexford vond dat Raffy de moeite van het natrekken waard was omdat bij hem het antwoord kon liggen, dat ook inderdaad zo was. Misschien dat de Zoekende op een of andere manier iets te maken had met deze jongen over wie zijn tante met zoveel minachting sprak.

Karen was net weer terug toen de Jaguar van Kashyapa Begh het voorplein van het politiebureau op draaide. Wexford vroeg haar met hem mee te gaan naar het mortuarium. Kashyapa Begh was een oude, verschrompelde man met wit haar en was gekleed in een streepjespak met een hagelwit overhemd. De speld op zijn roodzijden das was bezet met een grote robijn en twee kleine diamanten. Karens stekels vlogen overeind toen hij vroeg waarom hij bij zo'n ernstige aangelegenheid werd begeleid door een vrouw. Ze zweeg en bedacht dat het heel waarschijnlijk was dat deze man en zijn broers of neven een meisje hadden vermoord om haar van een huwelijk met de man van haar keuze te weerhouden. Terwijl hij met onverholen afkeer naar het lichaam keek, zei Kashyapa Begh op woedende toon: 'Dit was je reinste tijdverspilling.'

'Dat spijt me, meneer Begh. Maar we moeten volgens een proces van schrappen te werk gaan.'

'Volgens een proces van stompzinnigheid,' zei Kashyapa Begh, en hij liep met grote stappen naar zijn auto.

Deze was nauwelijks uit het zicht voordat Festus Smith in een politiewagen arriveerde, een jongeman uit Glasgow wiens zeventienjarige zuster sinds maart werd vermist. Zijn reactie op het lichaam was dezelfde als die van Begh, hoewel hij niet zei dat deze reis van zeshonderd kilometer tijdverspilling was geweest. Na hem kwam Mary Sheerman uit Nottingham, de moeder van een vermiste dochter. Carina Sheerman was verdwenen toen ze op een vrijdag in juni van haar werk onderweg was naar huis. Ze was zestien, maar ze was niet het dode meisje in het mortuarium.

Onderweg naar Carolyn Snow zei Wexford bij zichzelf dat de Zoekende hier uit de buurt kwam, ze had in de stad gewoond of in de omgeving. Het was niet zo dat ze door de mazen van het net was geglipt, haar vermissing was nooit aangegeven. Omdat het niet bekend was? Of omdat wie dan ook haar verdwijning verborgen wilde houden, net zoals haar bestaan geheim was gehouden?

Carolyn Snow was in de achtertuin en zat op een gestreepte tuinbank het soort moderne roman te lezen waarvan hij tegen Burden gezegd had dat ze daar haar schuttingtaal vandaan had. Joel had hem naar achteren gebracht. Wexford bedacht dat hij in lange tijd niet zo'n wanhopige, diep ongelukkige blik bij een opgroeiende jongen had gezien.

Carolyn Snow keek nauwelijks op. 'Ja?' zei ze. 'Wat nu weer?'

'Ik vond dat ik u de gelegenheid moest geven om eindelijk met de waarheid te komen, mevrouw Snow.'

'Ik weet niet waar u het over hebt.'

Een andere wet van Wexford was dat deze opmerking nooit door waarheidslievende mensen werd gemaakt, maar uitsluitend door leugenaars.

'En ik weet heel goed dat u niet de waarheid sprak toen u zei dat uw man op de avond van de zevende juli het huis heeft verlaten. Ik weet dat hij daar de hele avond is geweest, hoewel u me hebt verteld dat hij is weggegaan, en ik weet ook dat u bovendien uw zoon, een jongen van veertien jaar oud, hebt aangemoedigd u in die leugen te steunen.'

Ze legde het boek naast zich op de bank. Wexford bleef staan. Ze keek naar hem op en er kwam een lichte blos op haar gezicht. De lichte trek rond haar lippen was bijna een glimlach.

'Welnu, mevrouw Snow?'

'Ach, en wat dan nog?' zei ze. 'Kan mij het ook verrekken. Ik heb hem wel een paar slapeloze nachtjes bezorgd, hè? Ik heb hem laten boeten. Natuurlijk was hij thuis die avond. Ik zei het maar voor de grap, en iedereen is erin getuind. Ik heb Joel alles verteld wat z'n vader gedaan had en ook over die Diana. Hij zou alles hebben gedaan om me te steunen. Sommige mensen geven nog wel om me, weet u.' Haar glimlach was echt deze keer, een brede, zonnige, licht hysterische lach. 'Hij is er vreselijk aan toe, hij denkt echt dat hij beschuldigd zal worden van de moord op dat wijf.'

'Dat wordt hij niet,' zei Wexford. 'Tegen u zal een aanklacht worden ingediend wegens het tegenwerken van de politie.'

Hij was al helemaal Australiër geworden en had ook een nadrukkelijk Australisch accent. Vine had hem nog nauwelijks de hand gedrukt en 'Goedemorgen, meneer Colegate' gezegd, toen de man fel van leer begon te trekken tegen de monarchie en hoog begon op te geven over de zegeningen van de republiek.

Zijn moeder, die in Pomfret woonde, stak haar hoofd om de deur en vroeg aan Vine of hij thee wilde. In godsnaam geen thee, zei Stephen Colegate, wat was er mis met koffie?

'Voor mij niets, dank u,' zei Vine.

Er stormden twee kinderen de kamer binnen met een Schotse terriër op de hielen. Met zwaaiende armen sprongen ze schreeuwend op de sofa. Colegate keek met voldoening naar hen. 'Mijn dochters,' zei hij. 'Ik ben in Melbourne hertrouwd. Mijn vrouw kon niet meekomen, die heeft een heel belangrijke baan. Maar ik had mijn moeder beloofd dat ik dit jaar naar Engeland zou komen en als ik wat beloof dan doe ik dat ook. Neem die hond mee naar de tuin, Bonita.'

'Dus u bent niet voor de begrafenis van uw ex-vrouw overgekomen?'

'Grote God, nee hoor. Toen ik van Annette af was, was dat voorgoed.' Hij begon hard te lachen. 'Voor het leven, voor de dood en voor de eeuwigheid.'

Het kwam Vine voor dat Annette Bystock een ongelukkige smaak had wat mannen betrof. De twee kleine meisjes sprongen van de sofa en vlogen de kamer uit, waarbij de jongste naar de hond trapte toen ze de deur uitrenden.

'Wanneer bent u in Engeland aangekomen, meneer Colegate?'

'Waarom zou ík in godsnaam Annette hebben willen vermoorden?'

'Of u wilt zeggen wanneer u bent aangekomen, meneer.'

'Ja, natuurlijk. Ik heb niets te verbergen. Dat was afgelopen zaterdag. Ik ben met Qantas gekomen, met een Pom-toestel zou ik nog niet gratis willen reizen, op Heathrow heb ik een wagen gehuurd, de kinderen hebben de hele weg geslapen. Ik kan het allemaal bewijzen. Wilt u mijn vliegticket zien?'

'Dat is niet nodig,' zei Vine. Hij toonde hem de foto van de Zoekende, maar uit Colegates onverschillige blik werd direct duidelijk dat hij haar nooit had gezien. Zijn moeder kwam enigszins angstig binnen met de koffie, ze was duidelijk niet gewend om koffie te schenken.

Stephen Colegate zei: 'Ik was hier niet voor zaterdag, hè ma?'

'Jammer genoeg niet. Je had gezegd dat je de zesde zou komen, ik weet nog steeds niet waarom dat niet kon.'

'Dat heb ik je toch gezegd. Er kwam iets tussen waardoor ik niet weg kon. Als je dit soort dingen zegt gaat hij nog denken dat ik eerder ben aangekomen en me verborgen heb gehouden zodat ik Annette haar strot af kon knijpen.'

Mevrouw Colegate gaf een gilletje. 'O, Stevie.' Terwijl haar zoon met opgetrokken neus korreltjes oploskoffie uit de dunne bruine vloeistof in zijn kopje zat te lepelen, zei ze: 'Ik weet dat je van de doden geen kwaad mag spreken,' waarna ze het alsnog deed en niets van Annettes karakter overliet en nog minder van dat van haar ouders. Vine liep stilletjes het huis uit.

Het was bepaald geen gewoonte om bij verkiezingen in Kingsmarkham posters te verspreiden met foto's van de kandidaten erop. Dat komt omdat ze zo lelijk zijn, had Dora onbarmhartig gezegd, en Wexford moest het met haar eens zijn. De vertegenwoordiger van de Britse Nationale Partij, een man met een stierennek, een rood hoofd met kleine varkensoogjes en een grijze borstelkop, was geen schoonheid, en het roofvogelgezicht van Lib Dem met zijn haakneus en halfdichte ogen was niet veel beter. Anouk Khoori daarentegen zou volgens velen een sieraad zijn voor welk ambt ze ook zou bekleden, en haar gezicht op de poster was de beste advertentie die je voor haar kon bedenken.

Wexford bleef even staan om naar het exemplaar te kijken dat aan een schutting in Glebe Road hing. Het was een en al gezicht, op haar naam en politieke status na. Ze keek op hem neer met een glimlach waarvan de daardoor ontstane rimpeltjes vakkundig waren weggeretoucheerd. Voor de foto was haar haar in korte krulletjes gekapt. Haar ogen stonden helder, eerlijk, oprecht. De Thomas Proctor-school zou volgende week als stembureau fungeren, en deze poster hing net dichtbij genoeg om dat gezicht in het geheugen te houden.

Hij was vroeg, maar er stonden al auto's op straat te wachten om de kinderen van school te halen. De school had een goede naam, hoewel sommige welgestelde ouders liever voor particulier onderwijs gekozen zouden hebben. Degene naar wie hij zocht, kwam om de hoek van de school aanlopen met het stopbord in haar hand. Kennelijk was Karen Malahyde ook naar haar op zoek. Ze moest haar via een andere bron op het spoor zijn gekomen. Ze stapte uit een auto die hij had aangezien voor die van een van de ouders en liep op de vrouw af.

Ze draaide zich om toen ze hem zag. 'Grote geesten, één gedachte, meneer,' zei ze.

'Ik hoop dat de grote geesten ook wijze gedachten hebben, Karen. Haar zoon heet Raffy. Weet jij zijn achternaam?'

'Johnson. Die vrouw daar is Oni Johnson.' Ze waagde het erop. 'Waarom denkt u dat Raffy haar kan identificeren?'

Hij haalde zijn schouders op. 'We weten niet of Raffy haar heeft gekend, van die oude schurk van een Begh wisten we dat ook niet, noch van Akande. Misschien denk ik het omdat ik haar en Raffy alle twee als... nou ja, verschoppelingen beschouw. Onbruikbare mensen om wie niemand wat geeft.'

'En dit is onze laatste mogelijkheid?'

'In ons werk bestaat er niet zoiets als de laatste mogelijkheid, Karen.'

De schooldeuren gingen open en de eerste kinderen kwamen naar buiten. De meesten droegen zowel zakken, pakjes als rugzakjes. Het was hun laatste dag totdat de school in september weer begon. Oni Johnson was een gezette zwarte vrouw van ongeveer veertig jaar en droeg een strakzittende marineblauwe rok en een felgeel jack over haar witte blouse. Op haar hoofd had ze een marineblauwe pet. Op de hoek van het trottoir bleef ze staan als een herderin die zonder de hulp van een hond haar kudde bijeen moet drijven. En de kinderen waren gehoorzame schapen, ze hadden dit eerder gedaan, ze deden het elke dag.

Ze keek naar rechts, naar links, weer naar rechts, en marcheerde toen naar het midden van de weg waar ze het stopbord omhooghield. De eerste stroom kinderen stak de weg over. Wexford zag de jongste van de Ridings, het meisje dat met haar broer op het tuinfeest was geweest. Verderop werd een zwartharig meisje met gouden oorringen in een auto geduwd door een vrouw die volgens Wexford Claudine Messaoud kon zijn. Het leek wel of hij alleen nog maar op zwarte mensen lette. Hij zag een jongen van acht of negen het portier openen van de auto die van de Epsons moest zijn, maar hij kon niet het gezicht zien van degene die achter het stuur zat. Je kon het trouwens niet echt een zwart kind noemen, de jongen was lichtbruin en had lichtbruin krullend haar. Zwart was hij alleen voor 's werelds onverbiddelijke categorische ordening.

Oni Johnson stak haar hand op naar een nieuwe zwerm kinderen die op het trottoir stonden te wachten. Ze liep naar hen toe met opzettelijk langzame stappen. Bij de stoeprand gebaarde ze het verkeer om door te rijden. Het meisje van Riding sprong in de Range Rover van haar ouders. De auto die van de Messaouds had kunnen zijn reed in zuidelijke richting, gevolgd door een grote stroom andere wagens. Wexford liep op Oni Johnson af en liet haar zijn legitimatie zien.

'Niets om u zorgen over te maken, mevrouw Johnson, gewoon

een routinekwestie. We zouden graag uw zoon willen spreken. Gaat u naar huis wanneer u hier klaar bent?'

Er flitste angst in haar ogen. 'Wat heeft mijn Raffy gedaan?'

'Niets, voorzover ik weet. We willen hem alleen maar wat vragen.'

'Goed dan. Ik weet niet wanneer hij thuiskomt, meestal tegen het eten. Ik ga meteen naar huis als ik hier klaar ben.' Ze liet nog een auto passeren, hield haar stopbord omhoog en marcheerde weer naar de weg, maar nu, dacht Wexford, iets minder zelfbewust.

In de voorste auto die stond te wachten terwijl zij de kinderen naar de overkant leidde, zag hij Jane Winster achter het stuur zitten. Ze keek hem aan en wendde toen haar blik af. Het kind dat naast haar zat was minstens zestien jaar oud en moest van een andere school zijn afgehaald, waarschijnlijk van de scholengemeenschap.

Hij was niet ver van huis. Daar snel even een kop thee drinken, dacht hij, en dan zou hij Karen bij Castlegate ontmoeten. De laatste auto die voorbijreed was een Rolls Royce die bestuurd werd door Wael Khoori.

Dora zat samen met Sylvia en haar zoons rond de keukentafel. Ook voor Ben en Robin was dit de laatste schooldag geweest. 'Ik overweeg een cursus te gaan doen. Voor raadsvrouw bij een medisch centrum.'

'Leg even uit,' zei haar vader.

'Die hebben ze bij Akande ook, Reg,' zei Dora. 'In die gang naar zijn spreekkamer is ook een deur met "raadsman". Heb je dat niet gezien?'

Robin keek even op van zijn videospelletje. 'In Amerika is een raadsman een advocaat.'

'Ja, nou, en hier niet. Dan worden patiënten naar mij toe verwezen om te praten, dat vinden ze beter dan tranquillizers voorschrijven, daar komt het op neer. En nou wil ik geen eigenwijze opmerkingen meer horen, Robin. Hou jij je maar bij je puzzel.'

'*Ko se wahala*,' zei Robin.

Zijn familie was al lang geleden opgehouden Robin vragen te stellen over zijn 'geen probleem'. Sylvia was van mening dat het vanzelf weer overging wanneer je er geen aandacht aan schonk. Maar voor een voorbijgaande fase duurde deze wel heel lang, en het zag er niet naar uit dat er snel een eind aan zou komen. Het was maanden geleden dat ouders, grootouders en broer erom hadden gelachen, er commentaar op hadden gegeven of erover door hadden gevraagd, maar nu vroeg Wexford: 'Wat voor taal is dat, Robin?'

'Yoruba.'

'Waar wordt dat gesproken?'

'In Nigeria,' zei Robin. 'Klinkt goed, vind je niet? *Ko se wahala*. Beter dan *nao problema*, dat is bijna hetzelfde als in het Engels.'

'Heb je dat van iemand van school?' vroeg Wexford, terwijl hij een sprankje hoop voelde, hoewel hij nauwelijks wist waarop.

'Yep, van Oni.' Robin scheen het leuk te vinden dat hem dat gevraagd was. 'Oni George. Ze staat na mij in het leerlingenregister.'

Dus Oni was een Nigeriaanse naam... Raymond Akande was een Nigeriaan. Opeens was hij ervan overtuigd, niet om duidelijke redenen maar intuïtief, dat ook de Zoekende Nigeriaanse was. De andere Oni, Oni Johnson, had gezegd dat ze om vijf uur thuis zou zijn. Hij had het sterke, bijna opwindende gevoel dat hij op het punt stond om alles te ontdekken, te weten te komen wie de Zoekende was, wat het verband was tussen haar en Annette, en waarom ze beiden waren vermoord. De jongen was het antwoord, de jongen met de gebreide muts, Raffy, die die hele dag niets anders te doen had dan te observeren, te kijken, te registreren – of zou hij zijn lege dagen doorbrengen zonder iets te zien?

Karen stond op hem te wachten toen hij om vijf over vijf bij Castlegate kwam. De schutting bij de flat was bedekt met posters van Anouk Khoori, tien maar liefst, die naast elkaar waren opgeplakt. Karen en hij liepen over het betonnen voorplein dat vol scheuren zat. Een hond, een vos, of wie weet in deze tijden

wel een mens, had een van de zwarte plastic vuilniszakken open-
gescheurd die in grote stapels bij de vooringang stonden en kip-
penbotjes, maaltijddozen en verpakkingen van diepvriesgroen-
ten achtergelaten. Het was in de loop van de dag steeds warmer
geworden, waardoor de zakken nu een bijna chemische stank
van verrotting afgaven.

Wexford kon zich herinneren dat hier ooit een Victoriaans-go-
tisch huis had gestaan met torentjes en kantelen, niet bepaald
mooi, eerder potsierlijk, maar toch interessant. En de tuin was
een arboretum geweest van zeldzame bomen. Dit alles was in de
jaren zestig weggehaald en, ondanks algemeen protest, petities
en een demonstratie, was Castlegate ervoor in de plaats gekomen. Zelfs degenen die anders dakloos waren geworden, hadden
er een hekel aan. Wexford duwde de toegangsdeuren open, waarvan het gebarsten glas rammelde in de sponningen.

'De lift doet het niet,' zei Karen.

'En dat vertelt ze me nu. Op welke verdieping is het? Als de jongen niet thuis is, kunnen we net zo goed hier wachten.'

'Het is maar zes verdiepingen, meneer. Maar als u wilt dat ik
naar boven ga om te kijken...'

'Nee, nee, natuurlijk niet. Waar is de trap?'

De crèmekleurige verf op de betonnen muren bladderde en de
kunststof tegels op de vloer hadden door slijtage een craquelépa-
troon gekregen met de kleur van kolengruis. Op de muur naast
de kapotte lift had iemand met een spuitbus 'Gary is een schoft'
geschreven.

'Ze gaan het hele gebouw slopen,' zei Karen, alsof ze zich wilde
verontschuldigen voor de gebrekkige, smerige en vervallen staat
waarin Castlegate zich bevond. 'Iedereen heeft al ander onder-
dak gekregen, behalve de Johnsons en nog een andere familie.
Hierheen, meneer. De trap is hier links.'

Ze bedwong een schreeuw. Haar hand vloog voor haar mond.
Binnen een halve seconde zag Wexford wat zij had gezien.

Aan de voet van de betonnen trap lag het lichaam van een vrouw
op de tegels. Haar hoofd lag in een plas bloed. Oni Johnson had
haar huis nooit bereikt.

17

Op de intensive care van het Stowerton Royal-ziekenhuis zweefde Oni Johnson de hele nacht tussen leven en dood. In die kleine wereld was zij de verantwoordelijkheid van hoofd-zuster Laurette Akande, die sinds een jaar de leiding over deze afdeling had. Niet al Oni's verwondingen waren veroorzaakt door de val van de trap, maar het leek alsof ze van zes verdie-pingen hoog naar beneden was gerold. Ze had een hoofdwond aan de linkerkant, hoewel ze met de rechterkant van haar hoofd tegen het beton was gevallen. Voor haar deur postte dag en nacht een politieagent. Wexford behandelde de zaak als een poging tot moord.

Moord, als ze zou sterven. Laurette Akande zei dat ze betwijfelde of Oni Johnson haar verwondingen zou overleven. Haar beide benen waren gebroken, evenals de linkerenkel, er was een frac-tuur aan het bekken, aan drie ribben en het rechterspaakbeen, maar het ernstigst was de schedelbasisfractuur. Om haar leven te redden was een schedeloperatie noodzakelijk en op vrijdagmid-dag zou de ingreep worden verricht door Algernon Cozens, de neurochirurg. De jongen, die uren achtereen aan haar bed had gezeten en voor zich uit had zitten staren terwijl hij de tranen over zijn wangen liet druppelen, had traag en bedachtzaam het toestemmingsformulier ondertekend als een robot waarvan de batterij uitgeput raakt.

'Maar waarom die aanslag net toen wij er waren?' vroeg Karen aan Wexford.

Hij schudde zijn hoofd.

'Weten we wat het wapen was?'

'Misschien waren het blote handen. De dader wachtte op de hoek boven aan de trap, en toen zij eraankwam, sloeg hij haar met zijn vuist in haar gezicht, waardoor ze naar beneden viel. Hij hoefde alleen maar achter haar aan te rennen, misschien haar nog verder naar beneden te schoppen, en tien minuten voor wij kwamen had hij zich uit de voeten gemaakt.'

'De Zoekende werd ook met blote handen vermoord,' zei Burden. 'Ik zal niet gauw vergeten wat Mavrikiev daarover gezegd heeft.'

'Ja, dat is het enige aanknopingspunt dat we hebben, en veel stelt het niet voor.'

'Waar was de jongen?'

'Toen dit gebeurd is? Hij schijnt nooit te weten wanneer hij waar is geweest. Hij was in elk geval niet in Castlegate. Dat stel dat steeds bij het uitkeringskantoor rondhangt zegt dat hij een deel van de middag bij hen is geweest, maar ze weten niet welk deel. Hij zwerft rond. Hij bedelt.'

'Hij *bedelt*?'

'Dat doen ze allemaal, Mike, als ze in iemand een weldoener menen te zien. Mij zag hij er in elk geval voor aan. Misschien moet ik me wel gevleid voelen. We zochten hem – weet je nog? – toen zijn moeder naar het ziekenhuis werd gebracht. En ik kwam hem tegen op Queen Street op weg naar Castlegate. Hij stak zijn hand uit en zei: "Heb je misschien wat geld voor een kop thee?" Toen ik zei wie ik was en wat er gebeurd was dacht ik dat hij zou flauwvallen.'

Drie uur later hadden Raffy Johnson en hij met elkaar gepraat. Raffy had nog nooit zwarte meisjes in Kingsmarkham gezien. 'Alleen oude vrouwen,' zei hij tegen Wexford. En Melanie Akande, vroeg Wexford, had hij haar ooit gezien?

Er kwam een eigenaardige blik in Raffy's ogen, een mengeling van vernedering en minachting. Voordat hij antwoord kreeg wist Wexford dat deze immigrantenkinderen ook al geïnfecteerd waren met die ziekte waar de Engelsen aan leden. Het feit dat ze zwart waren had hen er niet voor kunnen behoeden.

'Nou ja, die is toch heel anders, haar vader is toch dokter en zo.'

Ras, armoede en een hiërarchisch systeem had hem tot eenzame vrijgezel veroordeeld, want het scheen nooit bij hem te zijn opgekomen dat hij een blank meisje kon aanspreken, laat staan bevriend met haar raken.

'Je moeder komt uit Nigeria, niet?'

'Ja.'

Hij keek Wexford uitdrukkingsloos aan. Raffy had zijn moeder kennelijk nooit naar haar geboorteland gevraagd en ze had hem nooit iets uit zichzelf verteld. Hij wist alleen dat ze hier met haar zuster heen was gekomen toen ze nog heel jong waren en nadat haar zuster met een Chinese man was getrouwd. Wexford was niet geïnteresseerd in de identiteit van Raffy's vader, als de jongen die al kende. Hij scheen zo weinig te weten, geen enkele belangstelling of vaardigheid te hebben, geen enkele hoop of ambitie. Hij leefde van dag tot dag. Hij wilde alleen maar in leven blijven om door de straten te zwerven van de stad die hem nooit iets had gegeven.

'Ik vroeg hem,' zei Wexford, 'of hij wist waarom iemand zijn moeder zou willen doden. Ik verwachtte verontwaardiging, ik verwachtte een schok. Maar dat nerveuze glimlachje had ik niet verwacht. Hij keek me aan alsof ik hem voor de gek hield. Het was bijna alsof hij zich geneerde.'

'Maar nu neemt hij het wel serieus?'

'Ik weet het niet. Ik heb geprobeerd hem duidelijk te maken dat iemand een moordaanslag op zijn moeder heeft gepleegd. God weet dat hij elke dag van zijn leven moord op de televisie ziet, maar voor hem is tv fantasie en het leven de werkelijkheid – zo zou iedereen het ook móéten beschouwen, alleen krijgen we altijd te horen dat jonge mensen die twee met elkaar verwarren.'

Karen zei weifelend: 'Kan de indringer ook in de war zijn geweest? Dat hij Oni Johnson voor Raffy heeft gehouden? Het was nogal donker daar.'

'Zelfs in het donker zou niemand Oni voor haar zoon aanzien. Om te beginnen is hij vijftien centimeter langer dan zij. Hij is zo mager als een hark en zij is nogal dik. Nee, de moordenaar had het op Oni voorzien en ik heb geen flauw vermoeden waarom.'

De enige andere mensen die in Castlegate woonden, een echtpaar, waren op dat tijdstip aan het werk geweest. Er was niemand op de lege parkeerterreinen rond het flatblok gezien. Het was alsof het al in handen was gegeven van de sloopploeg, alsof de vier

mensen die er nog woonden vergeten waren. Oni Johnsons aanvaller had geen gunstiger plek kunnen uitzoeken om in stilte en
in het geheim een moordaanslag te plegen.
Karens theorie kon de volgende dag definitief worden afgeschreven toen iemand een tweede poging deed om Oni Johnson te
vermoorden.

Archbold had de hele nacht bij haar deur de wacht gehouden en
was om vier uur 's morgens afgelost door Pemberton. Niemand
had ongemerkt naar binnen kunnen sluipen; ze hadden alleen
artsen, verpleegsters en specialisten de kamer in zien gaan, en
Raffy.
Het was de jonge stafverpleegster die Wexford op de hoogte stelde, Stacey Martin. Hij kwam om negen uur de afdeling op en ze
liep op hem af toen hij bij de deur van Oni's kamer was waar
Pemberton al stond te wachten.
'Wilt u even meekomen, alstublieft?'
Ze liet hem een kantoortje binnen waar 'Hoofdzuster' op de
deur stond. 'Ik ben om acht uur vanmorgen binnengekomen,'
zei ze. 'De nachtploeg wordt om acht uur afgelost. De hoofdzuster was er al. Ik ging direct naar Oni kijken en vond het vreemd
dat het laken over haar hand was gelegd.'
'Ik kan u niet volgen,' zei Wexford.
'Het is hier warm, zoals u wel gemerkt zult hebben. We houden
het expres zo warm zodat de patiënten geen beddengoed over
zich heen hoeven te hebben. Het laken bedekte de rug van haar
hand waarin het infuus gaat. Nou, ik trok het laken weg en zag
dat iemand het slangetje eruit had getrokken. Er was een klem-
metje op gedaan zodat het niet op het bed kon lekken.'
Hij keek haar aan en zag dat ze nog steeds geschokt was. 'U zegt
dat "iemand" het eruit heeft getrokken. Kan ze het zelf gedaan
hebben?'
'Waarschijnlijk niet. Nou ja, heel misschien... maar waarom zou
ze zoiets doen?'
Voor hij kon antwoorden, als hij al een antwoord geweten zou
hebben, ging de deur open en kwam Laurette Akande naar bin-

nen. Ze keek naar hem als een schooljuffrouw naar een lastige leerling. Voor het eerst realiseerde hij zich hoe intens haar afkeer van hem was.

'Meneer Wexford,' zei ze op ijskoude toon, 'wat kan ik voor u doen?'

'Kunt u me zeggen wat er door dat eh... slangetje in Oni's hand gaat?'

'Het infuus bedoelt u? Pijnstillers en een aanzienlijke hoeveelheid medicijnen. Waarom wilt u dat weten? O, ik begrijp het al. Zuster Martin heeft u op de hoogte gebracht van dat belachelijke idee van haar.'

'Maar het slangetje was eruit getrokken, is het niet, mevrouw Akande?'

'Zuster. Helaas, ja. Dat wil zeggen, het is eruit *gekomen*. Maar er is niets aan de hand, er was geen enkele terugslag in mevrouw Johnsons conditie...' Ze veranderde abrupt van toon en schonk Stacey Martin een stralende glimlach. 'Dankzij zuster Martins razendsnelle reactie.' Haar stem kreeg een licht sarcastische ondertoon. 'We moeten haar heel dankbaar zijn. Komt u mee? Dan breng ik u naar mevrouw Johnson.'

Ze was alleen in de kamer. Ze lag niet plat in bed maar was half zittend tegen de kussens gedrukt, met het laken tot haar middel opgetrokken. Ze droeg een witte nachtjapon. Een van Raffy's stripblaadjes lag op het nachtkastje, maar Raffy was er niet.

'Is ze bij bewustzijn?' vroeg Wexford. 'Kan ze praten?'

'Ze slaapt,' zei Laurette Akande.

'Kan de jongen het gedaan hebben?'

'Niemand heeft het gedaan, meneer Wexford. De infuusslang is losgeraakt. Een vervelend ongelukje, maar het heeft geen gevolgen gehad.'

Als hij of zuster Martin dit verder zou vertellen, dacht Wexford, dan zou er een onderzoek worden ingesteld. Het was duidelijk dat hoofdzuster Akande het tegen niemand zou zeggen, want dan zette ze haar baan op het spel. Zou het trouwens enige zin hebben?

'Ik wil graag hier blijven,' zei hij. 'Hier in deze kamer.'

'Dat gaat niet. U hebt al een man bij de deur staan, dat is de gebruikelijke procedure.'

'Ik bepaal wat de gebruikelijke procedure is,' zei hij. 'Er hangen gordijnen rond dat bed. Als er dingen moeten gebeuren die ik om redenen van fatsoen niet mag zien, dan doet u die gordijnen maar dicht.'

'In mijn hele verpleegstersloopbaan heb ik nog niet meegemaakt dat een politieman in een IC-kamer de wacht houdt.'

'Er moet altijd een eerste keer zijn,' zei Wexford. Hij dacht er niet meer aan om de beleefdheid in acht te nemen, om rekening te houden met de gevoelens van deze vrouw; zelfs zijn verschrikkelijke blunder in het mortuarium deed er nu niet toe. 'Dan schep ik een precedent. Als het u niet bevalt dan zult u het toch maar moeten slikken en anders zal ik de heer Cozens om toestemming vragen.'

Ze perste haar lippen opeen en vouwde met neergeslagen ogen de armen over elkaar om de drift te bedwingen waarvan hij al eerder een uitbarsting had meegemaakt. Toen deed ze een stap naar het bed toe en keek aandachtig naar Oni Johnson. Ze schudde even aan het infuus, keek naar de monitor aan de muur en liep met grote stappen de kamer uit zonder hem nog aan te kijken.

Hijzelf of Burden moest hier blijven, dacht hij, misschien Barry Vine of Karen Malahyde. Verder niemand. Ze mocht niet meer alleen blijven totdat ze in staat was om te zeggen wat ze wist. Hij ging op de ongemakkelijke stoel zitten. Na ongeveer een halfuur kwam een verpleegster die hij niet eerder had gezien, een Thaise of Maleisische vrouw, hem een kop thee brengen. Laat in de ochtend werden de gordijnen rond Oni dichtgetrokken, en om één uur kwam Algernon Cozens binnen, gevolgd door co-assistenten en stagiaires, stafzuster Martin en hoofdzuster Akande.

Niemand nam enige notitie van Wexford. Laurette Akande zou van tevoren wel een verklaring voor zijn aanwezigheid hebben gegeven, maar hij had er alles onder willen verwedden dat die niet de juiste was. Hij belde Burden op zijn mobilofoon. Om drie uur kwam de inspecteur de kamer in om hem af te lossen, tegelijk met een zeer elegant geklede Mhonum Ling. Ze droeg strak zittende schoenen met hoge hakken waardoor ze tien centimeter langer leek, en haar haar was opgestoken in een ingewikkeld model. Ze was ineens een grote vrouw geworden.

Zoals de traditie wil had ze druiven meegenomen, die aan Oni waren verspild omdat ze nog steeds intraveneus werd gevoed. Ze scheen blij te zijn om Burden te zien, tenminste iemand om een praatje mee te maken en de druiven te delen, hoewel Burden zijn hoofd schudde toen ze hem werden aangeboden.

Ze had geen idee, zei ze, waarom iemand haar zuster zou willen vermoorden. Net als Raffy scheen ze verlegen met die vraag en probeerde ze zo snel mogelijk over te gaan tot de waslijst van Oni's tegenslagen en fouten: hoe haar zuster door pech was achtervolgd sinds ze in Engeland waren aangekomen, hoe ze altijd overal het slachtoffer van was. Ze begreep niet hoe haar zuster altijd zo opgewekt had kunnen blijven. Mhonum had geen kinderen en misschien dat ze daarom Raffy als de bron van haar zusters ellende bestempelde. Hij was al een probleem geweest vanaf het moment dat hij was geboren – nee, nog voordat hij was geboren, want zijn vader had de benen genomen nadat Oni hem had gezegd dat ze zwanger was. Op school was Raffy een hopeloos geval geweest, altijd maar spijbelen. Hij kon helemaal niets, hij kon nauwelijks zijn naam schrijven. Die zou nooit een baan krijgen, die zou zijn hele leven van een uitkering moeten leven. De hardwerkende en goed bedeelde Mhonum schudde haar hoofd. Het enige dat ze Raffy moest nageven, was dat hij nog geen vlieg kwaad zou doen.

'Heeft uw zuster vijanden?' vroeg Burden, zijn vraag in andere bewoordingen herhalend.

Mhonum wipte een druif in haar mond. 'Vijanden? Oni? Ze heeft geeneens vrienden.' Ze keek even over haar schouder naar de slapende vrouw. 'Ze heeft alleen Mark en mij, en wij hebben bijna nooit tijd, wij hebben een zaak draaiende te houden, niet?' Ze begon te fluisteren. 'Oni had een vriend, maar die was gauw vertrokken, ze joeg hem de stuipen op het lijf. O, ze was zo bezitterig, niet te geloven gewoon, ze beschouwde hem als haar eigendom, weet u wel? Maar hij is ervandoor gegaan, net als de vader van Raffy, weer precies hetzelfde verhaal.'

'Kunt u een reden bedenken waarom iemand mevrouw Johnson zou willen vermoorden?'

Ze likte met een verfijnd gebaar haar vingertoppen af. Burden keek naar haar kleding. Hij schatte dat dat groenblauwe broekpak en die crèmekleurige Bruno Magli-schoenen samen zo'n vijfhonderd pond hadden gekost. 'Niemand wilde haar vermoorden,' zei ze. 'Ze is gewoon vermoord. Dat doen ze nou eenmaal, zo zijn ze. Ze komen iemand tegen en vermoorden hem gewoon.'

Alsof hij dat niet wist, alsof ze hem wat dat betrof nog meer hoefde te vertellen.

's Avonds nam Barry Vine het van Burden over. Hij had een computerspelletje van zijn zoon meegenomen en een oefenboek Spaans. Wanneer zijn werk het toeliet ging hij naar de avondcursus. Gehoor gevend aan een gebiedende oproep reed Wexford naar Stowerton voor een gesprek met de commissaris. Vroeg in de avond was de verkeersdrukte het ergst en hij zat in een file die maar heel langzaam de rotonde naderde. In zijn achteruitkijkspiegel zag hij de roze auto van de Epsons achter zich, maar van het gezicht van de bestuurder kon hij slechts een vage glimp onderscheiden. Het duurde nog een vol kwartier voordat hij bij het huis van Freeborn was.

Hij had eens tegen Burden gezegd dat dat huis het enige in het kleine onaantrekkelijke Stowerton was dat nog enigszins het aanzien waard was, zij het in geringe mate. Ooit was het de pastorie geweest, een groot huis met een enorme lap grond.

'Hoe lang gaat dit nog duren, Reg?' wilde Freeborn weten. 'Twee meisjes vermoord en nu die vrouw die op sterven na dood is.'

'Oni Johnson is aan de beterende hand,' zei Wexford.

'Dat is dan niet aan jouw activiteiten te danken. Sterker nog, door jou is ze in die toestand terechtgekomen.'

Dat vond Wexford moeilijk te verteren. Hij had kunnen antwoorden dat ze op de betonnen vloer van Castlegate zou zijn gestorven als Karen en hij niet zo snel gehandeld hadden. Hij zei het niet. In een opwelling zei hij dat hij eind volgende week de hele zaak rond zou hebben. Hij had nog een week nodig.

'Geen portretjes met bierpullen meer van je gemaakt, hoop ik?' zei Freeborn met een vals lachje. 'Ik durf bijna de krant niet meer open te slaan.'

Barry had de hele nacht in Oni's kamer doorgebracht en Wexford loste hem de volgende ochtend af. Tijdens het wachten kwam er een arts binnen die de bedgordijnen dichttrok, terwijl een nieuwe stafverpleegster aan de infuusslang schudde. Hoe kon hij zien of iemand Oni kwaad wilde doen? Hoe kon hij weten of de injectie die de arts haar toediende heilzaam was voor Oni – of dodelijk? Het enige wat hij kon doen was bij haar blijven en hopen dat ze gauw in staat zou zijn om met hem te praten.

Halverwege de ochtend kwam Raffy binnen. Zoals gewoonlijk had hij zijn gebreide muts op, hoewel het een warme dag was en in de kamer nog warmer. Hij keek naar de plaatjes in zijn stripblad, haalde zijn sigaretten tevoorschijn en – misschien omdat hij besefte dat dit hier echt niet kon – borg ze weer weg. Hij bleef een halfuur zitten en sloop toen de kamer uit. Wexford hoorde hem de gang uit lopen. 's Middags nam Karen het van hem over. Ze kwam net op het moment dat Raffy met een vettig zakje frites de kamer weer in liep.

'Als ze bijkomt, als ze wat zegt, moet je me direct waarschuwen.'

'Natuurlijk,' zei Karen.

Het gebeurde op zondag terwijl Vine de kamer bewaakte. Raffy was de eerste op wie Oni's geopende ogen bleven rusten. Ze stak haar hand uit en omvatte de zijne. Zo trof Wexford hen aan; de jongen, die er verward en enigszins verloren bij zat, en Oni, die met haar kleine, plompe hand zijn magere vingers omklemde. Ze glimlachte naar Wexford en begon te praten.

Toen ze eenmaal was begonnen, praatte ze heel wat af: over de kamer waar ze lag, de verpleegsters, de artsen, ze had het tegen

Raffy over de mogelijkheid om ziekenhuisportier te worden. Van wat er was gebeurd op de trap in Castlegate wist ze zich niets te herinneren.

Hij had niet anders verwacht. De geest is zacht voor het lichaam en laat het genezen zonder pijnlijke en ondraaglijke herinneringen de kans te geven daaraan afbreuk te doen. Maar hij zou niet weggaan voordat ze alles had gezegd wat ze wist. Als ze maar wist wat het was dat ze wist! God verhoede dat ze iets verzweeg omdat het haar te oninteressant of onbeduidend voorkwam, of, nog erger, dat ze het vergeten was. Ze maakte de indruk een opgewekte, behulpzame vrouw te zijn die bereid was over zichzelf, haar leven en haar zoon te praten, maar wier geheugen nu uit twee segmenten bestond: een met herinneringen aan het ziekenhuis die teruggingen tot het moment dat ze zaterdag bij bewustzijn kwam, en een met herinneringen aan haar vroegere leven die abrupt eindigden toen ze donderdagmiddag bij Castlegate naar binnen ging, langs de kapotte lift liep en de trappen op was gelopen.

'Die lift is altijd kapot,' zei Oni. 'Maar, weet u, ik blijf hopen. Ik zeg altijd tegen mezelf, Oni, zeg ik, misschien hebben ze hem vandaag gerepareerd, en dan zweef je als een vogeltje naar boven. Maar nee hoor, en dan neem ik de benenwagen maar weer. Dit zijn dingen om ons te beproeven, zeg ik tegen mezelf, en toen werd alles zwart, zag ik de vloer op me afkomen, en hier ben ik weer wakker geworden.'

'Kunt u zich herinneren of u iemand in de buurt hebt gezien voordat u het gebouw inging? Hebt u iemand buiten gezien?'

'Geen levende ziel. Nee, hij was daarboven, daar stond hij op me te wachten om me met zijn grote boksersvuist te stompen.'

'En u hebt geen idee wie deze "hij" kan zijn?'

Ze schudde haar hoofd onder het dikke witte verband. Ze moest altijd lachen wanneer ze haar eigen uitdrukking 'grote boksersvuist' gebruikte, wat ze al verscheidene keren gedaan had. Net als veel Afrikanen en Afro-Caraïbiërs had ze de eigenaardige en voor Europeanen onbegrijpelijke gewoonte om vrolijk te lachen over tragische of angstaanjagende gebeurtenissen. Ze moest zo lachen dat het bed ervan schudde. Wexford keek bezorgd om zich heen of er geen verpleegster was gealarmeerd die Oni's opwinding een reden zou vinden om het gesprek voor vandaag te beëindigen.

'Heeft iemand u bedreigd? Hebt u met iemand ruzie gehad?' Zijn vragen ontlokten gegiechel, toen keek ze naar een punt boven zijn hoofd. Ze had dezelfde gezichtsuitdrukking als haar zoon toen hem was gevraagd wie zijn moeder zou willen vermoorden: in verlegenheid gebracht, achterdochtig dat ze in de maling werd genomen, vastbesloten om er niet te veel aandacht aan te schenken. Na een plotselinge ingeving vroeg Wexford: 'Hebt u misschien ruzie of onenigheid gehad met een van de automobilisten die u tijdens het oversteken hebt laten stoppen?'

Het was krankzinnig om te veronderstellen dat dat een reden was om iemand te willen vermoorden, tenminste, dat zou hij vroeger hebben gedacht. Nu wist hij dat dit soort dingen gebeurden. Normaal uitziende, gewone mensen die door deze stad reden en van een verkeersagent een uitbrander kregen, hadden er geen moeite mee zich te wreken als barbaren – zeker wanneer het een vrouw was die hen had terechtgewezen. Helemaal wanneer het een zwarte vrouw was. Maar kennelijk was er in Oni Johnsons verleden nooit zo'n gewelddadige maniak geweest.

Net als haar zuster zei ze: 'Het is een moordenaar, hè? Die hoeft geen reden te hebben. Hij vermoordt gewoon, zo is hij nou eenmaal.' Haar vrolijk opgesomde zinloze zonden van de mensheid brachten haar weer zo aan het schateren dat de verpleegster nu wel kwam kijken en zei dat het voor vandaag wel genoeg was geweest.

Misschien was het wel voor altijd genoeg geweest. Wexford liet Barry Vine op de afdeling achter en liep naar de lift aan het eind van de gang. Hij vroeg zich af of ze nog meer van Oni te weten zouden komen, of dat zij en Mhonum Ling misschien gelijk hadden, dat dit een ongemotiveerde aanslag van een psychopaat was; iemand die iets had tegen zwarte inwoners, tegen vrouwen of moeders, tegen flatbewoners, of gewoon tegen andere mensen. Misschien had het niets met Raffy te maken, of met het uitkeringskantoor en Annette, misschien was er geen verband tussen Oni en Annette, of wat dat aanging, tussen Oni en Melanie Akande. Misschien had Raffy zelf het infuus eruit getrokken omdat het hem bang maakte of omdat hij dacht dat het Oni pijn zou doen, of misschien had hij geprobeerd er net zo aan te schudden als hij het ziekenhuispersoneel had zien doen. Werden de meeste moorden niet begaan om motieven die voor normale mensen onbegrijpelijk waren, of soms zelfs helemaal zonder motief?

Hij was zo diep in gedachten verzonken dat hij verkeerd was gelopen, dus nam hij maar de trap naar beneden die hij voor zich zag. Hier kwam hij in een deel van het ziekenhuis waar hij nog nooit was geweest en waar hij totaal de weg niet wist. Net toen hij het opschrift 'Afdeling pediatrie en kinderziektes' boven de openstaande dubbele deuren zag staan, werd links van hem een deur geopend en kwam Swithun Riding naar buiten, met een opengeslagen witte jas over een geelbruine pluizige trui, en een baby in zijn armen.

Wexford verwachtte dat hij genegeerd zou worden, maar Riding glimlachte hem hartelijk toe, begroette hem en complimenteerde hem met het feit dat hij de leeftijd van de tweeling op het tuinfeest had geraden.

'Ik hoorde het van mijn vrouw. Daar sta je nou met al je deskundigheid, zei ze. Wat hebt u met die teddybeer gedaan? Jeugdsentiment? Gaat die lekker als knuffelbeest mee naar bed?'

Wexford was zo geboeid door de wijze waarop Riding met de baby omging dat hij geen gevat antwoord kon bedenken. Hij zei alleen: 'Ik heb hem weggegeven.' Hij verbaasde zich over de liefde waarmee de arts het kind vasthield, met zoveel beschermende tederheid voor zo'n grote man wiens enorme handen het als een wieg omvatten. En Ridings gezichtsuitdrukking, gewoonlijk zo minachtend en arrogant, de hooghartige blik van de indrukwekkende professor die qua intellect en uiterlijk ver boven anderen verheven is, was nu zacht en bijna vrouwelijk terwijl hij in het kleine ronde gezichtje met de grote blauwe ogen keek.

'Toch niets aan de hand met hem?' vroeg Wexford op goed geluk.

'Alleen een navelbreuk, en daar hebben we wat aan gedaan. Het is geen hij trouwens, maar een prachtige kleine dame. Zijn ze niet schattig? Zijn ze niet om op te eten?'

Zo had een vrouw kunnen praten. Die woorden, uitgesproken met een sterke bariton, hadden potsierlijk kunnen klinken maar klonken juist ontwapenend. Riding was een ander mens, even was hij een 'lieve' man. Wexford had het gevoel dat hij naar de uitgang kon vragen zonder een schampere opmerking te hoeven incasseren.

'O, de trap weer op en dan naar links,' zei de kinderarts. 'En nu moet ik dit schatje naar haar moeder brengen, want anders is die doodongelukkig, en terecht.'

Toen Wexford dit later aan Dora vertelde, zei ze tot zijn verrassing dat het haar niets verbaasde.

'Sylvia is toen met Ben naar hem doorverwezen, weet je dat niet meer? Toen Ben zijn arm had gebroken en er zoveel complicaties waren? Dat zal nu zo'n drie jaar geleden zijn, kort nadat de Ridings hier kwamen wonen.'

'Mensen worden vaak beoordeeld op één enkele onaangename ontmoeting. Jammer, maar zo is het wel.'

'Ze zei dat hij zo goed met Ben was omgesprongen en dat Ben ook gek op hem was.'

Drie jaar geleden had Sylvia nog een baan en had Neil nog een baan, en klaagde Dora dat ze hen zo weinig zag. Wexford zei: 'Ik hoop dat we ze vanavond niet hoeven te verwachten.'

'Nee, we *verwachten* ze niet, als dat je geruststelt. Zo moeten we niet praten over een kind van ons, dat is verkeerd. Dan denk ik altijd dat we de goden verzoeken, dat er iets vreselijks zal gebeuren en hoe schuldig ik me dan zal voelen.'

Wexford wilde zeggen dat de goden zo langzamerhand wel genoeg verzocht waren om te weten dat ze er niet meer in moesten trappen, toen de bel ging. Sylvia had een sleutel, maar ze was verstandig genoeg om die niet te gebruiken wanneer ze onverwacht langskwam. 'Ik ga wel,' zei hij. Terwijl hij naar de deur liep dacht hij aan de komende avond, die wel weer in het teken zou staan van de cursus raadsvrouw, de banenclub en veeltalige versies van 'geen probleem'.

Maar het was niet Sylvia met haar gezin. Het was Anouk Khoori. Weer moest hij tweemaal kijken om er zeker van te zijn dat zij het was. Haar blonde haar was streng achterovergekamd, ze droeg lichte make-up en in haar oren had ze de parelknopjes die bij vrouwelijke politici zo in trek waren. De rok van haar donkerblauwe linnen jurk kwam tot ver onder de knie. Ze maakte een eenvoudige, ontwapenende indruk. Het leek hem de beste, simpelste techniek die een vrouw als zij had kunnen toepassen. Ze liep naar binnen zonder dat het haar gevraagd was en zei: 'Je raadt het natuurlijk al: ik kom je vragen op mij te stemmen.'

Hij had het geraden, maar slechts een paar seconden geleden. Ze deed hem ineens denken aan Ingrid Pamber, een geraffineerde en volleerde versie van Ingrid. En dat was vreemd, want deze vrouw oefende niet de minste aantrekkingskracht op hem uit, terwijl Ingrid... Tot zijn verrassing, tot zijn weerzin, stak Anouk Khoori haar arm door de zijne en loodste hem in zijn eigen huis regelrecht naar het vertrek waar Dora zat.

'Luister even, Dora, lieve kind,' zei ze. 'Ik moet vanavond nog deze hele straat afwerken, en nog een andere – politiek is echt keihard werken – maar ik ben eerst naar jullie toegekomen, als allereersten, omdat ik het gevoel heb dat wij drieën iets met el-kaar hebben dat iedereen behalve de Engelsen *verwantschap* zou noemen.'

Die uitdrukking op het gezicht van zijn vrouw kende hij maar al te goed: de glimlach, het heel even knipperen met de ogen, dan een glimlach rond gesloten lippen, en het iets opgeheven hoofd. Die blik kreeg ze wanneer ze met aanmatiging te maken kreeg, met mensen die meenden dat ze na een oppervlakkige kennis-making op hechte vriendschap aanspraak konden maken. Anouk Khoori's hand, een beige, purper dooraderde hand met purperen lak op de lange nagels lag op zijn arm als een exotisch schaaldier, dacht hij. Het was alsof zijn arm in water was onder-gedompeld en met dit ding, deze vijfvingerige tentakelplant, weer naar boven was gekomen. Als zoiets zich aan hem had vast-gehecht terwijl hij aan het zwemmen was, dan had hij het van zich af kunnen schudden, maar dat kon hij nu moeilijk doen. Met een huivering kwam zijn eerdere, onberedeneerde weerzin tegen deze vrouw weer terug.

Ze ging zitten en moest zich dus wel van hem losmaken. Dora bood haar iets te drinken aan. Of had ze liever een kopje thee? Anouk Khoori sloeg het aanbod af met een glimlach en overdre-ven bedankjes en wierp zich op haar missie. Eerst leek ze een zui-ver defensieve campagne te voeren. Het idee dat fascisme, wat te-genwoordig racisme betekende, in een stadje als Kingsmarkham zijn intrede zou doen, was gruwelijk en onvoorstelbaar. Zijzelf mocht hier dan pas zijn komen wonen, maar ze voelde zich hier zo thuis en ze kon zo meevoelen met wat de bevolking van Kingsmarkham bewoog dat het leek alsof ze hier was geboren en getogen. Ze verafschuwde racistische opvattingen en alles wat er-op gericht was om van Kingsmarkham een blanke gemeente te maken. De Britse Nationalisten moesten tegen elke prijs uit de raad geweerd worden.

'Uw uitverkiezing zou niet zo'n hoge prijs hoeven vergen, me-vrouw Khoori,' zei Dora beleefd. 'Ik was toch al van plan op u te stemmen.'

'Ik wist het! Ik wist dat je er zo over zou denken. Eigenlijk, zei ik bij mezelf toen ik voor jullie huis stond – bij jullie als eerste, weet je nog wel? – eigenlijk, zei ik bij mezelf, verspil ik hier mijn tijd, die hebben dit niet nodig, hun steun heb ik al, en toen dacht ik, maar ík heb hun aanmoediging nodig en zíj... nou ja, zij moeten weten dat ik hun steun op prijs stel, dat die belangrijk voor me is.' Ze wendde zich met een stralende glimlach naar Wexford en kon het niet laten om met een koket gebaar even over haar glanzende haar te strijken. Met opgetrokken wenkbrauwen en enigszins schuin gehouden hoofd leek ze een steunbetuiging van hem te verwachten. Maar Wexford was niet van plan die te geven. Wat hij stemde was zijn zaak. Hij vroeg wat voor plannen ze had wanneer ze gekozen zou worden en merkte geamuseerd hoe wei-nig ze eigenlijk wist.

'Maak je daar maar geen zorgen over,' zei ze. 'Als eerste zal ik er-op toezien dat dat vreselijke Castlegate waar die arme vrouw is aangevallen gesloopt zal worden. Daarna zullen we er mooie nieuwe gemeentewoningen neerzetten van de opbrengst van gemeentelijke verkopen.'

Wexford corrigeerde haar minzaam. 'Bestemmingsplannen die moeten worden opgebracht uit gemeentelijke verkopen zijn momenteel opgeschort, en dat zal nog wel even zo blijven.'

'O, dat zou ik natuurlijk moeten weten, ik weet het eigenlijk ook wel.' Ze was niet in het minst van haar stuk gebracht. 'Ik begrijp wel dat ik nog heel wat huiswerk moet doen. Maar het belangrijkste is dat ik eerst in de raad kom, vind je ook niet?'

Wexford weigerde dat te bevestigen. Omdat ze bleef aandringen – de hand lag weer op zijn arm terwijl hij haar uitliet – zei hij dat ze ongetwijfeld begreep dat zijn stem een zaak was tussen hem en zijn geweten. Ze was het helemaal met hem eens, maar ze was een doorzetter, ze ging de confrontatie niet uit de weg, zei haar man altijd, het lag in haar aard om altijd de waarheid onder ogen te zien, hoe onaangenaam deze ook was. Wexford had geen idee waar ze het over had, maar wist toch beleefd afscheid van haar te nemen met de afgezaagde formule dat hij het fijn vond dat ze was langsgekomen.

Naderhand moest ze de Akandes op soortgelijke wijze benaderd hebben, want toen Wexford de volgende ochtend bij hen langs-ging, beklaagde Laurette zich over de opmerking van de verkie-zingskandidaat dat ze zwarte mensen als haar bijzondere vrien-den beschouwde en dat ze een speciaal plekje in haar hart inna-men.

'Weet u wat ze tegen me zei? "Mijn huid is blank," zei ze, "maar mijn ziel is zwart." Je moet maar durven.'

Wexford moest er onwillekeurig om lachen, maar het was een zachte, discrete lach. In dit huis was geen plaats voor vrolijkheid. Maar Laurette scheen hun aanvaring over het infuus te zijn ver-geten. Ze was hartelijker dan hij haar ooit had meegemaakt en bood hem voor het eerst iets te drinken aan. Wilde hij een kopje koffie? Ze kon ook even thee zetten.

'Met zo'n verkiezingsleuze zal mevrouw Khoori het niet ver brengen,' zei de arts. 'Er wonen nauwelijks tien mensen zoals wij in deze gemeente.'

'Achttien, om precies te zijn,' zei Wexford. 'En geen families, maar afzonderlijke personen.'

Hij reed zelf naar het ziekenhuis en parkeerde op de enig overge-bleven plek, naast de wagen van de bibliotheek. De auto aan de andere kant had een eigenaardige, paarsrode kleur, waardoor hij aan de auto van de Epsons moest denken. Ineens begreep Wex-ford wat er sinds zijn rit naar het huis van de commissaris in zijn achterhoofd was blijven spoken. De roze auto die toen achter hem had gereden, werd bestuurd door een blanke man. Hij had zijn gezicht niet kunnen zien, maar wel dat hij blank was. Het huwelijk van de Epsons was gemengd – ongetwijfeld tot afkeu-ring van Laurette Akande – maar het was *Fiona Epson die blank was en haar man was zwart.* Betekende dat iets? Was het belang-rijk? Hij had vaak genoeg gezegd dat in een moordzaak alles be-langrijk was...

De bibliotheekdienst was een particuliere onderneming die door vrijwilligers werd bestierd. Vorig jaar had Dora hem zover gekre-gen om een stuk of tien van zijn boeken weg te geven die zij 'overbodig' noemde. Tot zijn verrassing zag hij Cookie Dix ach-ter het stuur van de bibliotheekauto vandaan komen. Nog meer verbaasde het hem dat ze hem herkende.

'Hallo,' zei ze. 'Hoe gaat het? Was dat geen enig feest bij de Khoori's? Mijn lieve Alexander heeft ervan genoten, er valt sinds-dien zelfs weer een beetje met hem te leven.'

Ze sprak tegen hem alsof ze goede oude vrienden waren en alle details van haar ongetwijfeld problematische huwelijksleven ge-meengoed tussen hen waren. Wexford vroeg of hij haar kon hel-pen met de boeken op het steekkarretje te laden. Hoewel ze bijna net zo groot was als hij, zag ze er breekbaar uit met haar stakerige ledematen, haar elfachtige gezicht en dikke zwarte haar.

'Wat lief van je.' Ze liep naar achteren, waar Wexford het karretje uit de wagen tilde. 'Ik heb een rothekel aan maandag- en zaterdagochtend, werkelijk waar, maar dit is de enige goeie daad die ik verricht, en als ik hiermee zou stoppen zou ik alleen maar leven voor tomeloos plezier.'

Wexford glimlachte en vroeg waar ze woonde. 'O, weet je dat niet? Ik dacht dat iedereen het huis dat Dix heeft gebouwd wel kende. Dat glazen huis met die bomen vanbinnen, boven aan Ashley Grove.'

Een van de monsterlijkste constructies van de stad, zo'n huis waar toeristen naar stonden te staren en informatie over vroegen. Hij hielp de boeken op het karretje te laden, vroeg waar ze vandaan kwamen en wie ze had uitgezocht. O, dat deed zij zelf, die boeken kreeg ze altijd van vrienden. Hij moest aan haar denken wanneer hij weer eens ging opruimen.

'Iedereen denkt dat romantische boeken en detectives het populairst zijn,' zei ze, terwijl hij binnen afscheid van haar wilde nemen, 'maar ik merk dat horror meer in trek is.' Ze glimlachte hem stralend toe. 'Vooral als het over verminking en kannibalisme gaat. Dat schijnen echte oppeppers te zijn.'

Vine had de hele nacht bij Oni Johnson gezeten. Ze sliep nu en de gordijnen rond haar bed waren dichtgetrokken. Op zachte toon zei Wexford: 'Ik weet dat je dienst nu is afgelopen, maar nog even één ding. Carolyn Snow heeft me nu al drie keer gezegd dat Snows vroegere vriendin Diana heette. Mocht er een belletje bij je gaan rinkelen, denk er dan eens over na, wil je?'

Een halfuur nadat hij Vine had afgelost, kwam Raffy binnen. Hij gaf zijn moeder een kus, waardoor ze wakker werd, en ging in zijn stripblaadje zitten kijken. Vandaag moest het Laurette Akandes vrije dag zijn, want de intensive care stond nu onder leiding van een roodharige Ierse. Ze kwam binnen met thee, waar Raffy achterdochtig naar keek, en hij vroeg of hij een cola kon krijgen.

'Goeie genade, ga naar beneden en haal het zelf maar uit de automaat, hoor. Wat zullen we nou krijgen!'

'Ik vind het prettig om hem bij me te hebben,' zei Oni, toen Raffy de kamer was uitgelopen, nadat hij eerst wat kleingeld uit haar tasje op het nachtkastje had gehaald. 'Dan weet ik wat hij uitvoert.' Wexford dacht aan wat haar zuster over Oni's bezitterigheid had gezegd. 'Waar gaan we het vandaag over hebben?'

'U ziet er een stuk beter uit,' zei Wexford. 'Ik zie dat u minder verband om hebt.'

'Minder verband voor een hoofd met weinig hersens, hè? Misschien heb ik wel minder hersens sinds die dokter erin gesneden heeft.'

'Mevrouw Johnson, ik zal u zeggen waar we het vandaag over gaan hebben. Ik wil dat u terugdenkt aan een paar weken geleden, zeg drie weken voor afgelopen donderdag, en dat u me vertelt of er toen iets vreemds is gebeurd.'

Ze keek hem aan zonder iets te zeggen.

'Iets raars of iets dat anders was dan anders, thuis, op uw werk, iets bij uw zoon, iemand die u hebt ontmoet. Doet u maar rustig aan, denkt u maar rustig na. Denk terug aan begin juli en probeert u zich iets ongewoons te herinneren.'

Raffy kwam terug met een blikje cola. Iemand had de televisie aangezet en hij schoof zijn stoel dichterbij, zodat Oni zijn hand niet kon pakken en haar hand op zijn arm liet rusten. Ze zei tegen Wexford: 'U bedoelt of iemand me bij het oversteken heeft aangesproken? Of aan de deur is geweest? Of ik een onbekende heb ontmoet?'

'Dat allemaal,' zei Wexford. 'Wat dan ook.'

'Iemand had iets op onze deur getekend, maar dat heeft Raffy weer schoongemaakt. Het was een soort kruis met haakjes aan de hoeken.'

'Een swastika.'

'Dat was op de dag dat het Banencentrum werk voor Raffy had en hij is gaan solliciteren, maar het is niks geworden. Toen heeft Mhonum, mijn zuster, haar verjaardag gevierd, ze werd tweeënveertig, maar dat geef je haar niet, en we zijn 's avonds bij haar gaan eten. Ik heb nog een ander baantje – weet u dat? Drie keer per week maak ik schoon in de school. Toen ik daar op een dag aan het werk was, heb ik tien pond gevonden, die kinderen krijgen een hoop zakgeld, en dat heb ik aan de onderwijzer gegeven. Ik dacht dat ik wel een beloning zou krijgen, maar niks hoor.

Dat is om ons op de proef te stellen, weet u wel? Bedoelt u dit soort dingen?'

'Precies dit soort dingen bedoel ik,' zei Wexford, hoewel hij had gehoopt iets opzienbarenders te horen te krijgen.

'Nou, begin juli, hè? Op zondag is die mevrouw aan de deur geweest, die mevrouw met dat lange blonde haar, en zegt dat ik bij de verkiezingen op haar moet stemmen, en ik zeg, misschien, ik weet het nog niet, ik zal erover denken. Maar misschien was dat die zondag daarna. Die maandag daarna, dat weet ik zeker, wat voor datum was de eerste maandag in juli?'

'Vijf juli.'

Raffy lachte om iets dat hij op de televisie zag. Hij zette het lege colablikje op de grond. 'Kom eens hier, Raffy,' zei zijn moeder, 'ik wil graag je hand vasthouden.' De jongen verschoof zijn stoel een beetje zonder zijn ogen van het scherm los te maken. Oni greep zijn hand vast, hoewel ze daarbij haar arm tot het uiterste moest strekken.

'Wat gebeurde er op die maandag?' vroeg Wexford.

'Niet zo veel. Alleen iets 's middags, bij de oversteekplaats. Misschien was dat niet die maandag, maar een week later. Ik weet alleen zeker dat het de dag was nadat die verkiezingsdame is langs geweest. Ik dacht: wat jammer dat Raffy er niet is. Als die met je meegaat, dan kun je niet verdwalen, arm kind.'

Wexford begreep er niets van. 'Ik kan u niet helemaal volgen, mevrouw Johnson.'

'Nou, ik sta bij de oversteekplaats voordat de kinderen uit school komen. Dan komt er een meisje aan en ze blijft vlak voor me stilstaan en ze begint tegen me te praten in het Yoruba. Ik ben zo verbaasd dat ik bijna omval. Ik heb in geen twintig jaar Yoruba gehoord, behalve van mijn zuster dan, maar die vindt zich daar nu te goed voor. Maar dit meisje komt uit Nigeria en ze zegt tegen me in het Yoruba: hoe kom ik naar waar ze je baantjes geven? *Mo fé mò ibit'ó ghé wà* – ik wil weten waar het is.'

18

Na vier uur diep te hebben geslapen was Barry Vine opgestaan, had een koude douche genomen en Wexford opgebeld. De hoofdinspecteur zei iets onbegrijpelijks tegen hem in een Afrikaanse taal. Voor Vine zei de vertaling genoeg om direct naar het uitkeringskantoor te gaan.

Ingrid Pambers vakantie was voorbij en ze was alweer twee dagen aan het werk aan het bureau dat tussen Osman Messaoud en Hayley Gordon stond. Ze glimlachte Vine stralend toe alsof hij een geliefde was die uit de oorlog was teruggekeerd. Met een uitgestreken gezicht liet hij haar de foto van de Zoekende zien en een van Oni Johnson die Raffy in de flat op Castlegate had weten te vinden. De Zoekende zei haar niets, Oni herkende ze wel.

Omdat Vine onverschillig bleef voor haar charmes werd ze prikkelbaar. 'Dat is toch die klaarover? Die zou ik overal herkennen. Volgens mij heeft ze de pik op me. Altijd als ik al laat voor mijn werk ben en door Glebe Road rij, steekt ze net voor mijn auto dat bord omhoog.'

'Heeft Annette haar gekend?'

'Annette? Hoe moet ik dat weten?'

Ingrid was de enige van het personeel die niet vroeg wat er met Oni aan de hand was. Aan de andere kant was zij ook de enige die haar kende. Niemand had, voorzover ze zich konden herinneren, de Zoekende ooit eerder gezien. Het was Valerie Parker, een van de afdelingshoofden, die verwoordde wat de anderen misschien niet hadden durven zeggen.

'Sorry, maar al die zwarte mensen zien er voor mij hetzelfde uit.'

Osman Messaoud, die op dat moment langsliep op weg naar een van de computers, zei hatelijk: 'Eigenaardig. Voor zwarte mensen zien al die bleekscheten er hetzelfde uit.'

'Ik had het niet tegen jou,' zei Valerie.

'Nee, dat zal wel niet. Jij bewaart je racistische opmerkingen voor gelijkgezinden.'

Vine aarzelde even of hij zijn gezag moest laten gelden, of hij zich deze belediging moest laten welgevallen, en was algauw getuige van een ruzie die op gedempte, sissende toon werd uitgevochten. Niall Clark, de andere afdelingschef, die graag de socioloog uithing, zei: 'Ik geloof niet dat de bevolking hier contact heeft met zwarte mensen, niet in een gemeenschap als de onze, in een plattelandsstadje als Kingsmarkham bedoel ik. Tenslotte waren er hier tot tien jaar geleden nog helemaal geen zwarte mensen. Je draaide je om als je er een op straat zag. Toen ik hier naar school ging waren er nog geen zwarte leerlingen. Op dit moment zijn bij ons kantoor waarschijnlijk nog geen drie of vier zwarten ingeschreven.'

Valerie Parker, die tegenover Messaoud het onderspit had gedolven, vroeg met een nogal verhit gezicht: 'Hoe heette ze?'

'Wist ik het maar.'

'Als we een naam hadden konden we haar in de computer opzoeken. Ik bedoel, er zijn waarschijnlijk honderden mensen die zo heten, maar dan konden we...'

'Ik weet niet hoe ze heet,' zei Vine, die het gevoel had dat ze er nooit achter zouden komen.

Maar zelfs zonder een naam kon het toch niet moeilijk zijn om een zwart meisje dat verdwaald was te identificeren, niet in een stadje als Kingsmarkham, waar zwarte mensen zeldzaam waren, maar het tegendeel bleek het geval. Er was haar de weg gewezen naar dit adres, waarschijnlijk was ze er ook naar onderweg geweest en was ze verdwenen voordat ze er was aangekomen. Of ze was hier wel geweest maar had niemand haar opgemerkt. Persoonlijk dacht Vine dat ze hier nooit was aangekomen, maar hij zou meer van Oni Johnson te weten moeten komen voordat hij daarvan uit kon gaan. Op weg naar de uitgang kwam hij langs het hokje waar Peter Stanton in gesprek was met een cliënt, en hij zag dat het Diana Graddon was.

Tot nu toe had hij niet kunnen besluiten of hij met haar zou praten of niet. Het leek hem zinloos, bijna onfatsoenlijk. Natuurlijk had Wexfords opmerking een belletje bij hem laten rinkelen, en natuurlijk had hij erover nagedacht, tot het moment dat hij was gaan slapen en vanaf het moment dat hij wakker was geworden. Maar wat had hij of wie dan ook ermee te maken dat deze vrouw ooit Snows vriendin was geweest en opzij was gezet voor Annette Bystock? Wat had dat te maken met deze twee moorden en die poging tot moord? Maar nu hij haar had gezien, ging Vine op een van de grijze stoelen zitten, naast een plastic pot met een plastic plant, en wachtte.

Wat voor indruk zou die Stanton met die blik en die rollende ogen op vrouwen maken? Natuurlijk, Diana Graddon was heel aantrekkelijk, maar Vine had het gevoel dat het enige dat Stanton interesseerde, was of zijn cliënt een vrouw was, en liefst nog betrekkelijk jong. Hij pakte een folder getiteld 'Bijstandsuitkering: hebt u er recht op of niet' en las erin om de tijd te verdrijven.

Burden had niet meer dan twintig minuten nodig om met de foto van de Zoekende naar het ziekenhuis te komen. Oni Johnson herkende haar direct.
'Dat is haar. Dat is het meisje dat me bij de school heeft aangesproken.'
Dat moet de vijfde juli zijn geweest, dacht Wexford. Tegen de avond was ze gestorven. Mavrikiev had gezegd dat ze minstens twaalf dagen geleden was overleden voordat ze op de zeventiende werd gevonden. Het was enkele uren voor haar dood geweest dat Oni Johnson met haar had gesproken.
'Ze heeft u zeker niet gezegd hoe ze heette?' vroeg Burden.
'Ze heeft haar naam niet gezegd. Waarom zou ze? Ze heeft ook niet gezegd waar ze vandaan kwam, niks. Alleen waar ze heen ging, naar het Banencentrum, voor werk. Meer zei ze niet. *Mo fé mò ibit'ó ghé wà?'*
'Kunt u haar beschrijven?'
'Iemand had haar geslagen, dat weet ik wel. Dat ik heb wel vaker gezien. Ze had een snee in haar lip en bij haar oog, die krijg je niet als je tegen een deur aanloopt, o nee. Dus ik zeg haar waar

het Banencentrum is, de straat uit, dan rechts en weer rechts, tussen de hypotheekbank en Marks and Spencers, en daarna vroeg ik: wie heeft je geslagen?'

'Zei u dat in het Engels of in het Yoruba?'

'In het Yoruba. En ze zegt: *bí ojú kò bá kán [pa]e ni, im bá là i[pa]oràn nàà yé [pa]e*. Dat betekent: Als u tijd hebt, dan zal ik het u uitleggen.'

Wexfords hart sprong even op. 'En heeft ze dat gedaan?'

Oni schudde heftig haar hoofd. 'Ik zeg: ja, ik heb de tijd, want de kinderen komen pas over vijf of tien minuten, maar dan, terwijl ik dat zeg, stopt er een auto vlak voor me, ja? Een moeder die haar kind komt ophalen. Ik zeg tegen haar: u mag hier niet parkeren, een eindje verderop mag het wel, en wanneer ik me weer omdraai is het meisje verdwenen.'

'Uit het zicht, bedoelt u?'

'Ik zag haar in de verte, een heel eind verderop.'

'Wat had ze voor kleren aan?'

'Ze had een doek om haar hoofd, een soort blauwe doek. Een jurk met witte bloemen, wit met roze bloemen, en van die schoenen die Raffy ook altijd aanheeft.'

De twee politiemannen keken naar Raffy's voeten, die hij om de stoelpoten gehaakt had. Halfhoge laarzen van zwart canvas met rubberen rand en rubberzolen, misschien wel het goedkoopste schoeisel dat in de allergoedkoopste schoenwinkel van Kingsmarkham te krijgen was.

'Kunt u zich herinneren uit welke richting ze kwam, mevrouw Johnson?'

'Ik heb haar niet eerder gezien dan toen ze vlak voor me stond. Ik heb haar niet uit High Street zien komen, dus misschien kwam ze van de andere kant. Misschien van Glebe Lane, bij die terreinen. Misschien is ze daar met een helikopter geland, hè?'

'Ze sprak tegen u in het Yoruba,' zei Wexford. 'Maar sprak ze ook Engels?'

'O, zeker. Een heel klein beetje. Net zo veel als toen ik hier kwam. Ik zeg: Je loopt deze straat helemaal uit, dan kom je in High Street, daar ga je naar rechts en daarna weer naar rechts en daar is het Banencentrum, tussen Nationwide en Marks and Spencers. Het zijn veel Engelse namen, dus ik zeg het in het Engels. En zij knikt met haar hoofd, zo...' Oni Johnson knikte heftig met haar verbonden hoofd, 'en ze zegt me na: de straat uit, dan rechts en weer rechts, en dan is het tussen Nationwide en Marks and Spencers. Daarna vroeg ik wie haar geslagen had.'

'Mevrouw Johnson, kunt u zich verder nog iets van haar herinneren? Hoe ze zich gedroeg? Was ze buiten adem? Had ze gerend? Was ze gelukkig of bedroefd? Was ze nerveus?'

De glimlach die op Oni's gezicht was verschenen verdween langzaam. Ze fronste licht en knikte weer, maar minder energiek. 'Het was net of ze door iemand werd achternagezeten,' zei ze, 'alsof ze werd opgejaagd. Ze was bang. Maar toen ze weg was heb ik om me heen gekeken, niemand die haar achtervolgde. Maar ik kan u wel zeggen dat ze heel bang was.'

'We kunnen wel uitsluiten dat ze met een helikopter is geland,' zei Wexford in de auto. 'Maar het idee heeft aantrekkelijke kanten. Ze kwam van ergens uit de buurt, Glebe Road, Glebe Lane, Lichfield Road, Belper Road...' Hij dacht even na en liet het stratenplan zijn geestesoog passeren. 'Harrow Avenue, Wantage Avenue, Ashley Grove...'

'Of van de andere kant van de terreinen bij Glebe End.'

'Wat – van Sewingbury of Mynford?'

'Waarom niet? Zover is dat niet.' Burden dacht even na. 'Bruce Snow woont in Harrow Avenue, althans daar woonde hij nog op vijf juli.'

'Ja. Maar als jij een reden kunt bedenken waarom Bruce of Carolyn Snow om halfvier 's middags een doodsbang zwart meisje in Glebe Road achterna zouden zitten, dan kun je betere scenario's schrijven dan ik. Mike, dit is maar een kleine stad, nog steeds. Ze had overal ten noorden van High Street vandaan kunnen komen, inclusief jouw huis en het mijne.'

'En dat van de Akandes,' zei Burden. 'Die schoenen – zou het zin hebben om bij schoenwinkels na te vragen of een zwarte vrouw onlangs dat soort schoenen heeft gekocht?'

'Het kan in elk geval geen kwaad,' zei Wexford, 'hoewel ze wel niet haar naam en adres voor hun verzendlijst zal hebben achtergelaten.'

'Evengoed zijn we ondanks al die nieuwe gegevens niet veel verder gekomen.'

'Toch wel. We weten nu het motief achter de aanslag op Oni. Iemand wilde niet dat wij die informatie over de Zoekende van haar zouden krijgen.'

'Waarom heeft hij het dan niet twee weken geleden gedaan?' wierp Burden tegen.

'Heel waarschijnlijk omdat hij of wie dan ook dacht dat wij nooit op Oni's spoor gezet zouden worden. Hij had zich nooit kunnen voorstellen dat we contact zouden zoeken met iemand wiens enige relatie tot de Zoekende was dat die haar toevallig op straat de weg had gevraagd. Maar afgelopen donderdag realiseerde hij zich dat hij zich had vergist. *Hij had gezien dat Karen en ik bij Thomas Proctor met Oni stonden te praten.*'

'Hij?'

'Hij of zij, of laten we zeggen, zijn of haar tussenpersoon, iemand die op de hoogte was, heeft ons gezien. De rest kon hij wel raden en hij had ongeveer een uur om naar Castlegate te gaan en daar boven aan de trap te staan wachten. We gaan een huis-aan-huisonderzoek doen, Mike. We gaan iedereen in Kingsmarkham ondervragen die ten noorden van High Street woont.'

Op het uitkeringskantoor vroegen ze zich hetzelfde af als wat Barry Vine hun enkele uren geleden had gevraagd. Maar Barry had alleen maar vermoed dat de Zoekende daar was geweest, ook al wist hij niet wanneer. Wexford was er bijna van overtuigd dat ze het gebouw was binnengekomen op maandag vijf juli, en niet later dan vier uur in de middag.

'Ze zocht werk,' zei hij tegen Ingrid.

'Dat doen ze allemaal.' Ingrid richtte de blauwe straal van haar ogen op hem en haalde lichtjes haar schouders op. '*Had* ik haar maar gezien, dat meen ik.' Hij concludeerde dat ze dat zei om hem ter wille te zijn, dat ze hem een plezier had willen doen.

'Maar ik zou het me zeker herinnerd hebben, omdat ik de volgende dag Melanie Akande had gezien. Dan zou ik gedacht hebben, hé, wat toevallig, nog een zwart meisje dat ik hier nooit eerder heb gezien.' Ze glimlachte spijtig naar hem. 'Maar ik heb haar niet gezien.'

'Ze kan bij u in de buurt hebben gewoond,' drong Wexford aan. 'In Glebe Lane of op Glebe End. Als u haar niet hier hebt gezien die dag, bent u haar dan misschien ooit tegengekomen in de buurt waar u woont? Op straat? Hebt u haar uit een raam zien kijken? In een winkel?'

Ze keek hem aan alsof ze medelijden met hem had. Hij stond voor zo'n zware opgave, hij moest al die problemen oplossen, dit karwei afmaken, en het speet haar zo voor hem... Kon ze hem maar helpen, kon ze maar door wat dan ook zijn last minder zwaar maken. Ze hield haar hoofd een klein beetje schuin, een karakteristiek gebaar. Hij bedacht wat hij gedaan zou hebben als hij vijfentwintig was geweest en hij dit meisje steeds maar weer was tegengekomen, een meisje dat in zekere zin bezet was, maar alleen in zekere zin, en hij vroeg zich af hoe hij Jeremy Lang dan op een zijspoor zou hebben gezet. Niet 'of' maar 'hoe', want hij was er zeker van dat hij dat geprobeerd zou hebben, al was het alleen maar voor die blauwste ogen ter wereld...

'Ik heb haar nog nooit gezien, nergens,' zei Ingrid. Ineens drukte ze energiek op de toetsen van haar toestel waardoor het nummer voor de volgende cliënt oplichtte.

Diep in gedachten liep Wexford door de ruimte terug langs het Banencentrum met de advertentieborden waar werkgevers hun vacatures aanboden. De meesten gaven geen bedrijfsnaam of adres op, alleen deerniswekkend lage lonen en eigenaardige functies, waarvan sommige hem volstrekt onbekend waren. Even liet hij zijn blik verstrooid langs de kaartjes glijden. Eigenlijk waren er maar weinig baantjes bij waarop iemand, hoe wanhopig ook, zou willen afgaan. Er schoot een regel door hem heen: de behoeftige aan niets beknot in vrolijkheid... Er werd een volstrekt ontoereikend salaris geboden om full-time voor drie kinderen onder de vier jaar te zorgen, en ook voor twintig uur werken in een hondenpension, gecombineerd met het huishouden voor een gezin van vijf.

Hij wist niet waarom een advertentie voor een kinderoppas (ervaring niet vereist) van ouders die voor zaken naar het buitenland moesten een belletje bij hem deed rinkelen. Maar hij wist dat zijn intuïtie hem meestal niet bedroog en zocht terug in zijn geheugen om een verbindende schakel te vinden, totdat hij buiten kwam en Burden aantrof.

De jongens die op de muur zaten, hadden van Barry Vine al de foto van de Zoekende onder ogen gekregen. 'Die andere,' zoals de korte blonde jongen Barry Vine beschreef. De jongen met de paardenstaart scheen zijn best te doen om zijn pakje met twintig sigaretten er voor lunchtijd doorheen te jagen, want er lagen elf peuken in de as rond zijn voeten. Burden hoopte dat ze nu iets meer bijzonderheden konden geven.

'Op een maandagmiddag,' zei hij. 'De eerste maandag in juli. Ongeveer vier uur.'

De kaalgeschoren jongen – vandaag droeg hij een vaalrood T-shirt met het gezicht van Michael Jackson erop – keek naar de foto en zei, alsof hij de woorden eruit moest persen, alsof ze het resultaat waren van een enorme geestelijke krachtsinspanning: 'Zou kunnen.'

'Je zou haar gezien kunnen hebben? Je hebt haar misschien het uitkeringskantoor in zien gaan?'

'Dat heeft die andere ook gevraagd. Dat bedoel ik niet. Ik heb niet gezegd dat ik haar naar binnen heb zien gaan.'

Wexford zei snel: 'Maar je hebt haar wel gezien.'

Een snelle blik naar de paardenstaart. 'Wat dacht jij, Danny? Het is alweer een tijdje terug.'

'Ik heb haar nooit gezien, man,' zei Danny, terwijl hij zijn peuk uitdrukte en hoestte. Omdat hij nu niets meer omhanden had begon hij aan de huid rond zijn vingernagels te knagen.

De blonde jongen zei: 'Ik heb haar ook nooit gezien. Jij, Rossy?'

'Zou kunnen,' zei die met het T-shirt. 'Hier aan de overkant. Ze stond een beetje te kijken. Danny en Gary waren hier ook, en nog een paar gasten, ik weet niet hoe ze heten, we zaten net als nu op de trap, maar dan met een paar meer, en zij stond daar te kijken.'

Dat had hij al eerder gezegd. Burden wist het nu weer. Aan het begin van hun onderzoek naar Melanie Akande had hij gezegd die maandag een zwart meisje te hebben gezien. 'En dat was op de vijfde juli?' vroeg hij hoopvol.

Maar hij wist niet meer of het die maandag was geweest. 'Dat weet ik niet, ik weet niet wat voor dag of om hoe laat. Het was warm, dat weet ik nog wel. Ik had mijn shirt uitgedaan om een beetje bruin te worden en dan komt dat ouwe wijf langs en zegt: zo krijg je huidkanker, jongeman. En ik zeg dat ze in haar reet kan steken, stomme ouwe trut.'

'Denk je dat dat meisje aan de overkant van plan was hier naar binnen te gaan?'

Terwijl Danny aan zijn vingers bleef kluiven, zei hij: 'Waarom is ze dan niet overgestoken? Ze hoefde alleen maar de weg over te steken.'

'Maar jij hebt haar toch niet gezien?' vroeg Burden.

'Ik? Nee, ik niet. Maar dat is toch logisch, ze hoefde alleen maar de straat over te steken.'

'En dat deed ze niet,' zei Rossy. Hij verloor zijn belangstelling. 'Geef me een peuk van je, Dan.'

Een halfuur eerder had Diana Graddon op dezelfde plek aan Vine gevraagd: 'Mag ik roken?' Ze stonden op het punt in zijn auto te stappen.

'Vindt u het erg om te wachten tot ik u naar huis heb gebracht?'

Ze haalde haar schouders op en perste haar lippen op elkaar. Hij vond het fascinerend zoals ze op Annette Bystock leek. Ze hadden zusjes kunnen zijn. Deze vrouw was een paar jaar jonger en ze was niet zo mollig als Annette, slanker, maar ze hadden hetzelfde donkere krullende haar, dezelfde uitgesproken gezichtskenmerken met de brede mond, de geprononceerde neus en de ronde, donkere ogen; alleen die van Annette waren bruin geweest en de ogen van deze vrouw waren blauwachtig grijs.

Toen hij haar naar Snow vroeg, deed ze geen poging de relatie te ontkennen, hoewel ze zich uitermate verrast toonde. 'Dat was tien jaar geleden!'

'Hebt u Annette Bystock aan hem voorgesteld?'

Ze was nog verbaasder, ongelovig. 'Hoe bent u dat te weten gekomen?'

Vine was ervaren genoeg om dit soort vragen te pareren. 'De verhouding heeft naar ik aanneem niet zo lang geduurd?'

'Een jaar,' zei Diana Graddon. 'Ik was erachter gekomen dat hij kinderen had. De jongste was nog maar drie. Gek zoals alles weer terugkomt. Ik heb er in geen jaren meer aan gedacht.'

'Maar u hebt toen niet meteen met hem gekapt?'

'We begonnen toen steeds vaker ruzie te krijgen. Hoor eens, ik was pas vijfentwintig en ik had geen zin om voor altijd 's avonds stiekem naar hem toe te sluipen, vervolgens een week geen woord van hem te horen behalve een telefoontje en daarna weer een wip en welbedankt mevrouw. Hij nam me maar een heel enkele keer mee uit. Maar ik wilde hem ook niet permanent om me heen hebben, ik dacht helemaal niet aan trouwen of zo. Ik was wel jong maar niet achterlijk. Ik zag al voor me hoe het zou zijn om met iemand samen te wonen die drie kinderen en een vrouw moest onderhouden, en een niet zo'n klein beetje jaloerse vrouw bovendien.' Ze haalde diep adem, en Vine, die voor het huis op Ladyhall Road stopte, wist niet of hij nog meer wilde horen, toen ze zei: 'Op een avond kwam hij langs toen Annette er ook was. Ik wist dat hij zou komen, hij belde altijd eerst op, maar ik dacht, ach, wat maakt het ook uit. Dan hebben we voor één keer eens een *gezellige* avond, zien we elkaar eens zonder seks te hebben, kijken hoe dat hem bevalt, hoewel ik me daar wel een voorstelling van kon maken. Gek, zoals alles weer terugkomt, hè? Annette wist niet wie hij was, of... nou ja, wat wij van elkaar waren, als u begrijpt wat ik bedoel.' Ze scheen op een onaangename gedachte te komen. 'U gelooft toch niet dat hij het heeft gedaan? Dat hij haar heeft vermoord, bedoel ik?'

Vine glimlachte. 'Zullen we naar binnen gaan, juffrouw Graddon?'

'Ja, natuurlijk.' Ze deed de deur van het slot. Helen Ringstead scheen niet thuis te zijn. Ze gingen de woonkamer in. 'Hij en Annette kenden elkaar nauwelijks. Volgens mij hebben ze elkaar sindsdien nooit meer gezien.'

Dus ze wist het niet... dacht hij geamuseerd. Hoe verachtelijk Snow ook mocht zijn, je moest hem nageven dat hij het goed voor elkaar had. Vine wilde een andere vraag stellen, maar dat hoefde al niet meer.

'Kort daarna zette hij er een punt achter. Hij zei dat zijn vrouw het te weten was gekomen. Iemand die zij kende had ons samen in een restaurant gezien bij een van die zeldzame keren dat hij me mee uit eten nam. Die vrouw had gehoord dat hij me Diana noemde. Hij heeft haar alles opgebiecht en zich aan haar genade overgeleverd, dat zei hij tenminste.'

'Was dat rond dezelfde tijd dat u Annette erop attent maakte dat die flat aan de overkant te koop stond?'

'Dat moet haast wel. Kort daarvoor was ze gescheiden. Toen waren we nog met elkaar bevriend.' Diana Graddon stak de sigaret op die Vine haar in de auto had ontzegd. Ze inhaleerde diep. 'Eigenlijk begrijp ik nog steeds niet waarom er een einde aan onze vriendschap kwam. Omdat we praktisch tegenover elkaar woonden zou je denken dat we bij elkaar in en uit liepen, maar we zijn van elkaar vervreemd, door haar toedoen, geloof ik. Ze trok zich zo'n beetje in zichzelf terug. Bovendien heeft ze volgens mij na de scheiding met Stephen geen andere vriend meer gehad. Daarom verbaast het me zo dat u Bruce verdenkt.'

Dat had hij niet gezegd. Vine verbaasde zich over Snows misleiding en bedrog. Hoe weerzinwekkend hij hem als mens ook vond, zijn listigheid dwong wel bewondering af. Hij had zijn verhouding met Diana voor Annette geheim gehouden, en zijn affaire met Annette voor Diana. En ook al had hij Diana niet voor zijn vrouw verborgen kunnen houden, hij had Carolyn wel negen jaar lang in de waan weten te laten dat haar huwelijk ongeschonden was. Had Annettes verhuizing naar Ladyhall Gardens, tegenover Diana, hem van zijn stuk gebracht? Of was dat juist de perfecte aanleiding geweest om hun relatie strikt op het niveau van een seksuele transactie te houden? Het was niet verstandig om zijn vriendin naar een restaurant mee te nemen en ook gevaarlijk om naar haar huis te gaan, dus liep hij ook niet het risico dat de relatie inniger zou worden.

Wat had hij tegen Annette gezegd? Blijf uit de buurt van Diana, want zij kent mijn vrouw? Of misschien zelfs: ze is in staat om contact met mijn vrouw op te nemen? De beste leugenaars blijven zo dicht bij de waarheid als hun leugenachtigheid hun toestaat.

'Ik bedoel, dan zou Bruce haar gekend moeten hebben,' hield Diana vol. 'Dan moet hij toch een motief hebben gehad? Gelooft u me, als hij ooit bij haar is geweest, dan had ik het gezien. Ik zag altijd iedereen die bij Annette langskwam.' Ze aarzelde en kuchte even. De sigaret trilde tussen haar vingers. 'Het is gek, maar ze fascineerde me op een of andere manier. Ik weet niet waarom. Ik weet ook niet waarom ik dat tegen u zeg, u bent immers geen psycholoog, maar een psycholoog zou misschien zeggen dat dat komt omdat ze... nou ja, omdat ze me uiteindelijk heeft afgewezen, denkt u niet?'

Vine, in navolging van Wexfords tactiek, wachtte stilzwijgend af. Hij mocht dan geen psycholoog zijn, maar hij wist hoe psychotherapeuten te werk gingen. Ze lieten de patiënt of cliënt op een sofa liggen en ze luisterden. Eén woord op het verkeerde moment kon alles bederven. Hij zou luisteren, hoewel hij niet wist wat hij moest verwachten. Maar dat had Freud ook niet geweten, dacht hij.

'Waarschijnlijk kon ik dat niet accepteren. Ik zei bij mezelf: wat verbeeldt ze zich eigenlijk, om me zo met de nek aan te kijken? Soms zag ik haar naar binnen gaan met dat knappe collegaatje van het uitkeringsbureau, en ze was ook goeie maatjes met Edwina hoe-heet-ze. Maar daar bleef het ook bij. Goed, ik heb haar nicht daar wel eens paar keer gezien, die mevrouw Winster, ik weet haar voornaam niet meer. Joan, Jean, nee, Jane. Ik heb daar nooit een man een voet over de drempel zien zetten, het was net een nonnenklooster. Het idee dat Bruce bij haar thuis zou zijn geweest is echt een lachertje.' Ze glimlachte bij die absurde veronderstelling. 'Die ouwe Bruce,' zei ze. 'Wat voert hij uit tegenwoordig? Behalve vrouwen vermoorden die hij niet kent?' De glimlach breidde zich uit tot een schaterlach.

Vine voelde de teleurstelling zwaar op zijn schouders drukken. Ze had niets bijzonders meer te vertellen. Het was voorbij. Hij overwoog haar alles te vertellen, in de hoop dat haar ongeloof, het langzame besef van de waarheid, en vervolgens de woede haar tot onthullingen zou drijven. Maar als er niets meer te onthullen viel? Terwijl hij opstond om te vertrekken, zei hij moedeloos: 'U zei dat u haar maandagavond voor het laatst hebt gezien?'

'Ja, ik was op weg naar mijn vriend in Pomfret.' Ze glimlachte hem zijdelings toe, alsof ze blij was hem te kunnen zeggen dat Snow een opvolger had. 'Het was een beetje pijnlijk, we probeerden elkaar te vermijden, maar we stonden toevallig op hetzelfde moment tegenover elkaar op straat. Ze zei hallo en ik zei hallo en toen bedacht ik dat ik mijn trui had vergeten, dus ben ik weer teruggegaan. Toen ik weer buiten kwam – nog geen twee minuten later – was zij de flat ingegaan en stond dat meisje daar voor de voordeur van Ladyhall Court. Nou, Annette moet rechtstreeks naar haar woonkamer zijn gelopen en het raam hebben opengeschoven. Ze leunde naar buiten, zag het meisje, en het meisje – ze was zwart, trouwens – liep naar het raam toe en zei iets, en dat... ja, dat was de laatste keer dat ik Annette heb gezien.'

19

Hoe kom ik naar waar ze je baantjes geven? Dit had ze in een onbegrijpelijke taal aan Oni Johnson gevraagd omdat Oni iets had
waardoor ze wist dat deze vrouw eveneens uit Nigeria kwam.

En de Zoekende had gedaan wat haar gezegd was en was in zuidelijke richting de straat uitgelopen naar High Street. Ze was
bang voor iemand die haar achternazat, maar ze was ongedeerd
bij het uitkeringskantoor aangekomen. In plaats van naar binnen te gaan, had ze aan de overkant van de straat staan wachten.
Waarom was ze niet overgestoken en naar binnen gegaan, zoals
Rossy zich al had afgevraagd?

'Mannen,' zei Wexford. 'Ze was bang voor mannen. Ja, goed, ik
weet wel dat Rossy en Danny en zijn maten voor ons niet angst-
aanjagend zijn, maar wij zijn geen zeventienjarig zwart meisje
dat bovendien vermoedelijk volslagen wereldvreemd is. Ze had
toch al een aangeboren angst en wantrouwen jegens blanken.
Een of andere man heeft haar geslagen en ze wilde het aan Oni
vertellen, maar net op dat moment wilde die auto daar parkeren. Mannen jagen vrouwen meer angst aan dan andere vrouwen. Ja, heus Mike, of je dat nou leuk vindt of niet. En daar zit
me dan dat stelletje, van wie een bijna naakt is op zijn spijkerbroek na, en blokkeert zo'n beetje de ingang. En om het nog erger te maken schreeuwt hij tegen een vrouw die hem aanspreekt
een of andere obscene opmerking, noemt haar stomme ouwe
trut – of nog erger. Wie weet waar hij haar werkelijk voor heeft
uitgescholden.'

Het huis-aan-huisonderzoek was begonnen. Met een stratenplan
van de noordkant van Kingsmarkham voor zich, begon Wexford
te beseffen hoe de stad zich had uitgebreid sinds hij hier was komen wonen. Aan de noordelijke rand waren woonwijken zo
groot als dorpen gebouwd. Binnen de stad waren huizen neerge-
haald, zoals op Ladyhill Avenue, waar voor elk een tiental kleine-

re in de plaats was gekomen, en ook nog een flatblok. Het verkiezingsdistrict waarvoor hij zijn stem uit zou brengen had ooit het hele stadje omvat; nu was het er nog maar een klein onderdeel van. Hij keek op van de kaart toen Burden zei: 'Dus de Zoekende hangt een beetje rond op de stoep aan de overkant – waarom? In de hoop dat ze weg zullen gaan?'

'Of dat iemand naar buiten zal komen. Ze moet cliënten naar binnen en naar buiten hebben zien gaan, maar niet na halfvier, weet je nog? Maandag is geen meldingsdag, en de aanvraagconsulenten hebben hun laatste afspraak om kwart over drie. Dus iedereen die om halfvijf naar buiten komt moet daar werken.'

'Wil je zeggen dat ze Annette naar haar huis is gevolgd?'

'Waarom niet?'

'Bedoel je dat ze Annette er bij toeval heeft uitgepikt?'

'Niet helemaal,' zei Wexford. 'De meeste anderen die daar werken parkeren hun auto op het terrein achter het gebouw. Die komen dus niet door de vooringang naar buiten.'

'Stanton gaat niet met de auto naar zijn werk,' protesteerde Burden. 'En Messaoud ook niet. Zijn vrouw heeft hem overdag.'

'Dat zijn mannen. De Zoekende zou nooit een man hebben gevolgd.'

'Goed dan. Ze volgt Annette door High Street, dan door Queen Street...' alsof Wexford geen stratenplan voor zich had liggen, 'door Manor Road en zo naar Ladyhall Gardens. Op dat moment ziet Diana Graddon haar. Of liever gezegd, ze ziet Annette, en wanneer ze voor de tweede keer haar huis uit komt ziet ze de Zoekende bij de voordeur van Ladyhall Court.'

'Om precies te zijn: ze ziet Annette uit het raam leunen en met de Zoekende praten. Heeft Annette haar binnengelaten? Wilde ze binnengelaten worden?'

'Annette moet haar hebben gezegd dat wanneer ze werk zocht of een uitkering wilde, ze de volgende dag, die dinsdag, naar het uitkeringskantoor moest komen. Misschien zei ze dat ze naar haar moest vragen en heeft ze haar naam opgegeven maar haar niet binnengelaten. Ze liet niet zo gemakkelijk mensen haar flat binnen.'

'Wat kan de Zoekende gezegd hebben waardoor Annette over-woog om de politie in te schakelen?'

'Denk je dat zij het was? Dat de Zoekende haar dat verteld heeft, wat het ook was? Dit was vierentwintig uur, meer dan vieren-twintig uur voordat ze op dinsdagavond met haar nicht Jane te-lefoneerde.'

'Dat weet ik, Mike. Ik speculeer maar een beetje. Bekijk het eens van deze kant. De Zoekende zei iets tegen Annette dat haar niet beviel of dat haar achterdocht wekte. Wat het is weten we niet, hoogstwaarschijnlijk hetzelfde wat ze Oni had willen vertellen over de man die haar geslagen had en misschien ook waar hij woonde. We weten wel dat de Zoekende nooit Annettes advies heeft opgevolgd om de volgende dag naar het uitkeringskantoor te gaan. Ligt het niet voor de hand dat Annette onrustig werd toen ze niet kwam opdagen? Misschien wilde ze het nog eens met de Zoekende bespreken voordat ze iets zou ondernemen. Maar tegen die tijd voelde Annette zich al niet lekker. Ze is naar huis gegaan en naar bed, was ziek genoeg om de afspraak met Snow voor de volgende dag af te zeggen, maar ook ongerust ge-noeg om haar zorgen aan haar nicht toe te vertrouwen. De reden waarom ik denk dat de Zoekende datgene vertelde wat de politie zou moeten weten is omdat ze die avond gestorven is, ze is die avond immers vermoord. Ze kon niet naar het uitkeringskan-toor komen, omdat ze dood was. En omdat ze niet kwam moet Annettes angst nog groter zijn geworden – hoewel je met dat vi-rus alleen maar aan jezelf denkt en niet aan een ander, daar kan ik van meepraten.'

'Dus op die maandagavond stuurde Annette de Zoekende ge-woon weer naar huis, waar dat ook zijn mocht?'

'Ze deed wat iedereen in die omstandigheden gedaan zou heb-ben. Ze heeft haar alleen maar aangeraden om naar het uitke-ringskantoor te komen. Tragisch genoeg kon de Zoekende ner-gens anders heen dan naar huis. We hebben geen notie van wat er vervolgens gebeurde, maar we mogen redelijkerwijs aannemen dat iemand thuis – vader, broer, echtgenoot misschien, oom, neef – haar laten we zeggen "gestraft" heeft omdat ze was weggelopen.'

'Degene die haar achtervolgde?'

'O, ja.'

'Hoe wist hij dan van Oni Johnson? Of van Annette?'

'Ze zal het hem wel gezegd hebben, denk je niet?'

Burden keek alsof hij graag gevraagd zou hebben waarom, maar vroeg: 'Tegen wie? Haar vader? Haar broer? Echtgenoot? Vriend?'

'Het moet de echtgenoot of de vriend zijn geweest. We kennen nu alle zwarte mensen hier, Mike, we hebben ze allemaal opgespoord en met ze gesproken. Misschien had ze wel een vriend die blank is.'

Al die tijd had Wexford onder het praten aan dokter Akande moeten denken. Soms leek het wel of alle wegen terugleidden naar de Akandes, of dat hij op iedere weg die hij insloeg een van de Akandes tegenkwam. Hij nam de telefoon op en vroeg Pemberton naar boven te komen.

'Bill, ik wil dat je zoveel mogelijk te weten komt over de familie van Kimberley Pearson.'

Pemberton probeerde zijn onbegrip te verdoezelen, maar slaagde er niet in. 'De vriendin van Zack Nelson,' zei Burden.

'O ja, natuurlijk. Ouders en zo bedoelt u? Waar wonen die?'

'Dat weet ik niet, geen idee, ergens binnen een straal van dertig kilometer zeg maar. Er is, nee, er was ook een grootmoeder. Ik wil weten waar ze woonde en wanneer ze gestorven is. Kimberley mag het niet weten, die mag hier niet het flauwste vermoeden van krijgen.'

Met een plotseling inzicht dat Wexford aangenaam verraste, zei Pemberton: 'Denkt u dat Kimberley's leven gevaar loopt, meneer? Is zij het volgende meisje op wie hij het voorzien heeft?'

Langzaam zei Wexford: 'Niet als we uit haar buurt blijven. Niet als hij – of zij – denkt dat wij met haar klaar zijn. Ik ga terug naar het ziekenhuis om nog eens met Oni te praten.' Denkend aan de beschuldiging van Freeborn voegde hij eraan toe: 'Maar ik ga niet via Stowerton High Street, ik maak wel een omweg.'

Mhonum Ling was er ook. Als er een wedstrijd zou worden gehouden voor de meest opgedirkte vrouw van Kingsmarkham, dacht Wexford, dan zou het een zware strijd worden tussen Oni's zuster en Anouk Khoori. Mhonums lange roze rok liet nog net de met sierstenen bedekte schoenen zien. Het T-shirt dat ze aanhad was bedekt met lovertjes. Hij hield Oni's hand even vast en zij schonk hem haar allerbreedste glimlach.

'We moeten weer helemaal van voren af aan beginnen,' zei hij.

Ze trok een quasi-afkerig gezicht, maar hij wist dat ze het helemaal niet erg vond. Raffy kwam naar binnen met een gettoblaster bij zich die goddank niet aanstond. Aan Wexford was hij inmiddels gewend, maar zijn tante keek hij aan alsof ze een loslopende leeuwin was. Toen Oni herhaalde wat de Zoekende in het Yoruba had gezegd, haalde Mhonum haar schouders op en keek naar Raffy, die ze met een monsterende blik van top tot teen opnam.

'Toen ze uit het zicht was verdwenen,' zei Wexford, 'kwamen de kinderen toen naar buiten? Of waren er voordien al veel ouders gearriveerd?'

'De moeders en vaders, meestal moeders, zijn er vijf of tien minuten voordat de kinderen uit school komen. De moeder die haar auto vlak voor me wilde parkeren en die ik verderop heb gestuurd, was de eerste. Daarna kwamen de anderen.'

'Ik wil graag dat u hier goed over nadenkt, mevrouw Johnson. Had u de indruk dat ze bij u wegrende omdat ze bang was dat *een van de ouders haar zou zien?*'

Oni Johnson probeerde het zich te herinneren. Ze kneep haar ogen stijf dicht om zich beter te kunnen concentreren. Mhonum Ling zei: 'Weet u al wie het is?'

'Nog niet, mevrouw Ling.'

'Waarom heb je die radio meegebracht, Raffy?' zei ze tegen haar neef, en zonder op antwoord te wachten: 'Ga jij eens naar beneden om uit de automaat een Fanta light voor je tante en je moeder te halen.' Ze haalde een handvol kleingeld uit haar roze leren tas. 'En neem zelf maar een cola, kom jongen, schiet op.'

Terwijl ze haar ogen weer opende, zei Oni: 'Nee, ik weet het niet. Ik heb het nooit geweten. Ze was bang, ze had haast, ik weet niet waar ze bang voor was.'

Hij liep de trap af terwijl de jongen zwijgend voor hem uit ging.

Raffy stopte bij de frisdrankautomaat, keek wanhopig naar de toetsen en de plaatjes erboven. Cola light wist hij er wel uit te halen, maar Fanta was een probleem. Wexford stak zijn vinger uit toen hij langs hem heen liep, drukte de juiste toets in en liep naar buiten naar het parkeerterrein. Minstens honderd auto's waren er sinds zijn aankomst gearriveerd. Hij dacht eraan dat hij de commissaris en nog een heleboel anderen had gezegd dat de zaak aan het eind van deze week opgelost zou zijn. Maar de week was nog jong, dacht hij, het was pas dinsdag.

Toen hij door de ziekenhuispoort de rotonde opreed, nam hij bijna de eerste afslag. Hij herinnerde zich dat hij High Street moest vermijden en reed door naar de derde. Misschien overdreef hij een beetje. Hij werd door niemand achtervolgd, hij was trouwens helemaal niet van plan om voor Clifton Court te stoppen en nog minder om bij Kimberley Pearson langs te gaan, maar toch nam hij de derde afslag. Hij mocht dan Oni Johnsons leven hebben gered, hij had het eerst wel verschrikkelijk in gevaar gebracht.

Deze omweg bracht hem over Charteris Road en op Sparta Grove. Hij was niet meer in die straat geweest sinds die jongetjes van Epson daar waren weggehaald, en hij was er alleen maar gekomen om iets in de tv-camera's te zeggen over ouders die op vakantie gingen en hun kinderen thuis onverzorgd achterlieten. Nu probeerde hij zich te herinneren welke woning in dit rijtje van drie verdiepingen hoge Victoriaanse huizen de hunne was. Het was bepaald geen armoedig huis, de Epsons waren helemaal niet arm; als ze hun kinderen niet mee wilden nemen hadden ze makkelijk een oppas kunnen betalen.

Hij reed langzaam. Voor hem uit kwam een man uit een van de huizen naar buiten, deed de deur achter zich in het slot en stapte een roze auto in die aan de stoeprand geparkeerd stond. Wexford zette de wagen langs de kant en draaide het contact uit. De man was jong, groot en zwaar gebouwd, met blond haar. Hij stond met zijn rug naar Wexford toe, zodat deze zijn gezicht niet kon zien. Epson was het niet. Daarvoor was hij te jong, en bovendien was Epson zwart, een Jamaicaan.

De wagen trok op, reed met grote snelheid weg en scheurde de hoek om naar Charteris Road. Hij had de man in die auto kort geleden nog gezien en hij had het gevoel dat het onder onprettige omstandigheden was geweest, waardoor hij de gedachte eraan had proberen te vermijden. Dat moest de reden zijn dat hij het zich niet kon herinneren.

Hij zat er nog een paar minuten over na te denken, maar zijn geheugen liet hem in de steek. De weg naar huis leidde over het industrieterrein, een grimmig en verlaten gebied waar de helft van de fabrieken was dichtgetimmerd of te huur stond. Een smal landweggetje voerde terug naar Kingsmarkham Road en tien minuten later was hij in zijn eigen huis.

In het verleden had hij direct of indirect via Sheila vaak antwoord gevonden op vragen die hem bezighielden; door een opmerking die ze maakte, of door haar nieuwste interessegebied of hartstocht, of door iets dat ze hem te lezen had gegeven. Dat had hem vaak op het juiste spoor gezet. Hij had haar nu nodig, een paar opmerkingen, een aanwijzing.

Maar het was zijn andere dochter die deze avond op bezoek was, samen met Ben en Robin. Ze had met Neil afgesproken dat hij na zijn banenclubbijeenkomst naar het huis van haar ouders zou komen. Haar toegeeflijke moeder had hen allen voor het eten uitgenodigd. Wexford bedacht hoe verschrikkelijk Sylvia het zou vinden als ze wist dat hij haar, ook al was het bij zichzelf, 'zijn andere dochter' zou noemen. Geen enkele vader deed zo zijn best zijn voorkeur niet te laten blijken, en geen enkele vader, bedacht hij, legde het daarbij zo glansrijk af. Zodra hij de deur was binnengekomen had hij geweten dat hij Sheila niet moest bellen terwijl Sylvia in de buurt was.

Het was een warme avond. Ze zaten in de tuin rond de tafel onder de parasol. Sylvia's voorstel om daar te eten werd – onvermijdelijk – begroet met de favoriete uitdrukking van haar oudste zoon.

'*Mushk eler.*'

'Nou, voor mij is het wel een probleem,' zei Wexford. 'Je weet best dat ik er een hekel aan heb om buiten te eten, met al die muggen. Voor picknicken geldt hetzelfde.'

De jongens en hun grootmoeder raakten daarop in een discussie verwikkeld over de voors en tegens van picknicken. Sylvia liet dit aan zich voorbijgaan. Achterovergeleund in haar stoel, met haar ogen half gesloten, begon ze te praten over haar nieuwe cursus, hoe de aanpak totaal was veranderd sinds haar studie sociale wetenschappen, hoe nu de nadruk op mensen werd gelegd, op de menselijke interactie, op menselijk vermogen, op persoonlijke intermenselijke afhankelijkheid... Belachelijk, dacht Wexford, dat hij Sheila zelfs niet stiekem durfde te bellen, dat hij bang was het antwoordapparaat te krijgen en ze een paar uur later terug zou bellen. Wanneer zouden Sylvia en haar gezin weer opstappen? Voorlopig niet. Neil werd pas over een uur verwacht.

Dora nam de jongens mee het huis in. Robin moest de tafel dekken, zei ze. De gebruikelijke reactie bleef uit, waarschijnlijk omdat dit wél een probleem was.

'Wil je wat drinken?' vroeg hij aan Sylvia, zowel om haar monoloog te onderbreken als omdat hij zelf trek had in een borrel.

'Mineraalwater. We zullen vooral depressies en angststoornissen behandelen. Maar je krijgt onvermijdelijk met huiselijk geweld te maken en je moet je constant realiseren dat discretie noodzakelijk is voor een vertrouwelijke relatie met de cliënt. We moeten steun zoeken bij elkaar, maar eerst...'

Toen Wexford terugkwam met haar glas water en zijn biertje praatte ze nog steeds. Ze had het nu over sterke mensen die lichamelijk geweld gebruikten tegen de zwakkeren. Door haar nu bijna helemaal gesloten oogleden staarde ze naar de blauwe zomerlucht.

'Waarom doen ze dat?' zei Wexford.

Hij had haar gedachtenstroom onderbroken. Ze deed haar ogen open en keek hem aan. 'Doen ze wat?'

'Mannen die hun vrouwen aftuigen, ouders die hun kinderen mishandelen.'

'Vraag je dat echt aan mij? Wil je dat werkelijk weten?'

Die reactie bracht een pijnlijke steek van schuldgevoel bij hem teweeg. Kennelijk was ze verbaasd dat hij iets van haar wilde weten. Ze praatte om zich te laten gelden, niet om het gesprek gaande te houden, niet om informatie te geven, maar om zich te bewijzen. Nu klonk het alsof hij het echt wilde weten. En zij klonk ongelovig – vraag je dat aan míj?

Het liefst had hij een uitvlucht verzonnen en Sheila opgebeld. Maar hij zei: 'Dat wil ik graag weten.'

Ze gaf niet rechtstreeks antwoord. 'Heb je wel eens gehoord van Benjamin Rush?'

'Nee, ik dacht het niet.'

'Hij was de decaan van de medische faculteit van de universiteit van Pennsylvania. Bijna tweehonderd jaar geleden dan. Hij wordt beschouwd als de grondlegger van de Amerikaanse psychiatrie. Natuurlijk bestond er toen nog slavernij in de Verenigde Staten. Rush beweerde onder andere dat alle misdaad voortkomt uit ziekte en ook dat het niet geloven in God een psychische afwijking was.'

'Wat heeft dat met lichamelijk geweld te maken?'

'Kijk, waarschijnlijk heb je daar nooit van gehoord, pap. Rush had ook een soort leer ontwikkeld die hij de Zwartheidstheorie noemde. Hij geloofde dat zwart zijn een ziekte was. Zwarte mensen leden aan aangeboren melaatsheid, maar in zo'n lichte mate dat huidkleuring het enige symptoom was. Begrijp je wat zo'n theorie betekent? Het is een rechtvaardiging om iemand seksueel en maatschappelijk vogelvrij te verklaren. Zo'n theorie verschaft je een reden om mensen te mishandelen.'

'Wacht even,' zei Wexford. 'Je bedoelt dat je lichamelijk geweld wilt gebruiken tegen iemand die medelijden bij je oproept? Dat lijkt me wel heel moeilijk te rijmen. Dat is in strijd met alles wat het maatschappelijk fatsoen voorschrijft.'

'Nee, luister. Je *maakt* iemand tot onderwerp van – niet zozeer medelijden, maar meer van zwakheid, ziekte, domheid, onbruikbaarheid, begrijp je? Je slaat ze omdat ze dom zijn en vanwege hun onmacht om terug te slaan, en nadat je ze hebt geslagen, nadat je ze een stempel hebt opgedrukt, vind je ze nog afstotelijker, nog dommer, nog lelijker. En zij worden bang en kruipen in hun schulp. Nee, leuk is het niet, maar je vroeg ernaar.'

'Ga verder,' zei hij.

'Dan heb je iemand die bang is, dom, misschien wel gehandicapt, tot zwijgen gebracht, nog afstotelijker gemaakt. En wat doe je met iemand die het niet waard is om goed behandeld te worden? Je behandelt ze slecht omdat ze niet beter verdienen. Denk eens aan arme kleine stakkertjes van wie niemand wat wil weten omdat ze onder het vuil zitten, onder het snot en onder de stront, en die eeuwig aan het huilen zijn. Je slaat ze omdat het lastig ongedierte is, het zijn *Untermenschen*. Het enige waar ze voor deugen is om geslagen te worden, om nog verder af te zakken.'

Hij zweeg. Ze vatte zijn stilzwijgen op als een teken dat hij geschokt was, niet door de inhoud van haar woorden, maar omdat zij ze had uitgesproken. Snel voegde ze eraan toe: 'Pap, het is afschuwelijk, ik weet het, maar ik moet me met dit soort dingen bezighouden, ik moet proberen zowel iets van de dader als van het slachtoffer te begrijpen.'

'Nee,' zei hij, 'daar gaat het me niet om, dat weet ik ook wel. Ik ben politieman, weet je nog? Ik werd getroffen door iets anders wat je zei, één woord, ik weet het niet meer...'

'*Untermenschen*? Onbruikbaarheid?'

'Nee, ik kom er wel weer op.' Hij stond op. 'Dank je wel, Sylvia. Je hebt er geen idee van hoe goed je me hebt geholpen.' Haar blik sloot hij in zijn hart. Even leek ze op haar zoon Ben. Hij boog zich voorover en kuste haar op het voorhoofd. 'Ik weet het alweer,' zei hij, half tegen zichzelf, 'ik weet weer wat het was.'

Boven, op het nachtkastje, lagen de nog ongelezen foldertjes en brochures die Sheila hem had gestuurd en die informatie gaven over haar nieuwste passie. Hij zou ze lezen zodra Sylvia vertrokken was. Maar hij had zich ook iets herinnerd over de man die uit het huis van de Epsons was gekomen en die in hun auto had gereden. Hij had zijn gezicht niet gezien. Ook niet toen hij achter het stuur had gezeten en de kleine jongen uit de Thomas Proctor-school was gekomen en in de auto was gestapt.

Wexford zag dat jongetje heel duidelijk voor zich: een lichtbruine jongen met bruin, krullend haar, die de zoon van die man had kunnen zijn als de moeder zwart was geweest en de man hem verwekt had toen hij zelf nog een jongen was.

Was dit de man voor wie de Zoekende twee weken geleden op de vlucht was geweest?

Nee, dacht Wexford, dat was helemaal niet het geval...

20

Het dagelijkse bezoek aan de Akandes moest maar uitgesteld worden. Als Wexfords vermoeden juist was, dan wilde hij hen nu liever niet onder ogen komen. En wat had hij hun te zeggen? Zelfs de gebruikelijke beleefdheden over het weer en hun gezondheid zouden gekunsteld klinken. Hij dacht eraan hoe hij had geprobeerd hen op het ergste voor te bereiden, duidelijk te maken dat er geen hoop was, en hij dacht aan het optimisme van Akande dat de ene dag kon oplaaien en de volgende dag weer vervlogen kon zijn.

Hij reed zelf naar het bureau. Toen hij langs het huis van de Akandes kwam hield hij zijn ogen op de weg voor hem gericht. Er lagen rapporten op hem te wachten over het huis-aan-huis-onderzoek, maar ze waren allemaal negatief, ze hadden niet meer opgeleverd dan de ontdekking dat de mensen van wie je het het minst verwachtte racistische opvattingen hadden, terwijl je onvermoede ruimdenkendheid aantrof bij mensen van wie je je op vooroordelen had voorbereid. De mens viel werkelijk niet te kennen. Malahyde, Pemberton, Archbold en Donaldson zouden er de hele dag mee doorgaan: aanbellen, de foto laten zien, vragen stellen. Als Kingsmarkham niets opleverde, zouden ze met de dorpen beginnen, met Mynford, Myfleet en Cheriton.

Wexford nam Barry Vine mee naar Stowerton. Ze vermeden High Street en reden via Waterford Avenue waar de commissaris woonde en waar ze al in Stowerton waren, niet ver van Sparta Grove. Wexford glimlachte bij zichzelf terwijl ze langs Freeborns huis reden en hij bedacht hoe deze... nou ja, samenzwering zich eigenlijk vlak onder Freeborns neus had afgespeeld.

De roze auto stond op straat geparkeerd, op dezelfde plaats waar hij de vorige avond had gestaan. In het zonnige ochtendlicht zag hij er buitengewoon smerig uit. Iemand had met zijn vinger in het vuil op de kofferbak geschreven: 'Ik wil gewassen worden'.

Nergens in het huis was een raam geopend. Het leek of er niemand thuis was – maar de auto stond er wel.

De bel was kapot. Vine bonkte stevig met de klopper en merkte op, terwijl hij naar de dichte slaapkamerramen keek, dat negen uur 's morgens voor sommige mensen vroeg was. Hij klopte weer en wilde net door de brievenbus roepen toen boven een schuifraam werd geopend en de man die Wexford de vorige avond van achteren had gezien en niet had kunnen thuisbrengen, zijn hoofd naar buiten stak. Het was Christopher Riding.

'Politie,' zei Wexford. 'Kent u me nog?'

'Moet dat dan?'

'Hoofdinspecteur Wexford, politie Kingsmarkham. Komt u beneden en laat u ons binnen, alstublieft.'

Ze wachtten een hele tijd. Ze hoorden geschuifel en het geluid van een glazen voorwerp dat op de grond kapotviel. Een gedempte reeks vloeken werd gevolgd door een doffe slag. Vine stelde verlangend voor om de deur maar in te trappen.

'Nee, daar komt hij al.'

De deur werd behoedzaam geopend. Een kind van een jaar of vier stak zijn hoofd naar buiten en giechelde. Het werd resoluut naar achteren getrokken en daar stond de man wiens gezicht bij het raam was verschenen. Hij droeg een korte broek en een dikke, smerige Aran-trui. Hij had niets aan zijn voeten.

'Wat wilt u?'

'Binnenkomen.'

'Dan moet u met een huiszoekingsbevel komen,' zei Christopher Riding, 'anders laat ik u niet binnen. Dit huis is niet van mij.'

'Nee, het is van meneer en mevrouw Epson. Waar zijn ze deze keer heen? Lanzarote?'

Hij was even van zijn stuk gebracht en deed een stap terug. Wexford, die dan wel niet zo jong was als hij maar net iets langer, duwde hem met zijn elleboog opzij en schoof langs hem heen naar binnen. Vine liep achter hem aan terwijl hij Ridings afwerende hand van zich af sloeg. Het kind begon te huilen.

Het huis had een heleboel kleine kamers, met in het midden een steile trap naar boven. Halverwege de trap stond een ouder kind dat een smoezelig speelgoedbeest in zijn hand op de grond liet afhangen. Het was het bruine jongetje met het krullende haar dat Wexford uit de school had zien komen. Toen hij Wexford de trap op zag komen, draaide hij zich om en rende naar boven. Achter een gesloten deur hoorde hij een radio. Zachtjes deed Wexford de deur open. Op de grond zat een meisje op haar knieën glasscherven op te vegen – ongetwijfeld van het voorwerp dat ze hadden horen vallen – die ze op een opgevouwen krant legde. Ze draaide haar hoofd om toen hij zijn keel schraapte, sprong overeind en gaf een gil.

'Goedemorgen,' zei Wexford. 'Melanie Akande, naar ik aanneem?'

Zijn kalmte verloochende zijn werkelijke gevoelens. De enorme opluchting dat ze hier levend en wel voor hem stond voerde een hevige strijd met woede en ook een verschrikkelijke angst vanwege haar ouders. Stel dat Sheila zoiets had gedaan? Hoe zou hij zich voelen als zijn dochter zoiets had gedaan?

Christopher Riding leunde tegen de haard met een cynische, bijna geamuseerde uitdrukking op zijn gezicht. Nadat ze hem eerst had aangekeken alsof ze in huilen zou uitbarsten, had Melanie haar tranen kunnen bedwingen. Haar hele houding drukte wanhoop uit. Van schrik had ze haar vinger aan een van de glasscherven gesneden, het bloed druppelde op haar blote voeten. Van boven klonk het gehuil van een van de kinderen.

'Ga even kijken, ja?' zei Melanie tegen Riding, alsof ze al jaren getrouwd waren en niet bepaald gelukkig.

'Christus.'

Riding haalde met een dramatisch gebaar zijn schouders op. De kleinste jongen klampte zich vast aan zijn been en verborg zijn gezicht in zijn knieholte. Christopher liep de kamer uit terwijl het kind zich achter hem aan liet slepen en smeet de deur dicht.

'Waar zijn meneer en mevrouw Epson?' vroeg Wexford.

'Op Sicilië. Ze komen vanavond terug.'

'En wat was je dan van plan?'

Ze zuchtte. 'Ik weet het niet.' Bij het zien van haar vinger kwamen er weer tranen in haar ogen. Ze wikkelde er een tissue omheen. 'Vragen of ik kan blijven, denk ik. Ik weet het niet. Op straat slapen desnoods.'

Ze droeg precies dezelfde kleren als die ze volgens het opsporingsformulier had aangehad op de dag dat ze was verdwenen: een spijkerbroek, een witte blouse en een lang vest met borduurwerk. Uit haar gezicht viel op te maken dat ze hoogst ongelukkig was met het leven dat ze nu leidde.

'Wil je hier met me praten of zullen we naar het politiebureau gaan?'

'Ik kan moeilijk de kinderen alleen laten, wel?'

Wexford dacht even na. Natuurlijk kon ze de kinderen niet alleen laten. De kinderen van Epson waren geregistreerd bij de sociale dienst sinds hun ouders voorwaardelijke gevangenisstraffen hadden gekregen omdat ze hen een week alleen thuis hadden gelaten. Maar hij voelde er weinig voor om iemand van de kinderbescherming in te schakelen, een machtiging in orde te laten maken en de hele machinerie in beweging te zetten alleen om Melanie Akande een dag mee te kunnen nemen. Waarschijnlijk waren de Epsons behoorlijk geschrokken van wat er de vorige keer gebeurd was en hadden ze haar min of meer keurig in dienst genomen om voor hun twee zoontjes te zorgen.

'Wat heb je gedaan? Gereageerd op een advertentie in het Banencentrum?'

Melanie knikte. 'Mevrouw Epson was daar ook, ze zei dat ik maar Fiona moest zeggen. Ik had me net ingeschreven en toen ben ik nog even naar het banengedeelte gelopen. Zij stond toen bij dat bord met advertenties voor kinderoppas en verzorgsters en zo. Ik had nooit aan dat soort werk gedacht, maar ik stond ernaar te kijken en zij vroeg of ik drie weken voor haar wilde oppassen. Nou ja, ik weet ook wel dat je niet moet ingaan op baantjes die je op die manier worden aangeboden in verband met seksuele intimiteiten en zo, maar zij was een vrouw. Ze zei: waarom ga je niet even mee kijken, dus ik ben met haar meegegaan. Haar auto stond op de parkeerplaats en toen zijn we door de zijdeur naar buiten gegaan naar de auto die u hier buiten hebt zien staan.'

'Daarom hebben die jongens je nooit naar buiten zien komen,' zei Vine.

'Dat zal dan wel.' Ze scheen plotseling iets te bedenken. 'Hebben mijn ouders me gezocht?'

'Het hele land is naar je op zoek geweest,' zei Vine. 'Heb je geen kranten gelezen? Geen tv gekeken?'

'De tv is kapot en we wisten niet wie hem moest repareren. Ik heb geen krant gelezen.'

'Je moeder dacht eerst dat je bij Euan Sinclair was,' zei Wexford. 'Tenminste, daar was ze bang voor. Daarna dacht ze dat je dood was. Dus mevrouw Epson heeft je hierheen gebracht. Zomaar? Heeft ze niet gevraagd of je eerst naar huis wilde om wat spullen op te halen?'

'Ze gingen de volgende dag al weg. Ze hadden al min of meer besloten dat de kinderen dan maar mee moesten. Ik snap best dat ze daar geen zin in hadden. Het zijn onhandelbare jongetjes.'

'Vind je het gek,' zei Vine, de gewetensvolle vader.

Melanie haalde haar schouders op. 'Ik zei tegen Fiona dat ik wel kon blijven als ze wilde. Ik had wat spullen bij me, ziet u... nou ja, wat ik nodig had om bij Laurel te logeren. Maar daar wilde ik niet heen. Eerst had ik een afspraak met Euan, maar ik had geen zin om weer naar al die leugens te moeten luisteren. Ik wilde graag in dit huis blijven, tenminste, dat dacht ik. Dan kon ik zelf wat geld verdienen, nu eens niet geld van een beurs of *zakgeld* van mijn vader. Ik dacht dat ik een tijdje alleen kon zijn, en dat wilde ik graag, een beetje op mezelf zijn. Maar dat ben je nooit met kinderen om je heen.'

'Was Christopher Riding al die tijd bij je?'

'Nee. Ik kende hem toen nog niet zo goed. Hij kwam pas na ongeveer een week. Ik was er bijna mee opgehouden, die kinderen zijn zo verschrikkelijk, ik moest de oudste naar school brengen, vandaar dat ik hun auto mocht gebruiken. Chris heeft me daar gezien, hij herkende me en toen... is hij me naar hier gevolgd.'

Nadat ze daar ongeveer een week was geweest, dacht Wexford. Dat moest de dag of de dag daarop zijn dat hij Christopher

Riding naar Melanie Akande had gevraagd. In elk geval had hij toen de waarheid gesproken.

Melanie zei: 'Hij vond het hele gedoe wel gràppig, het intrigeerde hem wel. Hij is zo'n beetje gebleven.' Ze wendde haar blik af. 'Ik bedoel, hij kwam me met de kinderen helpen. Ze zijn echt vreselijk.'

'Ben jij dan zo'n lieverdje, Melanie?' zei Vine. 'Ben jij zo'n lekkere dochter als je spoorloos verdwijnt zonder een woord tegen je ouders te zeggen? Ze te laten denken dat je dood bent? Dat je vermoord bent?'

'Dat hebben ze niet gedacht!'

'Natuurlijk wel. Waarom heb je ze niet één keertje opgebeld?'

Ze zweeg en keek naar de met bloed doordrenkte tissue om haar vinger. Wexford dacht aan al de mensen die haar gezien moesten hebben en niets ondernomen hadden, omdat ze altijd twee kinderen bij zich had die zij voor de hare hielden. Of ze hadden haar met Riding en de kinderen gezien en hadden aangenomen dat hij de vader was. Wexford had gemeend dat het niet moeilijk moest zijn om een zwart meisje op te sporen omdat zwarte mensen hier zeldzaam waren, maar het tegendeel was waar. Dat was juist de reden dat ze haar niet herkend hadden.

'Die zouden niet gewild hebben dat ik hier bleef,' zei Melanie op fluistertoon. Ze keek even ongelukkig naar Christopher, die de kamer weer was binnengekomen. 'Mijn moeder zou het een dienstbodenbaantje hebben genoemd. Mijn vader zou direct hiernaartoe zijn gekomen om me naar huis te brengen.' Ze begon harder te praten, er kwam iets hysterisch in haar stem. 'U hebt er geen idee van hoe het bij mij thuis is. Dat weet niemand.' Ze keek verbitterd naar Christopher. 'En ik kom daar niet weg zolang ik geen baan heb en een... een dak boven mijn hoofd.'

Om de een of andere reden vroeg ze aan Wexford: 'Kan ik u even alleen spreken? Heel even maar?'

Een hartverscheurend geschreeuw deed hun adem stokken. Het kwam van boven, maar het had in de kamer beneden kunnen zijn. De schreeuw werd gevolgd door een daverende slag. Melanie gilde: 'O God!' en 'Ga kijken wat hij uitspookt, Chris, *alsjeblieft*.'

'Ga zelf maar,' zei Christopher lachend.

'Ik kan nu niet weg, ik moet hier blijven.'

'Godallemachtig, ik heb er genoeg van. Ik snap niet waarom ik hier ooit aan ben begonnen.'

'Ik wel!'

'De lol is er nou toch af.'

'Ik ga wel,' zei Barry Vine op streng vermanende toon.

Wexford zei tegen Melanie: 'We gaan even naar een andere kamer.'

Het was een nogal kale ruimte die niet in gebruik scheen te zijn, met een eettafel waar stoelen omheen stonden en een fiets die in een hoek stond. Het groene rolgordijn voor het raam was neergelaten.

'Wat wilde je me zeggen?'

'Misschien neem ik een baby,' zei ze, 'dan krijg ik wel woonruimte toegewezen.'

'Veel meer dan een pension met logies en ontbijt zal dat niet zijn.'

'Dat is nog altijd beter dan Ollerton Avenue.'

'Echt? Wat is daar zo erg aan?'

Plotseling ontspande ze zich. Ze legde haar ellebogen op tafel en keek hem samenzweerderig aan, alsof ze samen een geheim hadden. Haar scheve glimlach maakte haar buitengewoon aantrekkelijk. Ze was ineens mooi en ontwapenend. 'U hebt geen idee,' zei ze. 'U kunt zich niet voorstellen hoe ze werkelijk zijn. U ziet alleen de vriendelijke, hardwerkende huisarts en zijn mooie, efficiënte vrouw. Maar het zijn twee fanaten, ze zijn maniakaal.'

'In welk opzicht?'

'Ze zijn vermoedelijk beter opgeleid dan wie dan ook in deze stad. Dat om te beginnen. Mijn moeder heeft een graad gehaald in de natuurwetenschappen voordat ze de verpleging inging, en als verpleegster is ze zo bekwaam als je maar zijn kan. Ze heeft zowat *alles* gestudeerd. Medicijnen, psychiatrie, je kunt het zo gek niet opnoemen. Toen Patrick en ik klein waren, was ze nooit thuis, ze was altijd weg om nog meer diploma's te halen. Onze oma's en tantes hebben voor ons gezorgd. Mijn vader mag dan een gewone huisarts zijn, maar hij is ook nog chirurg, hij is lid van het Koninklijk Genootschap van Chirurgen en gespecialiseerd in van alles en nog wat, die kan echt wel wat meer dan een blindedarm weghalen. Die zou even makkelijk net zo goed zijn als Chris zijn vader.'

'En ze hadden ook ambitieuze plannen met jou?'

'Dat is zwak uitgedrukt,' zei Melanie. 'Weet u hoe ze dat soort mensen noemen? De Zwarte Elite. De zwarte crème de la crème. Nog voor we tien jaar waren hadden ze onze toekomst al helemaal uitgestippeld. Patrick moest de grote medisch specialist worden, liefst hersenchirurg – ja, heus, dat meenden ze serieus. En hij vindt het best, dat wil hij ook graag, hij gaat ook die richting uit. Maar ik? Ik ben niet zo briljant, ik ben de gewone middelmaat. Ik hou van zingen en dansen, dus heb ik daar een opleiding voor gevolgd, maar mijn ouders vonden het *verschrikkelijk* omdat de meeste zwarte vrouwen daarmee succes hebben. Ze waren blij dat ik geen baan kon krijgen, dan kon ik thuis blijven wonen en een andere studie volgen. Of ik moest overdag een baan op kantoor hebben en 's avonds bedrijfseconomie studeren, dan *hoefde ik niet thuis te blijven*. Ze praten alleen maar over carrières, opleidingen, afstuderen en promoties. Ze zijn te beschaafd om het met zoveel woorden te zeggen, maar ze zijn apetrots dat de mensen die niet naast ons wilden wonen van school zijn gegaan toen ze zestien waren. Dus ze dachten dat ik weer terug was bij Euan?' Er kwam een verbitterde trek om haar mond. 'Misschien doe ik dat wel. Ik kan moeilijk een baby krijgen zonder man, niet? Met Chris wilde ik niet, hoewel dat het enige was waar hij op uit was, wat hij ook mag zeggen. Hij wil me alleen maar omdat ik zwart ben. Romantisch type, hè? Ik heb hem van me af moeten slaan.'

'Je ouders mogen niet langer in onzekerheid worden gelaten, geen minuut meer. Ze hebben heel wat doorgemaakt. Wat ze ook gedaan hebben, dit hebben ze niet verdiend. Ze hebben zo'n intens verdriet. Je vader heeft veel gewicht verloren en lijkt wel een oude man geworden, maar toch zijn ze gewoon doorgegaan met hun werk...'

'Zij wel.'

'Ik zal ze zeggen dat je in veiligheid bent, maar dan moet je direct naar ze toe. Neem de kinderen maar mee, er zit niets anders op.'

Hij dacht aan alle tijd die de politie hieraan had besteed, alle inspanningen, wat het niet allemaal gekost had, de ellende, de pijn, de beschuldigingen, zijn zelfbeschuldigingen en zelfrechtvaardiging. Haar broer had er zelfs zijn reis door Azië voor onderbroken. Toch, hoe weekhartig en sentimenteel het ook mocht zijn, voelde hij medelijden met haar. 'Hoe laat komen de Epsons thuis?'

'Ze zei om negen of tien uur.'

'We sturen om zes uur een auto naar je toe.' Hij stond op om te vertrekken toen hem iets te binnen schoot. 'De ene dienst is de andere waard. Ik wil nog een keer met je praten, goed?'

'Oké.'

'Ik neem aan dat jij die keer de telefoon hebt aangenomen toen een van onze mensen naar dat dode meisje informeerde?'

Ze knikte. 'Ik ben er erg van geschrokken. Ik dacht dat dat het einde zou zijn.'

'Vergeet niet wat aan die vinger te doen. Zijn er pleisters in huis?'

'Duizenden. Dat moet wel. Die kinderen verwonden zichzelf en anderen aan één stuk door.'

Er lagen twee rapporten van Pemberton op zijn bureau te wachten. Het eerste vertelde hem dat de schoenwinkel die zwarte canvas halfhoge laarzen verkocht er een nauwkeurige boekhouding op na hield. De afgelopen zes maanden waren er zes paar verkocht. Een verkoopster herinnerde zich dat ze een paar aan John Ling had verkocht. Ze kende hem omdat hij Chinees was, van wie er maar twee in de stad woonden. Ze had ook een paar verkocht aan iemand die ze omschreef als een zwerfster die met twee uitpuilende plastic tassen de winkel was binnengekomen en er had uitgezien alsof ze op straat sliep. De andere kopers kon ze zich niet herinneren. Wexford keek even snel door het tweede rapport en zei: 'Vraag of Pemberton even hier komt.'

Met de telefoon in zijn hand zei Burden: 'Je bent helemaal rood geworden.'

'Dat is van de opwinding. Moet je dit horen: Kimberley Pearsons grootmoeder stierf begin juni maar heeft geen geld nagelaten en al helemaal geen onroerend goed. Ze woonde in een van de gemeentewoningen in Fontaine Road in Stowerton. Mevrouw Pearson, haar schoondochter, weet helemaal niets van geld dat Kimberley van haar zou hebben geërfd; er ís helemaal geen geld in die familie, ze zijn allemaal zo arm als kerkratten. Clifton Court, waar Kimberley naartoe is verhuisd nadat Zack in voorarrest was genomen, is een blok huurflats – of appartementen, zoals Pemberton het uitdrukt. En raad eens van welk bedrijf dat flatblok is?'

'Hou me niet in spanning en vertel het maar.'

'Van niemand minder dan Crescent Comestibles, dus met andere woorden Wael Khoori, zijn broer, en onze kandidaat voor de gemeenteraad: zijn vrouw.'

Pemberton kwam binnen. 'Die flats kun je huren met de mogelijkheid ze te kopen,' zei hij. 'Veertig pond per week. En ze beweren dat de hypotheekaflossingen op hetzelfde bedrag neerkomen. Natuurlijk heb ik niet met Kimberley gesproken, ik heb haar moeder gevraagd er geen woord over te zeggen. Haar moeder zegt dat ze op hetzelfde moment dat Zack was aangehouden een waarborgsom heeft gestort en dat ze de verhuizing voor de dag daarop heeft geregeld. Ze heeft sindsdien allemaal nieuwe meubels gekocht.'

'Gaat ze die flat kopen?'

'Volgens haar moeder heeft ze al een notaris ingeschakeld om de akte van overdracht op te maken. Ze woonden trouwens illegaal in dat krot op Glebe End, maar het kon niemand wat schelen. De eigenaar heeft er toch weinig aan. Het moet voor minstens vijftigduizend pond worden opgeknapt voor iemand het zou willen kopen.'

'En Crescent Comestibles is de eigenaar van die flats?'

'Dat heeft de makelaar gezegd. Het is geen geheim. Ze bouwen overal in Stowerton waar een stuk grond vrijkomt of waar een

oud huis wordt gesloopt. Je ziet het overal. De flats zijn betrekkelijk goedkoop. Je betaalt huur terwijl je wacht tot de hypotheek afkomt, en de hypotheek is honderd procent, dus zonder
eigen geld. De aflossing is net zo hoog als de huur.'

'Het is in overeenstemming met mevrouw Khoori's eigen politieke standpunt,' zei Wexford langzaam. 'Help de minder bedeelden zichzelf te helpen. Geef ze niets maar geef ze de kans om
zichzelf te bedruipen. Geen slechte filosofie, eigenlijk. Misschien
komt er ooit een dag dat iemand een politieke partij opricht die
zich de Conservatieve Socialisten noemt.'

De arts werd tijdens het spreekuur op het medisch centrum ingelicht, zijn vrouw werd op de intensive care aan de telefoon geroepen. Wexford kwam bij het huis toen dokter Akande arriveerde, en de pijn op zijn gezicht kon niet intenser zijn dan wanneer
hem gezegd was dat zijn dochter dood was. Het zou veel erger
zijn wanneer ze dood was, onmetelijk veel erger, maar dit was
eveneens verschrikkelijk. Alleen al de wetenschap dat je kind bereid is je dit door te laten maken is onverdraaglijk, of je het nu
hebt doorgemaakt of niet, en alleen door je woede de vrije loop
te laten kon je die last iets verlichten. Maar Raymond Akande
was niet woedend. Hij was vernederd.

'Ik dacht dat ze van ons hield.'

'Ze heeft in een impuls gehandeld, dokter Akande.' Hij had niets
over Christopher Riding gezegd. Dat moest Melanie maar doen.
'Was ze al die tijd in Stowerton?'

'Het ziet ernaar uit.'

'Haar moeder werkt even verderop. Ik heb daar in de buurt visi-
tes afgelegd.'

'De Epsons hadden hun auto achtergelaten waarmee ze boodschappen deden en de kinderen naar school brachten. Ze zullen
niet veel buiten gelopen hebben.'

'Ik moet God op mijn blote knieën danken, ik zou in de zevende
hemel moeten zijn, dat denkt u toch, nietwaar?'

'Nee,' zei Wexford. 'Ik kan me voorstellen hoe u zich moet voelen.'

'Wat hebben we verkeerd gedaan?'

Voordat hij kon antwoorden – als hij een antwoord had willen of kunnen geven – liep Laurette Akande de kamer binnen. Wexfords eerste gedachte was dat ze er tien jaar jonger uitzag, zijn tweede dat ze overgelukkig was, en zijn derde dat zij de woedendste vrouw was die hij in jaren had gezien.

'Waar is ze?'

'Ze wordt om zes uur met een auto gebracht. Ze neemt de kinderen mee. Er zat niets anders op, of we hadden een opvangregeling moeten treffen, en omdat de Epsons vanavond thuiskomen...'

'Wat hebben we verkeerd gedaan, Laurette?'

'Doe niet zo idioot. We hebben niets verkeerds gedaan. Wat is dat voor een vrouw, deze mevrouw Epson, die haar kinderen toevertrouwt aan iemand die totaal niet bevoegd is? Ik hoop dat ze wordt aangeklaagd, ze zou hiervoor vervolgd moeten worden. Ik zou haar wel kunnen vermoorden. Niet mevrouw Epson, maar Melanie. Ik zou haar wel kunnen vermoorden!'

'Stil toch, Letty,' zei de arts. 'We hebben gedacht dat iemand haar vermoord had.'

Een paar minuten na zessen arriveerde de auto met Melanie en de rumoerige jongetjes. Ze liep uitdagend en met opgeheven hoofd de kamer binnen. Haar ouders maakten geen aanstalten om van hun stoel af te komen, maar na enkele ogenblikken stilte stond haar vader op en liep naar haar toe. Hij stak zijn hand uit en pakte de hare. Hij trok haar iets naar zich toe en kuste haar voorzichtig op de wang, wat ze zich gelaten liet welgevallen.

'Dan ga ik maar,' zei Wexford. 'Melanie, ik spreek je hier morgenochtend om negen uur.'

Niemand nam enige notitie van hem. Hij stond op en liep naar de deur. Laurette scheen niet langer boos te zijn, alleen maar vastbesloten. Op krachtige, kordate toon zei ze: 'Goed, Melanie, we zullen naar je verklaring luisteren en daar laten we het bij. Je laat je inschrijven voor die studie bedrijfseconomie, en als je snel bent kun je nog in oktober beginnen. De Universiteit van het Zuiden heeft een uitstekende naam op dit gebied, en bovendien kun je dan thuis blijven wonen. Ik zal morgen de formulieren opvragen en intussen wil papa je misschien als receptioniste voor de...'

De jongste Epson begon te krijsen. Wexford liet zichzelf uit.

21

In de beslotenheid van het hokje zette hij een kruisje op zijn
stembiljet. Er stonden drie namen op: Burton K.J., Britse Natio-
nalistische Partij; Khoori A.D., Onafhankelijke Conservatieven,
en Sugden M., Liberaal Democraten. Sheila had gezegd dat de
Lib-Dem geen enkele kans maakte en dat de enige manier om de
BNP uit de raad te weren was om massaal op Anouk Khoori te
stemmen.

Maar Wexford had ernstige redenen om niet op mevrouw
Khoori te stemmen en hij zette het kruisje naast de naam van
Malcolm Sugden. Misschien was zijn stem verspild, maar daar
was dan niets aan te doen. Hij vouwde het biljet doormidden,
draaide zich om en liet het door de sleuf in de stembus vallen.

Nadat hij vijf minuten geleden de Thomas Proctor-school was
binnengegaan, was Anouk Khoori gearriveerd in een goudkleu-
rige Rolls Royce die door haar man werd bestuurd. Burton van
de BNP stond al op de geasfalteerde binnenplaats, omringd door
dames in zijden jurken en met strohoeden op, de voormalige
voorhoede van de Conservatieven die zich door de verlokkingen
van extreem rechts had laten verleiden. Hij stond een sigaar te
roken waarvan de rook zwaar en tot op verre afstand bespeurbaar
in de stille, warme ochtendlucht hing. Mevrouw Khoori stapte
met koninklijke allures de auto uit. Ze was ook vorstelijk gekleed, maar dan als een koningskind van een jongere generatie,
in een heel korte witte rok, een smaragdgroene zijden blouse en
een wit jasje. Haar haar hing als een gele sluier af onder haar witte hoed. Toen ze Wexford zag, stak ze beide handen naar hem
uit.

'Ik wist dat je hier zou zijn!'

Hij verbaasde zich over het gemak waarmee een hem nagenoeg
onbekende persoon een toon aansloeg alsof ze minnaars waren.

'Ik wist dat jij als een van de eersten ging stemmen.'

Haar echtgenoot verscheen achter haar en stak met een brede, bestudeerde glimlach zijn hand uit in Wexfords richting. Het was een krachtig gebaar, zoals je bij een bokser zou verwachten, maar de handdruk was slap, alsof je een verwelkte lelie vasthield. Hij trok zijn hand terug en merkte op dat het een prachtige dag voor de verkiezingen was.

'Zo Engels,' zei mevrouw Khoori, 'maar daar hou ik juist zo van. Ik wil dat je me iets belooft, Reg.'

'En wat mag dat dan wel zijn?' vroeg hij met een stem die zelfs hem ontmoedigend in de oren klonk.

Maar ze was niet in het minst uit het veld geslagen. 'Nu de districtsraden verdwijnen, strekken onze verantwoordelijkheden zich steeds verder uit en worden ze ook buitengewoon belangrijk. Ik zal een adviseur nodig hebben op het gebied van misdaadpreventie, public relations en voor de manier waarop ik de bevolking van dit slaperige oude stadje moet benaderen, begrijp je? En jij wordt die adviseur, hè Reg? Wil je me helpen? Jij zult me de steun geven die ik nu meer dan wat ook nodig zal hebben. Wat vind je?'

Wael Khoori's gezicht was een en al glimlach, althans daar deed hij zijn best voor, maar het was een joviale, lege lach die bestemd was voor iedereen die maar langskwam. Wexford zei: 'U zult eerst gekozen moeten worden, mevrouw Khoori.'

'Zeg toch Anouk, *alsjeblieft*. Natuurlijk word ik gekozen, dat weet ik zeker. En als ik dan in de raad zit, zul je me dan helpen?'

Het was absurd. Hij glimlachte maar zei niets om een directe afwijzing te vermijden. Het was nu vijf voor negen en Raymond Akandes ochtendspreekuur begon om halfnegen. Laurette zou op tijd zijn vertrokken om om acht uur op haar werk te zijn. In de vijf minuten die hij nodig had om naar Ollerton Avenue te rijden, dacht Wexford aan al die keren dat hij in dat huis was geweest, aan het verdriet van de arts, de tranen van de jongen. Hij herinnerde zich hoe hij de ouders naar het mortuarium had gebracht, waar Laurette hysterisch was geworden. Daar viel allemaal niets meer aan te doen. Hij kon moeilijk nog meer mensen politietijd laten verspillen, want tijdverspilling was het inderdaad geweest.

Het zag er niet naar uit dat hij daar ooit nog terug zou komen. Dit was zijn laatste bezoek. Zelfs na gisteren, na de identificatie en de verklaring, was het weer een schok om dat gezicht van de foto, dat dode gezicht, in leven te zien. Ze deed de deur voor hem open en even wist hij niets te zeggen door haar aanwezigheid, door het feit dat ze bestond.

'Ik ben alleen thuis,' zei ze.

'Christopher zal wel niet welkom zijn, neem ik aan?'

'Die is terug naar huis. Ik wil hem nooit meer zien. Ik was vooral bevriend met zijn zusje, met Sophie, niet met hem.'

Wexford volgde het meisje naar de woonkamer, waar de muren er getuigen van waren geweest dat haar ouders zich afvroegen of ze nog enige hoop mochten koesteren dat ze in leven was. Ze glimlachte naar hem, eerst aarzelend, toen heel open.

'Ik voel me gelukkig, ik weet niet waarom. Waarschijnlijk omdat ik van die kinderen af ben.'

'Hoeveel betaalden ze je?'

'Honderd pond. De ene helft voor ze vertrokken en gisteravond de andere helft.'

Wexford toonde haar de foto van de Zoekende.

'Heb je haar ooit gezien?'

'Ik geloof van niet.'

Natuurlijk betekent deze uitdrukking: nee, maar geen nee zonder enig voorbehoud.

'Weet je het zeker?'

'Ik heb haar nooit gezien. Mag je zomaar foto's van dode mensen nemen en die overal laten zien?'

'Weet jij misschien een alternatief?'

'Nou ja, dat van iedereen dossiers worden bijgehouden met foto's en vingerafdrukken en DNA en zo, een centrale computer met bijzonderheden van iedereen in het land.'

'Dat zou ons werk een stuk makkelijker maken, maar we hebben dat soort dossiers nu eenmaal niet. Wat heb je gedaan op de dag voor je naar het uitkeringskantoor ging en mevrouw Epson hebt ontmoet?'

'Hoe bedoelt u?'

'Hoe je die dag hebt doorgebracht. Je moeder zei dat je bent gaan joggen.'

'Dat doe ik elke dag. Behalve natuurlijk toen ik op die kinderen moest passen.'

'Natuurlijk. Waar heb je gelopen?'

'Mijn moeder weet niet alles, weet u. Ik neem niet altijd dezelfde route. Soms ga ik via Harrow Avenue naar Winchester Drive en soms neem ik Marlborough Road.'

'Christopher en Sophie Riding wonen op Winchester Drive.'

'O ja? Ik ben nooit bij hen thuis geweest. Zoals ik al zei, heb ik hem maar een paar keer ontmoet voordat hij me volgde naar de Epsons. Sophie ken ik van de academie.'

Had ze er vijf minuten geleden nog blij uitgezien, ze maakte nu een ellendige indruk. Hij vroeg zich af wat er van haar zou worden als de tirannieke tactieken van die dominante moeder haar weer in de armen van Euan Sinclair zouden drijven. Hij bracht het onderwerp weer op de route die ze die dag had genomen.

'En hoe ben je die dag gelopen?'

Het leek alsof ze er plezier in had dat ze hem tegen kon spreken. 'Ik ben daar die dag helemaal niet geweest. Ik ben door de velden naar Mynford gelopen. Over de voetpaden.'

Hij was teleurgesteld, al wist hij nauwelijks waarom. Met deze vragen, waarvan hij het belang eerder voelde dan wist, had hij gehoopt zijn intuïtie aan te spreken.

Ze fixeerde hem met haar ogen, zoals haar vader altijd deed. 'Ik was al bijna bij Mynford New Hall. Ik schrok een beetje toen ik dat huis zag. Ik wist niet dat ik er zo dichtbij was.' Haar ogen boorden zich bijna hypnotiserend in de zijne. 'Dat was op de dag dat ik naar het Banencentrum ging. Die dag bedoelt u toch?'

'Ik bedoel de dag voordat je daarnaartoe ging.' Hij probeerde zijn geduld te bewaren. 'De maandag.'

'O, de maandag. Even denken. Zaterdag heb ik Pomfret Road genomen, en zondag – zondag en maandag heb ik dezelfde route genomen over Winchester Drive en Marlborough Road. Het is daar zo mooi, de lucht is er heerlijk en je kunt daarvandaan op de rivier kijken.'

'En terwijl je aan het rennen was ben je niet dit meisje tegengekomen?'

Hij stak haar de foto weer toe en ze keek er weer naar, nu zonder enig medeleven.

'Mijn moeder vertelde dat u hen een lijk wilde laten identificeren dat u voor het mijne aanzag. Was zij dat?'

'Ja.'

'Wow. Hoe dan ook, ik heb haar nooit gezien. Ik zag bijna nooit iemand buiten lopen. Mensen wandelen haast nooit, ze nemen altijd de auto. U zou vast achterdochtig zijn geworden als u daar iemand buiten had zien lopen, niet? U zou hem aanhouden en vragen wat hij daar deed.'

'Zover is het nog niet,' zei Wexford. 'Heb je haar nooit voor een raam zien staan? Of in een tuin?'

'Ik heb al gezegd dat ik haar nooit heb gezien.'

Het was moeilijk te blijven beseffen dat Melanie Akande tweeëntwintig was. De Zoekende, die zeventien was, zou veel ouder hebben geleken. Maar zij had natuurlijk geleden, zij had al heel veel meegemaakt. De Akandes hadden hun dochter klein gehouden door haar te behandelen als een onmondig kind dat gezag en leiding nodig had. Hij huiverde bij de gedachte dat zij een baby zou krijgen om te kunnen ontsnappen.

Het huis-aan-huisonderzoek was beëindigd. Er was niets uitgekomen, dus toen hij zei dat ze naar Ashley Grove zouden gaan, wilde Burden weten wat daar de zin van was.

'We gaan een praatje maken met een architect,' zei hij tegen Burden nadat hij hem had ingelicht over zijn gesprek met Melanie. 'Of misschien met de vrouw van een architect voordat zij het huis verlaat om vrijwilligerswerk te doen.'

Maar dit was niet Cookie Dix haar dag om leesmateriaal onder de zieken te verspreiden. Ze was thuis met haar man, hoewel zij het geen van beiden waren die Wexford en Burden het huis binnenlieten.

En wat voor een huis! De vierkante hal, vanwaar een witte trap omhoogcirkelde als de boeg van een zeilschip, had een marmeren vloer waarop bloeiende en vruchtdragende citroenbomen in potten stonden. Andere bomen groeiden in de aarde zelf, waar in de hal bedden van waren gemaakt, ruisende ficussen, vederachtige elzen, slanke cipressen en zilveren wilgen met vervormde stammen, die alle reikten naar het licht uit de glazen koepel hoog daarboven. Het dienstmeisje, met zwart haar, zwarte ogen en een vaalgele huid, liet ze onder de bomen wachten terwijl zij hun komst ging melden. Binnen dertig seconden was ze terug en leidde hen door openslaande deuren – Wexford moest bukkend onder een tak door – via een soort voorvertrek dat uitsluitend uit zwart en wit bestond en nogmaals openslaande deuren naar een geel met witte, zonovergoten eetkamer waar Cookie en Alexander aan het ontbijt zaten.

Tegen het gebruikelijke begroetingsritueel in was het Cookie die opstond terwijl haar man bleef zitten. Hij had *The Times* in zijn ene hand en een stuk croissant in de andere. Hij beantwoordde hun groet niet maar riep naar het weglopende dienstmeisje: 'Margarita, breng nog wat koffie voor onze gasten, wil je?'

'We zijn nogal laat vanmorgen,' zei Cookie. Als ze gisteren door Pemberton of Archbold was ondervraagd, dan zei ze er geen woord over. Ze droeg een donkergroen kledingstuk van satijn dat nog het meest op een ochtendjas leek, hoewel het buitengewoon kort was en rond het middel door een met sierstenen afgezette sjerp was dichtgebonden. Haar lange zwarte haar was boven op haar hoofd samengebonden, waar het als varenbladeren ontsproot. 'Ga toch zitten.' Ze gebaarde vaag naar de andere acht stoelen die rond de glazen tafel met de groenkoperen poten stonden. 'We zijn gisteravond aan de boemel geweest... nou ja, naar een feestje. We zijn pas laat, heel laat thuisgekomen, hè schat?'

Dix sloeg een pagina om en begon Bernard Levin te lezen. Hij moest ergens om lachen. Het klonk als het knappen van sappig hout in een haardvuur, krakend en sissend. Hij keek glimlachend op, keek Wexford aan terwijl deze ging zitten en vervolgens naar Burden. Toen ze tegenover elkaar zaten, zei hij: 'Wat kunnen we voor de heren doen?'

'De heer en mevrouw Khoori zijn dacht ik vrienden van u?' zei Wexford.

Cookie keek haar man even aan. 'Het zijn kennissen.'

'U was op hun tuinfeest.'

'Jij ook,' zei Cookie. 'Maar hoezo?'

'Op dat feestje vertelde u dat mevrouw Khoori een dienstmeisje had dat onlangs bij haar is weggegaan en dat zij de zuster was van uw dienstmeisje.'

'Van Margarita, ja.'

Wexford voelde een steek van teleurstelling. Voor hij meer kon zeggen kwam Margarita terug met koffie en twee kopjes op een blad. Je kon je onmogelijk voorstellen dat zij en de Zoekende met elkaar verwant waren, laat staan zusters. Cookie, die snel van begrip was, zei iets tegen haar in vloeiend en rap Spaans, en ze kreeg antwoord in dezelfde taal.

'Margarita's zuster is in mei teruggegaan naar de Filippijnen,' zei Cookie. 'Ze was hier niet gelukkig. Ze kon het niet vinden met de twee andere meisjes.'

Nadat ze de koffie had ingeschonken en hun elk het melkkannetje en de suikerpot had aangereikt, bleef Margarita met neergeslagen ogen staan.

'Zijn ze samen hier gekomen?' vroeg Wexford, en na Cookies bevestigende knik: 'Met een verblijfsvergunning voor zes maanden, of voor twaalf omdat ze hier werk hadden gevonden?'

'Voor twaalf maanden. Die kunnen verlengd worden – bij Binnenlandse Zaken, zo is het toch, schat? Hoe gaat dat ook alweer?'

'Ze moet een aanvraag indienen om haar verblijf met een aaneensluitende periode van twaalf maanden te verlengen, en na vier jaar kan ze als ze wil een permanente verblijfsvergunning aanvragen.'

'Hoe kwam het zo dat twee zusjes voor u en de Khoori's werkten?'

'Anouk was naar een bemiddelingsbureau gegaan en had het me gezegd. Dat bureau legt zich toe op het werven van Filippijnse vrouwen.' Ze zei iets in het Spaans en Margarita knikte. 'Ze spreekt heel goed Engels, mocht u zelf met haar willen praten. Ze kan het ook lezen. Toen zij en haar zuster in dit land kwam werden ze ondervraagd door een ambtenaar van de immigratiedienst en die gaf hun een brochure over het recht om – wat is het ook alweer, schat?'

'Het recht om als huishoudelijke hulp het grondgebied van het Verenigd Koninkrijk te betreden volgens de Immigratiewet uit 1971,' zei Dix zonder van Levin op te kijken.

De vorige avond had Wexford het allemaal gelezen in de folders die Sheila hem had gestuurd. Tegen de wachtende vrouw zei hij: 'Werkte uw zuster daar nog met anderen behalve...?'

'Juana en Rosenda,' zei Margarita. 'Zij twee niet aardig tegen Corazon. Zij huilen om haar kinderen in Manila en die anderen lachen.'

'Maar niemand anders?'

'Niemand. Ik nu gaan?'

'Ja, dat was alles, Margarita, dank je.'

Cookie ging zitten en schonk wat koffie voor zichzelf in uit de nieuwe pot. 'Ik ben niet zo helder vanochtend.' Wexford zou het niet vermoed hebben. 'Corazon heeft thuis vier kinderen en een werkloze man. Daarom is ze hier komen werken, zodat ze geld naar huis kon sturen. Margarita heeft geen kinderen en ze is niet getrouwd. Ik denk dat ze hier is gekomen.... nou ja, om iets van de wereld te zien, denk je niet, schat?'

Dix' lach kon zowel zijn opgewekt door deze nogal onzinnige veronderstelling als vanwege het artikel dat hij aan het lezen was. Hij boog zich naar haar toe en klopte op haar hand met een geschubde klauw die je eerder in een natuurhistorisch museum zou verwachten. Cookie haalde haar met groen satijn bedekte schouders op.

'Ze gaat wel eens uit, ze amuseert zich best. Ik geloof zelfs dat ze een vriend heeft, dacht je niet, schat? We sluiten haar echt niet op, wat je niet van iedereen kunt zeggen.'

Even was het stil. Met een wonderbaarlijk gevoel voor timing zei Alexander Dix: 'Van de Khoori's bijvoorbeeld.'

Burden zette zijn koffiekopje op het schoteltje. 'Sluiten meneer en mevrouw Khoori hun bedienden dan op?'

'Mijn lieve Alexander overdrijft een beetje, maar inderdaad, veel bewegingsvrijheid laten ze niet toe. Ik bedoel, stel je voor dat je op Mynford dinges woont, je kan niet autorijden en er is niets of niemand om je ergens heen te brengen – *nooit* – en dan moet je ook nog eens dat gigantische huis picobello op orde houden. Als je al naar buiten mag, kun je alleen maar over de velden naar de meest afgelegen buitenwijken van Kingsmarkham wandelen.'

Onwillekeurig keek Burden even naar Wexford en Wexford naar hem. Hun blikken kruisten elkaar. 'Hadden ze geen andere bedienden?'

'Niet voorzover ik weet,' zei Cookie weifelend.

'Margarita zou het moeten weten,' zei Dix, 'en zij zegt van niet.'

'Maar Margarita is er zelf nooit geweest, schat.' Cookie tuitte haar lippen en liet een zachte fluittoon horen. 'Denkt u dat iemand in dat huis is opgesloten? De krankzinnige op zolder?'

'Nee, dat niet,' zei Wexford, en het klonk bedroefd.

Dix moest die toon zijn opgevallen, want hij vroeg hartelijk: 'Kunnen we u met iets anders van dienst zijn?' Hij keek de tafel rond om te zien wat er ontbrak. 'Een beschuitje misschien? Wat fruit?'

'Nee, dank u wel.'

'Wilt u me dan excuseren? Ik moet aan het werk.' Dix stond op, een heel klein reptiel dat op zijn achterpoten was gaan staan. Hij maakte een lichte buiging voor elk van hen, vervolgens voor zijn vrouw. Waarschijnlijk zou hij met zijn hakken hebben geklikt als hij geen sandalen had aangehad. 'Heren,' zei hij, en: 'Cornelia,' waarmee hij een van Wexfords onuitgesproken vragen had beantwoord.

Op vertrouwelijke toon zei Cookie, toen haar man buiten gehoorsafstand was: 'Die lieve schat is zo opgewonden, hij is met een nieuwe onderneming bezig. Hij zegt dat we nu de dageraad van een nieuwe bouwstijl in dit land zullen meemaken, een nieuwe renaissance. Hij heeft een fantastische jonge partner gevonden. Hij had een advertentie gezet en direct werd erop gere-

ageerd door die briljante man, zomaar uit het niets.' Ze glimlachte blij. 'Nou, ik hoop dat ik jullie van dienst heb kunnen
zijn.' Wexford stond versteld van haar vermogen om zijn gedachten te kunnen lezen. 'Anouk zullen jullie vandaag niet thuis vinden, die rijdt in haar praalwagen rond om het gepeupel aan te
sporen op haar te stemmen.'

Vanaf de oprijlaan keken ze om naar het huis, een ingewikkeld
bouwsel van glazen en zwart marmeren panelen en platen die
wel van ragfijn albast leken gemaakt.

'Je kunt niet naar binnen kijken,' zei Burden, 'alleen van binnen
naar buiten. Lijkt je dat niet benauwend?'

'Alleen als het omgekeerd wás.'

Burden ging achter het stuur zitten. 'Die vrouw, die Margarita,
leek me best gelukkig hier.'

'Ja hoor. Er is ook niks op tegen om dienstmeisjes in te huren zolang je ze behoorlijk behandelt en ze betaalt wat ze waard zijn.
Alle arbeid heeft zijn prijs. En die wet is ook best in orde, Mike,
als hij goed wordt toegepast. Op het eerste gezicht is die wet zelfs
uitstekend en lijkt hij in alles te voorzien. Maar er kan ook verschrikkelijk misbruik van worden gemaakt. Huishoudelijk personeel dat het land binnenkomt krijgt geen onafhankelijke im-
migratiestatus. Zij blijven afhankelijk van de werkgever. *Zij mogen niet bij hem vertrekken en geen ander werk aannemen.* Daar
moeten we het zoeken, die richting moeten we uit.'

In plaats van die van Anouk Khoori trok de wagen van de BNP
voorbij toen ze in High Street terugkwamen. Ken Burton, de
kandidaat, ongedwongen gekleed in zwarte spijkerbroek en
zwart overhemd – ging de betekenis hiervan aan de toeschouwers voorbij? – stond rechtop op de plaats waar de passagiersstoel had moeten zijn, en schreeuwde zijn leuzen door een megafoon. Hij mocht dan van de *Britse* Nationalisten zijn, maar hij
wist met raffinement Engeland voor de *Engelsen* te propageren in
deze lieflijke warme hoek van Sussex.

De posters die op de achterkant van de bestelwagen waren ge-
plakt riepen niet alleen op om op Burton te stemmen maar ook
om aan de werklozenmars deel te nemen die die volgende dag

van Stowerton naar Kingsmarkham zou worden gehouden.

'Wist jij daarvan?' vroeg Burden.

'Ik heb er iets over gehoord. De uniformdienst houdt het in de gaten.'

'Bedoel je dat ze rellen verwachten? Hier? *Hier?*'

'In deze groene en vredige streek? Hoor eens, Mike, er *zijn* hier een heleboel mensen die geen werk hebben. Veel meer dan het landelijk gemiddelte in Stowerton, rond de twaalf procent. En de onrust begint toe te nemen. Kom, we gaan eens een bezoekje aan Mynford New Hall brengen.'

'Maar zij is niet thuis, die is niet-stemmers aan het optrommelen.'

'Des te beter,' zei Wexford.

'Zodat we met de dienstmeisjes kunnen praten?'

'We zoeken geen dienstmeisje, Mike,' zei Wexford. 'We zoeken een slavin.'

22

Ze moesten de omweg nemen die door Pomfret en Cheriton voerde. Je kon er via de velden van Kingsmarkham lopend komen in veertig minuten of rennend in vijfentwintig, het was maar ongeveer drie kilometer, over de weg was het zeven. Burden, die achter het stuur zat, had Mynford New Hall nog nooit gezien. Hij vroeg of het net zo oud was als het eruitzag, maar toen hij hoorde dat het huis ten tijde van het tuinfeest nog niet eens af was, verloor hij zijn belangstelling.

Wexford had verkiezingsposters verwacht, ook al viel Mynford buiten het district waarvoor mevrouw Khoori kandidaat stond. Maar er hing niet eens iets aan de toegangshekken of aan de ramen van het namaak-Georgiaanse huis. Iemand had volgroeide en bloeiende geraniums geplant in de perken die veertien dagen geleden nog kaal waren geweest. Er was sinds zijn eerste bezoek een trekbel aan de deur bevestigd en twee van de grootste en meest geornamenteerde koetslampen die hij ooit had gezien.

Hij betwijfelde of de bel al werkte, of anders was er niemand thuis. Burden keek omhoog en zag een gezicht op hen neerkijken, een bleek, ovaal gezicht, waarvan het zwarte haar onzichtbaar was in de duisternis erachter. Wexford, die vier keer gebeld had, riep: 'Komt u naar beneden en laat ons binnen, alstublieft.' Er werd niet direct gehoor aan gegeven. Juana of Rosenda bleef nog enkele ogenblikken onbeweeglijk naar beneden staren. Vervolgens knikte ze even, en verdween. Toen de deur eindelijk openging stond niet zij tegenover hen maar een vrouw met een bruine huid en Aziatische gelaatstrekken. Wexford had niet precies een uniform verwacht, maar hij was verrast door het roze velours trainingspak.

Het was heel koud in het huis, alsof je het koelgedeelte van een supermarkt inkwam. Misschien hadden ze wel hetzelfde airconditioningsysteem als in de voedselafdelingen van Crescent

Stores. Hij en Burden lieten hun legitimatie zien. De vrouw keek er belangstellend naar en vergeleek geamuseerd de foto's met de mannen die voor haar stonden.

'U oud geworden,' zei ze tegen Wexford met een gillend lachje. 'Mag ik uw naam weten?'

De lach verdween ogenblikkelijk en ze keek hem aan alsof hij iets heel grofs had gezegd.

'Waarom?'

'Zeg nu maar gewoon hoe u heet. Bent u Juana of Rosenda?'

De beledigde uitdrukking veranderde op hetzelfde moment in bokkigheid. 'Rosenda Lopez. Zij Juana.'

De vrouw die van boven op hen neer had gekeken was geruisloos de hal binnengekomen. Net als Rosenda droeg ze witte gymschoenen, maar haar trainingspak was blauw. Haar accent klonk hetzelfde als dat van Rosenda, maar haar Engels was beter. Ze was jonger en had bijna recht gedaan aan Dix' parodie op *Mikado* dat de dienstmeisjes van de Khoori's nauwelijks twintig konden zijn.

'Meneer en mevrouw Khoori niet thuis.' Haar volgende zin klonk als die van een antwoordapparaat. 'Laat een boodschap achter alstublieft.'

'Juana hoe?' vroeg Burden.

'Gonzalez. U nu weggaan. Dank u wel.'

'Juffrouw Lopez,' zei Wexford, 'juffrouw Gonzalez, u kunt kiezen. Of u praat nu hier met ons of anders gaat u met ons naar het politiebureau van Kingsmarkham. Begrijpt u wat ik zeg?'

Hij moest het verschillende malen herhalen en Burden moest het in andere bewoordingen zeggen voor er iets van een reactie kwam. Beide vrouwen waren meesteressen in de kunst om zonder iets te zeggen een schaamteloze indruk te maken. Toen Juana plotseling iets zei in wat hij aannam Tagalog was en beiden begonnen te giechelen, dacht Wexford iets van de ellende van Margarita's zuster Corazon, die was uitgelachen omdat ze haar kinderen miste, te begrijpen.

Juana herhaalde de onbegrijpelijke woorden en gaf toen kennelijk de vertaling. 'Geen probleem.'

'Oké,' zei Rosenda. 'Gaat u zitten.'

Daarvoor schenen ze niet verder het huis in te hoeven. De hal was een enorme zaal met pilaren, bogen, gewelven, muurpanelen en pilaren in nissen, het soort ruimte waar gasten op Pemberley of Northanger Abbey zouden worden ontvangen. Alleen was hier alles nieuw, nog nauwelijks afgewerkt. En zelfs aan het begin van de negentiende eeuw zou het in zo'n groot huis niet zo koud zijn geweest als nu, zelfs niet in de winter. Hij ging op een lichtblauwe stoel met spichtige gouden poten zitten, maar Burden bleef staan, net als de twee vrouwen die vlak bij elkaar bleven en zich nogal schenen te amuseren.

'Werkte u al voor meneer en mevrouw Khoori toen ze nog in het andere huis woonden?'

Burden moest hen naar het raam brengen en naar de bossen in het dal wijzen, naar de onzichtbare daken. Hun geknik moedigde hem aan.

'En ook natuurlijk toen zij in juni hier kwamen wonen?' Weer geknik. Hij herinnerde zich wat Cookie Dix had gezegd over opsluiten. 'Gaat u veel uit?'

'Uit?'

'De stad in, naar vrienden toegaan, mensen ontmoeten. Naar de bioscoop. Doet u dat?'

Ze schudden hun hoofd. Juana zei: 'Ik rij niet auto. Mevrouw Khoori doet boodschappen en wij willen geen bioscoop, wij hebben tv.'

'Werkte Corazon ook met jullie in het weduwenhuis?'

Zijn zeer Engelse uitspraak van haar naam maakte hen weer aan het giechelen en beiden deden het hem na. 'Zij was kokkin,' zei Juana.

De herinnering kwam terug. Het medisch centrum en een vrouw die het rookverbod overtrad. 'Moest de dokter bij haar komen? Was ze ziek?'

'Altijd ziek. Heimwee. Zij naar huis gegaan.'

'En jullie tweeën bleven over,' zei Wexford. 'Maar was er nog een dienstmeisje toen Corazon er was, of daarna misschien?'

Het viel niet te zeggen of ze het niet begrepen of dat ze op hun hoede waren. Hij zocht naar een politiek correcte omschrijving en zei voorzichtig: 'Een jong meisje, zeventien of achttien, uit Afrika.'

Bijna rillend van de kou liet Burden hun de foto zien. Dit wekte nog meer gegiechel op. Maar voordat Wexford kon uitmaken of ze lachten uit racistisch vooroordeel, uit pure verbazing dat iemand kon denken dat zij zo'n meisje zouden kennen, of omdat ze er een beetje van griezelden – het gezicht van de Zoekende leek steeds doder te worden iedere keer dat de foto werd getoond – ging de voordeur open en kwam Anouk Khoori binnen, onmiddellijk gevolgd door haar echtgenoot, door Jeremy Lang en Ingrid Pamber.

'Reg,' zei ze, niet de geringste verbazing tonend, 'wat enig! Ik had al zo'n gevoel dat je hier zou zijn.' Ze stak beide handen naar hem uit waarvan er één een sigaret vasthield. 'Waarom heb je niet even laten weten dat je zou komen?'

Wael Khoori zei niets. Hij had onveranderlijk het voorkomen van de succesvolle, rijke zakenman die zich joviaal glimlachend voordoet terwijl hij in gedachten elders is, zich met heel andere zaken bezighoudt, met belangrijke financiële transacties, misschien de Hang Seng-index. Hij glimlachte, hij was geduldig en stond te wachten.

'We zijn thuisgekomen voor de lunch,' zei mevrouw Khoori. 'Stemmen werven is hard werken, dat kan ik je wel vertellen, en ik ben uitgehongerd. Is het hier niet mooi en heerlijk koel? Je blijft natuurlijk meeëten, Reg, en u ook, meneer...?' In één adem wendde ze zich vriendelijk tot Rosenda. 'Kun je alsjeblieft iets heel lekkers maken, en ook *snel*, graag, want ik moet me zo weer in de strijd werpen.'

Khoori negeerde zijn vrouw volkomen. Het was alsof alles wat ze had gezegd langs hem heen was gegaan. Hij zei: 'Ik weet heel goed waarom u hier bent.'

'Meent u dat werkelijk?' zei Wexford. 'Zullen we het daar dan even over hebben?'

'Ja, natuurlijk, na de lunch,' zei Anouk. 'Kom mee naar de eetka-

mer allemaal, vlug, want Ingrid moet straks weer naar haar werk.'
Opnieuw werd ze genegeerd. Khoori bleef rustig staan terwijl
zijn vrouw haar arm om Jeremy en Ingrid heen sloeg en hen
meeloodste door de hal. Ingrid, die er afgetrokken en bleek uitzag in haar mouwloze jurk, draaide zich om om hem even flirterig aan te kijken, ondeugend, verleidelijk. Maar ze was veranderd, de blauwe gloed had zijn kracht verloren. Haar ogen waren
kleurloos, en even vroeg hij zich af of die azuren schittering alleen in zijn verbeelding had bestaan, heel even maar, want
Khoori zei: 'Loopt u even mee.'
Het was een bibliotheek, maar een snelle blik zei Wexford dat dit
niet een ruimte was om te studeren of waar je graag zou willen
zitten. Misschien hadden de Khoori's tegen een of ander binnen-
huisarchitectuurbureau gezegd: breng op alle muren planken
aan en zet ze vol met stijlvolle boeken, oude boeken in kostbare
banden. Dus waren *The Natural History of the Pyrenees* in zeven
banden bezorgd, Hakluyts *Voyages*, die van Mommsen over Rome en van Motley over de Republiek der Nederlanden. Khoori
ging achter een imitatie-antiek bureau zitten. Het groene blad
was zodanig bewerkt dat het eruitzag of er eeuwenlang met gan-
zenveren op perkament was gekrast.
'Dus het verbaast u niet dat we hier zijn, meneer Khoori?' zei
Wexford.
'Nee, niet verbaasd, meneer, maar ik vind het wel vervelend.'
Wexford keek hem aan. Dit was wel een heel andere variant van
Bruce Snows veronderstelling dat ze van de verkeerspolitie waren. 'Waarom denkt u dat we hier zijn?'
'Ik denk, nee, ik weet het zeker, omdat die vrouwen of een van
hen heeft nagelaten een verlenging van hun verblijfsvergunning
bij Binnenlandse Zaken aan te vragen. Ondanks het feit dat ze
hier heel graag willen blijven en dat ik de aanvraagformulieren
voor ze heb laten uittypen. Terwijl ze weten dat ze alleen kunnen
blijven onder de bepalingen van de Immigratiewet van 1971.
Het enige wat ze hoeven te doen is de brief te ondertekenen en
op de post te doen. Ik weet dit omdat het vorige keer ook is gebeurd, toen ze voor het eerst bij ons kwamen en ze een beginpe-

riode van zes maanden kregen toegewezen. Je moet voortdurend een oogje op deze mensen houden en daar heb ik niet altijd tijd voor. Dus, goed, wat doen we eraan?'

Hier een beetje op voortborduren kon geen kwaad, dacht Wexford. 'Gewoon opnieuw aanvragen, meneer Khoori. Er is een fout gemaakt, maar kennelijk in goed vertrouwen.'

'Dus ik stuur een nieuwe aanvraag en zorg dat hij op de juiste plaats komt?'

'Precies,' zei Burden, die zich de rol van ambtenaar van de immigratiedienst had aangemeten. Hij begon te improviseren met een gemak waarvoor Wexford bewondering kon opbrengen. 'We hebben begrepen dat deze mevrouw Corazon van werkgever wilde veranderen, wat natuurlijk wettelijk niet is toegestaan. Onder de bepalingen van de wet mag ze alleen maar werken voor degene wiens naam in haar paspoort is gestempeld.'

'Het had ermee te maken dat de andere bedienden haar slecht behandelden... nou ja, dat ze onaardig waren. Ze zat altijd te huilen.' Khoori haalde zijn schouders op. 'Voor mij en mijn vrouw was het ook geen pretje.'

'Dus omdat ze begreep dat ze nergens anders kon werken, is ze teruggegaan? Wanneer was dat?'

Khoori streek met zijn hand over zijn helm van wit haar, dat om zijn schedel sloot als een pruik maar het duidelijk niet was. De hand was lang, bruin, en buitengewoon goed verzorgd. Hij fronste licht terwijl hij nadacht. 'Een maand geleden ongeveer, misschien minder.'

En het was exact vier weken geleden dat Wexford Anouk Khoori voor het eerst in het medisch centrum had gezien. Toen had ze nog een kokkin gehad, een bediende die misschien ziek was geworden van heimwee en door een wrede behandeling.

'Kunt u mij zeggen,' zei Wexford, 'waar het geld voor haar vlucht naar huis vandaan kwam?'

'Van mij, meneer, van mij.'

'Dat is heel edelmoedig van u. Nog één ding. Corrigeert u mij als ik het verkeerd zie. Zou men kunnen zeggen dat in de Golfstaten iemand van het huishoudelijk personeel volgens het arbeidsrecht niet als werknemer wordt beschouwd maar als iemand van het gezin?'

Er flitste een zweem van achterdocht in Khoori's ogen. 'Ik ben geen jurist.'

'Maar u bent staatsburger van Koeweit, niet? Dan zult u toch weten of dit waar is of niet, of dat het daar algemeen wordt aangenomen.'

'Ja, in algemene zin gesproken, wel, ja.'

'Dus families uit de Golfstaten nemen huishoudelijk personeel in huis als *gezinsleden of vrienden*, terwijl ze geen rechtspositie hebben en daardoor ook niet tegen misbruik kunnen worden beschermd? En hoewel het duidelijk is dat ze daar niet op vakantie zijn maar om er te werken, mogen ze blijven omdat het bezoekers zijn.'

'Mogelijk. Ik heb er geen ervaring mee.'

'Maar u weet dat het gebeurt? En dat het gebeurt omdat het weigeren van huishoudelijk personeel, hetzij als werknemers die aan een werkgever zijn gebonden en een beperkte verblijfsvergunning van twaalf maanden krijgen, hetzij als gezinsleden of vrienden en ogenschijnlijk als bezoekers, machtige investeerders zoals uzelf zou kunnen ontmoedigen zich hier te vestigen?'

Khoori stootte een harde, schetterende lach uit. 'Ik zou hier niet gekomen zijn als ik mijn eigen afwas moest doen.'

'Maar u persoonlijk hebt nooit iemand onder die omstandigheden het land in gebracht?'

'Nee, meneer, dat heb ik niet. Vraagt u het maar aan mijn vrouw. Nog beter: vraagt u het aan Juana en Rosenda.'

Hij ging hun voor naar een enorme, koude eetkamer met aan een muur tien ramen en een beschilderd plafond. Ongeveer drie meter onder de cherubijnen, de hoornen des overvloeds en de liefdeknopen zaten Anouk, Jeremy en Ingrid aan een mahoniehouten tafel die groot genoeg was voor vierentwintig personen gerookte zalm te eten en champagne te drinken.

'We nemen alvast een voorschot op mijn overwinning, Reg,' zei Anouk. 'Of vind je dat roekeloos?'

Haar echtgenoot fluisterde iets tegen haar. Het wekte even een tokkelend lachje op, hoewel het niet blij klonk. De weerzin die Wexford tegen haar voelde kwam terug en instinctief wendde hij zich naar Ingrid, de mooie, frisse, jonge Ingrid, wier haar nog zacht en soepel was en wier huid glansde van gezondheid, maar wier ogen levenloos waren als stenen. Terwijl hij naar haar keek, haalde ze een bril uit haar tas en zette deze op haar neus.

Als zij veranderd was, was het niets vergeleken met de verandering die over Anouk Khoori was gekomen. Onder de make-up was ze vuurrood geworden en haar gezicht was vertrokken.

'Het gaat om dat meisje dat vermoord is, hè? Dat zwarte meisje? We hebben haar nooit gezien.' Haar zorgvuldig gemoduleerde stem was schril geworden. 'We weten niets van haar af. Er heeft hier niemand anders voor ons gewerkt behalve Juana en Rosenda, en die Corazon, die terúg is gegaan. Wat afschuwelijk dat dit net vandaag moet gebeuren. Ik sta niet toe dat hierdoor mijn kansen geruïneerd worden!'

Op het moment dat haar stem een panische hoogte had bereikt, kwamen Juana en Rosenda beiden de kamer binnen, de een met een karaf water op een dienblad, de ander met een nieuw bord met bruin brood en boter. Deze uitbarsting van hun werkgeefster, deze plotselinge woedende uitval die althans Wexford nooit eerder bij haar had gezien, werkte zo op hun lachspieren dat ze die nauwelijks konden bedwingen. Juana moest haar hand voor haar mond houden terwijl Rosenda's mondhoeken trilden.

Wexford was er niet op bedacht dat ze zo snel tot de kern zou komen. Of had dat te maken met schuldgevoel?'

'Zeggen jullie het dan,' schreeuwde Anouk, 'zeggen jullie dan dat we nooit zo iemand hier hebben gehad! Jullie vinden het hier toch heerlijk? We zijn toch altijd goed voor jullie geweest? Zeg het dan!'

Juana begon nu vrijuit te lachen. Ze kon zich niet meer inhouden. 'Hij gek,' zei ze, naar adem happend. 'Wij zien nooit zo iemand, hè Rosa?'

'Nee, wij zien niemand, nooit.'

'Nooit, niemand. Hier uw brood. Meer citroen?'

'Dank u wel,' zei Wexford. 'Dat is alles.'

Zich kennelijk herinnerend dat hij al gestemd had, schreeuwde Anouk hem toe: 'Mijn huis uit! Nu! Alle twee! Verdwijn!'

Ingrid was opgestaan en klemde haar servet in haar handen. 'Ik moet weg,' zei ze haperend. 'Ik moet weer naar kantoor.'

Rosenda hield de eetkamerdeur open en mompelde: 'Schiet op, schiet op, weg nu.'

'U geeft me toch wel een lift, hè?' zei Ingrid tegen Wexford.

Het was Burden die voor hem antwoordde. 'Dat gaat niet.'

'O, maar...'

'We zijn geen taxibedrijf.'

Achter hen in de eetkamer gaf Anouk met korte, stotende snikken lucht aan haar overspannen zenuwen. Khoori zei tegen niemand in het bijzonder dat er maar beter cognac gebracht kon worden. Wexford en Burden staken de woestijnachtige hal over naar de voordeur, in gezelschap van de twee giechelende vrouwen. De warme buitenlucht die hen als een golf overspoelde was een waarlijk sensueel genot. Ze zaten nauwelijks in de auto toen Ingrid naar buiten kwam met Khoori achter zich aan, die het portier voor haar opende van de auto waarin ze waren gearriveerd.

'Ik durf te wedden dat dat voor het eerst is dat zo'n Rolls iemand naar het uitkeringskantoor heeft gebracht,' zei Burden terwijl hij de motor startte. 'Ze ziet er wel anders uit, hè, zonder die contactlenzen.'

'Bedoel je dat dat blauw door *lenzen* werd veroorzaakt?'

'Wat anders? Ze zal er wel last van hebben kregen zodat ze ze uit heeft moeten doen.'

Misschien kwam het door de geur van zijn aftershave, maar Gladys Prior wist al dat het Burden was voordat hij een woord had gezegd. Ze had zelfs zijn naam al gespeld, volhardend in het grapje dat haar zoveel plezier verschafte. Wexfords vraag gaf aanleiding tot een nieuwe schaterbui.

'Of hij thuis is? Allemachtig, hij heeft al vier jaar geen voet meer buiten gezet.'

Percy Hammond zat aan zijn Mizpah over zijn Syrische Hoogvlakte uit te kijken. Zonder zich om te draaien, hen herkennend aan hun stemmen en voetstappen, vroeg hij: 'Wanneer gaan jullie hem oppakken?'

Onder een verraste en enigszins bestraffende blik van Burden zei Wexford: 'Morgen, denk ik, meneer Hammond. Ja, morgen hebben we eh... ze te pakken.'

'Wie krijgt die flat aan de overkant?' vroeg mevrouw Prior onverwacht.

'U bedoelt de flat van Annette Bystock?'

'Ja, die. Wie krijgt hem?'

'Ik heb geen idee,' zei Burden. 'Die zal wel naar de nabestaanden gaan. Goed, meneer Hammond, we willen graag nogmaals uw hulp...'

'Ja, om hem morgen in te rekenen, hè?'

Burdens gezicht verried duidelijk wat hij van Wexfords uit de lucht gegrepen grootspraak dacht. 'Wij willen u vragen nog eens te vertellen wat u op de achtste juli vanuit dit raam hebt gezien.'

'En wat nog belangrijker is,' zei Wexford, 'wat u op de zevende juli hebt gezien.'

Het zou voor de allereerste keer zijn, en hij zou het nooit gedaan hebben, nooit écht gedaan hebben, maar Burden had Wexford *bijna* gecorrigeerd. Hij had *bijna* gemompeld: je bedoelt niet de zevende, op de zevende heeft hij niemand gezien, behalve dat meisje met de blauwe lenzen en Edwina Harris en een man met een spaniël. Dat stond allemaal in het rapport. In plaats van het te zeggen, kuchte hij en schraapte hij zijn keel. Wexford schonk er geen aandacht aan.

'Heel vroeg die donderdagochtend zag u die jonge knaap die een beetje op meneer Burden hier lijkt het huis uit komen met een grote doos in zijn armen.'

Percy Hammond knikte energiek. 'Ongeveer halfvijf in de ochtend was dat.'

'Juist. Die avond daarvoor, die woensdagavond, bent u naar bed gegaan en gaan slapen, maar na een tijdje werd u wakker en bent u opgestaan...'

'Om z'n geld uit te geven,' zei Gladys Prior.

'U bent natuurlijk aan het raam gaan zitten – en u hebt toen iemand uit Ladyhall Court zien komen? U hebt een jongeman naar buiten zien komen?'

Het oude, gerimpelde gezicht verschrompelde nog meer terwijl hij zijn geheugen pijnigde. Hij balde zijn handen tot vuisten.

'Dat hebt u gezegd, meneer Hammond, en vervolgens dacht u dat u zich vergiste omdat u hem beslist 's morgens hebt gezien en u kon hem niet twee keer gezien hebben.'

'Maar ik heb hem twee keer gezien...' zei Percy Hammond op fluistertoon. 'Ik *heb* hem twee keer gezien.'

Behoedzaam vervolgde Wexford: 'U hebt hem twee keer gezien? 's Morgens – en de avond daarvoor?'

'Ja. Ik weet het zeker. Ik heb hem twee keer gezien. En de eerste keer zag hij mij ook.'

'Hoe weet u dat?'

'Die eerste keer droeg hij geen doos, hij had helemaal niets bij zich. Hij liep naar het hek en keek naar boven, recht in mijn gezicht.'

Dit was de laatste keer dat hij Oni Johnson ging bezoeken. Ze had hem niets meer te vertellen. Haar openhartigheid had haar het leven gered. De volgende dag zou ze de intensive care verlaten en naar een kamer met drie andere vrouwen worden overgebracht.

Laurette Akande kwam hem tegemoet. Ze keek hem aan en deed alsof de afgelopen maand nooit bestaan had. Ze had nooit een dochter verloren en nooit die dochter teruggevonden, er was geen angst geweest, geen lijden, en geen gelukkige hereniging. Hij had een vreemde geweest kunnen zijn. Haar houding was energiek, haar stem opgewekt.

'Ik wou dat die zoon van haar zich een keer waste. Z'n kleren stinken en z'n haar stinkt, om van de rest nog maar te zwijgen.'

'Die ziet u niet meer zodra zijn moeder hier weggaat,' zei Wexford.

'Dat kan me niet gauw genoeg zijn.'

Oni zag er goed uit. Ze zat rechtop in bed en droeg een gewatteerd bedjasje van roze satijn over haar verbonden bovenlichaam, dat duidelijk een cadeautje was van Mhonum Ling en dat veel te warm was voor de temperatuur in de kamer. Mhonum zat aan de ene kant van het bed, Raffy aan de andere. Het was waar dat hij onaangenaam rook, een eigenaardige mengeling van hamburgers en sigarettenrook waartegen de Giorgio eau-de-toilette van zijn tante het moest afleggen.

'Wanneer gaat u hem inrekenen?' vroeg Oni.

Het leek wel of hij die namiddag het mikpunt van ieders lachlust was. Oni lachte, vervolgens Mhonum en Raffy viel in met een schaapachtig gegiechel.

'Morgen.'

'Dat meent u niet,' zei Mhonum.

'Toch wel.'

Het begon een vast patroon te worden. Sylvia bracht Neil en de kinderen met de auto naar Kingsmarkham, Neil ging naar zijn banenclub en sprak voor later met hen af, en Sylvia ging naar haar ouders, liever gezegd, naar haar moeder. Wexford vroeg nooit hoe lang ze er al was toen hij thuiskwam, hij wilde het niet weten, hoewel Dora er achteraf wel eens over mopperde, wat altijd werd ingeleid met: 'Ik zou eigenlijk niet zo over mijn eigen kind moeten praten...'

'Je vindt het toch niet erg,' zei Sylvia toen hij de kamer binnenkwam, 'dat ik morgen aan die werklozenmars deelneem?'

Het verrastte hem dat ze hem dat vroeg – en hij was ook een beetje geroerd. 'Het zal er wel rustig aan toegaan, geen arresties, geen eigendommen die in brand worden gestoken of auto's die omver worden gegooid.'

'Ik wou het je toch even vragen,' zei ze, op een toon die suggereerde dat ze haar plichten kende.

'Je doet maar, zolang je de paarden niet afschrikt.'

'Zijn er ook *paarden*, opa?'

Wexford lachte. Hij vond dat hij deze keer recht had op een lach waarvan niemand de aanleiding begreep. De deurbel ging. Er was nog nooit bij hen aangebeld in het Kolonel Bogey-ritme: da-

da-di-di-di-pom-POM. Zoveel frivoliteit kwam bepaald onver-
wacht. Wexford ging opendoen. Zijn schoonzoon stond breed
grijnzend op de stoep en wilde per se zijn hand schudden.
'Mag ik een borrel? Daar ben ik wel aan toe.'
'Natuurlijk.'
'Whisky, graag. Ik heb een fantastische middag gehad.'
'Dat zie ik.'
Neil nam een slok uit zijn glas. 'Ik heb een baan! En in mijn eigen
vakgebied. Ik word partner van een oude architect, een buitengewoon rijke en gerenommeerde man die voor de investering...'
'Ik vind het werkelijk te gek voor woorden,' zei Sylvia, 'dat je dat
hier zomaar aan iedereen vertelt zonder het eerst tegen mij te
zeggen.'
Haar vader vond dat ze wel een beetje gelijk had, maar hij zei
niets. Hij nam een slok van zijn whisky en zei: 'Alexander Dix.'
Neil had zijn jongste zoon op schoot genomen. 'Ja, klopt. Dat is
voor het eerst dat een sollicitatie van mij succes heeft gehad. Hoe
wist je dat?'
'Er is maar één oude, rijke, gerenommeerde architect in Kingsmarkham.'
'We beginnen met een grootscheepse aanpak van die Castlegate-
buurt. Een winkelcentrum, als ik met die term geen afbreuk doe
aan wat het uiteindelijk gaat worden. Een plaatje wordt het, een
grote aanwinst voor de stad, vol kristal en goud en met als grote
trekker een Crescent-supermarkt.' Hij legde de fonkeling die hij
in de ogen van zijn schoonvader zag verkeerd uit. 'O, zonder al
die manen en minaretjes, maak je niet ongerust. Het maakt deel
uit van het regeringsbeleid om in stadscentra weer commercie
aan te trekken.' Terloops zei hij tegen Sylvia: 'Vanaf dinsdag hoef
je niet meer naar het uitkeringskantoor.'
'Heel hartelijk bedankt, maar dat bepaal ik zelf wel.'
'Je zou op zijn minst kunnen zeggen dat je blij bent.'
'Ik sta niet te springen om deel uit te maken van een maatschap-
pij waar de vrouw binnenzit, de man thuiskomt en zegt dat hij
een nieuwe, goed betaalde baan heeft en zij zegt: hiep hiep hoera,
en krijg ik nu een parelketting en een bontjas?'

313

'Je moet geen bont dragen,' zei Ben.

'Dat doe ik ook niet. Dat kan ik niet betalen en dat zal ik ook nooit kunnen.'

'*Walang problema*,' zei Wexford in het Tagalog.

Robin, met zijn koptelefoon op, keek hem meewarig aan van achter zijn computerspelletje. 'Dat doe ik niet meer, opa,' zei hij. 'Ik spaar nu handtekeningen van beroemde mensen. Kun jij aan die van Anouk Khoori komen?'

23

De werklozenmars zou die ochtend om elf uur beginnen. De deelnemers was verzocht zich met hun spandoeken op het marktplein in Stowerton te verzamelen, waarna de stoet zich bij de trap van de oude Korenbeurs zou opstellen. Het zou nog warmer worden, maar voor later op de dag werd regen en kans op onweer verwacht. Dat wist Wexford allemaal van de lokale nieuwsuitzending waar hij onder het aankleden met tussenpozen naar keek, maar de bijzonderheden van de route hoorde hij van Dora, die het weer van Sylvia had. De mars ging van Stowerton naar de verkeersrotonde, door de troosteloze straten van het industrieterrein, vandaar naar Kingsmarkham Road en over de Kingsbrook Bridge zouden ze Kingsmarkham binnenkomen. De eindbestemming was het stadhuis van Kingsmarkham.

Voor de uitslag van de raadsverkiezingen was hij weer aangewezen op het nieuws. Het aantal stemmen voor de Liberaal Democraten en de Onafhankelijke Conservatieven lag zo dicht bij elkaar dat ze tot een nieuwe telling hadden besloten. Ken Burton lag eruit, die had niet meer dan achtenvijftig stemmen gekregen. Wexford overwoog om Sheila te bellen, maar zag ervan af. Ze zou er trouwens wel via haar eigen kanalen achterkomen.

'Je raadt het nooit,' zei Dora. 'Sylvia heeft *ons* zondag voor de lunch uitgenodigd.'

Wexford zei vaag: 'Ik hoop dat het goed komt,' en voegde eraan toe: 'Met Neils baan, bedoel ik.'

Het was een stille, drukkende dag en de hitte hing zwaar onder een gesluierde blauwe lucht. Het was net als aan het begin van de maand toen hij bij het open raam had zitten lezen en dokter Akande hem had opgebeld. De atmosfeer die ochtend had iets verzengends. Burden merkte op dat een ketel kokend water koelere lucht afgaf. In de auto werkte de airconditioning net zo doeltreffend als die op Mynford New Hall, en Wexford vroeg Donaldson hem af te zetten en een raampje open te draaien.

'We zijn heel snel geneigd om verklaringen van oude mensen terzijde te schuiven,' zei Wexford. 'Als we ook maar de geringste twijfel hebben dan nemen we ogenblikkelijk aan dat iemand seniel is, of dat zijn geheugen niet te vertrouwen is of zelfs dat hij niet meer helemaal goed bij zijn hoofd is. Naar jongere mensen luisteren we wel, we sporen ze zelfs aan om alles rustig op een rijtje te zetten. Percy Hammond heeft gezegd dat hij die woensdagavond naar bed is gegaan, is gaan slapen, maar dat hij wakker werd, opstond en "even het licht aandeed". Hij deed het weer uit "omdat het zo fel was". Die ervaring kennen we allemaal. Hij keek uit het raam en zag "die jonge knaap naar buiten komen met een doos in zijn armen". "Of was dat later?" zei hij. We hebben hem niet gevraagd daarover na te denken. We hebben niet gezegd: "Denk heel goed na, probeert u zich de tijd te herinneren". Karen zei alleen maar dat het later moest zijn geweest, dat hij "die jonge knaap" 's ochtends had gezien. Maar het was net zo goed mijn eigen schuld, ik ben er ook niet op ingegaan. Maar het feit blijft, Mike, dat die oude man *Zack Nelson twee keer heeft gezien.*'

Burden keek hem aan. 'Wat bedoel je?'

'Hij zag hem omstreeks halftwaalf op woensdagavond en hij zag hem *weer* om halfvijf die donderdagochtend. Daar twijfelde hij niet aan. Zijn enige twijfel was of Zack de "doos" 's avonds of 's morgens had gedragen. En die eerste keer, die woensdagavond, heeft Zack *hem* gezien. Hij zag een gezicht dat vanuit het raam naar hem keek. Begrijp je het nu?'

'Ik geloof van wel,' zei Burden langzaam. 'Annette stierf na tien uur woensdagavond en vóór een uur donderdagochtend. Als Percy Hammond hem voor het eerst om... Maar dat betekent dat Zack Annette heeft vermoord.'

'Ja, natuurlijk. De deuren waren open. Zack ging naar binnen om laten we zeggen halftwaalf, en zag Annette in bed liggen slapen. Ze was zwak, ze was ziek, waarschijnlijk had ze koorts. Hij zocht naar iets waarmee hij haar kon doden, een sjaal, een koord. Maar het snoer van de lamp was nog het best. Hij trok het eruit, wurgde Annette – die veel te zwak was om zich te verzetten – en liep zonder iets mee te nemen het huis uit. Er brandt nergens licht, op een straatlantaarn na, er is niemand die hem ziet – totdat hij naar de overkant kijkt en het gezicht van Percy Hammond tegen de ruit gedrukt ziet dat naar hem zit te staren.'

'Maar dan zal hij toch niet vijf uur later weer zijn teruggegaan?'

'Nee?'

'Dan zou hij toch alleen maar de aandacht op zich vestigen?'

'En dat is ook precies wat hij wil. Hij wil juist de aandacht op zich vestigen, of iemand anders wil dat. Volgens mij is het volgende gebeurd. Het blijft een vermoeden, maar het is de enig mogelijke oplossing. Zack was doodsbenauwd. Die man met zijn, laten we wel wezen, nogal angstaanjagende gezicht, had hem lang en indringend aangestaard. Hij raakt in paniek, hij heeft advies nodig. Hij is zich volledig bewust van de omvang van wat er gebeurd is. Wie kan hem raad geven? Dat ligt voor de hand: alleen de man of de vrouw die hem hiertoe heeft aangezet, de opdrachtgever door wie hij betaald wordt. Het is middernacht, maar dat kan hem niet schelen. Hij heeft ongetwijfeld te horen gekregen dat hij nooit contact met die persoon mag zoeken, maar ook dat kan hem niet schelen. Hij gaat naar de winkel op de hoek waar een telefooncel staat. Hij belt en krijgt van een veel slimmere misdadiger dan Zack ooit kan worden het advies: ga terug, steel wat uit dat huis, zorg dat je gezien wordt. Zorg dat je voor een tweede keer gezien wordt.'

'Maar waarom? Dat snap ik niet.'

'Hij of wie dan ook moet hebben gezegd: ze zullen erachter komen hoe laat ze is gestorven. Als je om vier uur of later terugkomt *dan weten ze ook dat ze al dood moet zijn geweest voordat jij daar kwam.* Van moord zul je dan niet beschuldigd kunnen worden. Natuurlijk kom je vast te zitten wegens diefstal, maar niet voor lang, en dat is het toch wel waard, niet? Je zei dat een oude man je gezien had? Van een oude man zullen ze denken dat hij zich in de tijd heeft vergist.'

'En dat deden we,' zei Burden.

'Dat doen we allemaal. We zijn altijd een beetje meewarig ten opzichte van oude mensen, en erger, we behandelen ze als kleine kinderen. En zo zal het ons op een dag ook vergaan, Mike. Tenzij de wereld verandert.'

Het interieur leek merkwaardig veel op dat van het huisje op Glebe End. Kimberley had al haar bezittingen in kartonnen dozen en plastic zakken verhuisd en daarin had ze ze laten zitten. Voor haar waren het nog steeds wat kasten en laden voor andere mensen betekenen. Wel had ze meubilair gekocht: een gigantisch driedelig bankstel van paars en grijs met gouden koorden en guirlandes, een donkerrode tafel met een goudkleurig blad, een televisietoestel in een wit met gouden kastje. Er was geen vloerbedekking, er waren geen gordijnen. Clint, die had leren lopen sinds Burden hem voor het laatst had gezien, wankelde de kamer door, waarbij hij het chocoladekoekje waaraan hij gesabbeld had aan alle bekleding afveegde die hij tegenkwam. Kimberley droeg een zwarte legging, witte schoenen met naaldhakken en een strapless rood topje. Ze keek Burden strijdlustig aan en zei dat ze niet wist waar hij het over had.

'Waar komt dit allemaal vandaan, Kimberley? Nog geen drie weken geleden wist je niet wat je moest beginnen als je dat huisje zou kwijtraken.'

Ze bleef bokkig kijken, maar wendde haar blik van hem af en staarde naar haar voeten.

'Het komt van Zack, hè? Niet van je grootmoeder.'

Tegen haar voeten zei ze: 'Mijn oma is wel overleden.'

'O, zeker, maar ze heeft je niets nagelaten, ze had niets om na te laten. Werd Zack contant betaald? Of heeft hij een bankrekening voor jullie geopend en heeft hij het daarop laten storten?'

'Ik weet hier echt niets van, hoor. Ik weet niet waar u het over heeft.'

'Kimberley,' zei Wexford. 'Hij heeft Annette Bystock vermoord. Hij heeft niet alleen maar haar tv en video gestolen. Hij heeft haar vermoord.'

'Niet waar!' Ze keek op, hield haar hoofd schuin en trok haar schouder op alsof ze haar gezicht tegen klappen wilde beschermen.

'Hij heeft alleen maar haar spullen gegapt, meer niet.' Het kind, dat weer met zijn favoriete tijdverdrijf bezig was en artikelen uit de ene kartonnen doos naar de andere verplaatste, had nu een ongeopend doosje theezakjes opgevist en draafde ermee naar zijn moeder. Ze greep hem vast en tilde hem op haar schoot. Het was alsof ze hem als schild gebruikte. 'Hij heeft gezegd dat hij alleen haar tv en zo gejat heeft. En waarom zou hij geen geld op de bank hebben? Nou goed dan, het kwam van zijn familie en niet van de mijne. Hij zei dat ik moest zeggen dat het van mijn oma kwam, omdat die pas was overleden. Maar het kwam van zijn familie. Zijn vader heeft geld. Niet opentrekken, Clint, anders valt alle thee eruit.'

Het kind trok zich er niets van aan. Hij had het karton gescheurd en de theezakjes gevonden. Hij was innig tevreden. Kimberley hield hem stevig vast, met haar arm om zijn middel geslagen. Op felle toon zei ze: 'Hij zou nooit iemand vermoorden. Zack zou zoiets nooit doen.'

Ze sprak de waarheid, dacht Wexford, voorzover ze die wist. Hij was er bijna zeker van dat ze niet op de hoogte was. 'Heeft Zack je verteld dat er geld op de bank stond voordat hij wegging?'

Ze knikte heftig. 'Op *mijn* rekening. Hij heeft het er voor mij opgezet.'

Clint had een theezakje in beide handen vastgegrepen en zat er met een rood gezicht van inspanning aan te rukken.

'Waarom deze flat, Kimberley?' vroeg Burden.

'Omdat hij mooi is, natuurlijk. Ik wou hier graag wonen, is dat niet genoeg?'

'Was het niet omdat je er niets voor hoefde te doen? Deze flat is toch eigendom van Crescent Comestibles, en dus van meneer Khoori? Je hoefde er helemaal niets voor te doen. Meneer Khoori heeft je deze flat gegeven en genoeg geld om alles te kopen wat je wilde.'

Het was Wexford duidelijk dat ze geen idee had van wat Burden bedoelde. Ze kon niet toneelspelen. Ze wist echt van niets en de ze namen hadden geen enkele betekenis voor haar. Het kind op haar schoot was er eindelijk in geslaagd het theezakje open te trekken en strooide nu thee over haar legging en op de vloer. Ze merkte het niet. Ze staarde hen verbijsterd aan en zei ten slotte: 'Hè?'

Wexford zag het nut van een nadere uitleg niet in. 'Hoe is het wel gegaan, Kimberley?'

Ze veegde de donkere blaadjes van haar benen en schudde Clint even door elkaar. 'Ik liep met hem in de wandelwagen door High Street en toen zag ik dat bord over flats en hypotheken en zo, dus ik dacht: waarom niet, al dat geld van Zack is nu van mij, dus ik ging naar binnen en heb met die man gepraat en gezegd dat ik het geld had, en dat ik contant kon betalen of met een cheque, en wanneer ik kon intrekken. Nou en toen ben ik er ingetrokken. En van die meneer Coo– of hoe hij ook mag heten, heb ik nog nooit gehoord.'

Natuurlijk moest ze geweten hebben dat de bron van deze onverwachte geldstroom verdacht was. Als dit geld, ongetwijfeld vele duizenden ponden, wettig was verkregen dan zou het niet op wonderbaarlijke wijze vanzelf op bankrekeningen van mensen als Zack Nelson zijn terechtgekomen. Families als de Nelsons hadden geen eigen vermogen of middelen om hun minder bedeelde nazaten te ondersteunen. Dat wist ze net zo goed als zij. Maar Wexford wist ook dat ze dat nooit zou toegeven, ze zou nooit zeggen dat ze geweten had dat er een luchtje aan dit geld moest zitten, want haar verlangen naar een betere woonruimte was zo groot dat ze graag dat feit over het hoofd wilde zien. Ze zou alleen maar met uitzinniger verklaringen en excuses zijn aangekomen.

'Het belangrijkste,' zei hij tegen Burden toen ze weer buiten in Stowerton High Street stonden, 'is dat ze niet weet waar het vandaan komt. Zack Nelson is zo wijs geweest het haar niet te zeggen. Of laten we zeggen dat hij haar een leugen vertelde en dat zij dat wist maar die accepteerde. We hadden geen omwegen hoeven maken om High Street te vermijden.'

'Maar híj weet het wel.'

320

Wexford haalde zijn schouders op. 'En denk je dat hij het zal toegeven? In dit stadium? Goed, we kunnen hem in de cel gaan opzoeken en het hem vragen. Dan komt hij met het verhaal dat Percy Hammond wel dement zal zijn en dat Annette allang dood was voor hij op Ladyhall Court kwam inbreken. En we kunnen het niet bewijzen, Mike. We kunnen nooit bewijzen dat Percy Hammond Zack twee keer heeft gezien. Als Zack nu zijn mond houdt, en dat doet hij, dan hoeft hij alleen maar zes maanden voor inbraak uit te zitten.'

In de drukkende hitte slenterden ze doelloos en met langzame, lome passen door de straat, en waren bij Market Cross voor ze er erg in hadden. Banken zijn altijd in een bepaald stadsdeel geconcentreerd en toen ze eerst langs de Midland en vervolgens langs de NatWest liepen, zei Burden: 'De bankrekening die Zack geopend heeft, hè? Dat moet hij gedaan hebben voordat hij Annette vermoord heeft. Zodra hij het erover eens was, dus dinsdag of uiterlijk woensdag. We kunnen uitzoeken van wie die cheque of overschrijving of wat ook afkomstig is die een paar dagen later werd bijgeschreven.'

'Denk je, Mike?' zei Wexford bijna droevig. 'Op welke gronden kunnen we gegevens opvragen over een bankrekening die op naam staat van Kimberley Pearson? Zij heeft niets gedaan. Zij wordt zelfs nergens van beschuldigd. Ze weet niet waar dat geld vandaan kwam, maar ze zal zichzelf inmiddels wijs gemaakt hebben dat het inderdaad van Zacks rijke oude grootvader afkomstig was. Voor de wet is zij onschuldig en geen enkele bank zal toestaan dat wij inbreuk maken op haar recht op privacy.'

'Ik snap niet waarom Zack Nelson zomaar en plein public die radio aan Bob Mole heeft verkocht, op de markt nota bene waar we regelmatig controleren.'

Wexford lachte. 'Juist daarom, Mike. Om precies dezelfde reden als waarom hij Annettes flat weer is ingegaan: om de aandacht op zichzelf te vestigen. Hij wilde zo snel mogelijk gearresteerd worden, dan kon hem niets meer gebeuren. Hij heeft er zelfs het meest herkenbare voorwerp van de gestolen waar voor uitgekozen, die radio met de rode vlek erop.'

Op het plein bleven ze staan. Ze wilden zich net omdraaien en teruglopen, toen Wexford de menigte in het oog kreeg die zich voor de Korenbeurs had verzameld. Het was een Victoriaans gebouw, waarvan een bordes naar de door zuilen ondersteunde ingang voerde. Op sommige treden lagen of zaten mensen te wachten als toeschouwers in een amfitheater. Bij de ingang stonden een stuk of vijf mensen aan een spandoek te werken dat ineens werd ontvouwen. 'Geef Ons Het Recht Op Werk' stond erop.

'Hier begint die werklozenmars,' zei Burden. 'Wie had ooit kunnen denken dat we zoiets hier zouden meemaken? In Liverpool ja, of Glasgow. Maar hier?'

'Wie had ooit kunnen denken dat we hier met slavernij te maken zouden krijgen? De Zoekende was een slavin.'

'Nou ja, niet precies, natuurlijk.'

'Als iemand werkt zonder loon te ontvangen, of voor loon waar zij niet aan kan komen, als ze niet bij haar werkgever weg kan gaan, niet naar buiten mag, geslagen wordt en vernederd, wat is ze dan anders dan een slaaf? "Slaven kunnen niet ademen in Engeland, het ogenblik dat hun longen onze lucht ontvangen, zijn zij vrij. Zij betreden onze bodem en hun boeien vallen af". Dat heb ik uit een boek, het zal wel niet lang in mijn geheugen blijven hangen. Waar het om gaat is dat het ooit zo was en dat het nu niet meer zo is.' Wexford haalde een vel papier uit zijn zak. 'Dit heb ik overgeschreven. Het is echt gebeurd en niet in de achttiende of negentiende eeuw, maar zes jaar geleden.

"Roseline",' las hij voor, ' "komt uit het zuiden van Nigeria. Toen ze ongeveer vijftien jaar oud was, werd ze voor twee pond van haar verarmde vader 'gekocht', aan wie was beloofd dat hij dat bedrag elke maand zou ontvangen als bijdrage om zijn andere vijf kinderen te voeden. Roseline, had het echtpaar hem gezegd, zou als gast in hun gezin worden opgenomen en huishoudkunde studeren. Zij namen haar mee naar Sheffield, waar de echtgenoot als arts werkte. Zij fungeerde als hun dienstbode, mocht niet naar buiten, sliep op de vloer, en moest twee uur geknield blijven zitten als ze in slaap viel voordat ze naar bed mocht. Haar werkdag begon om halfzes in de ochtend en duurde achttien uur. Ze maakte het huis schoon en deed de was voor haar werkgevers en hun vijf kinderen. Ze werd geslagen en kreeg te weinig te eten. Een keer schreef ze in wanhoop een briefje dat voor de buurman was bestemd en waarin ze hem seks aanbood in ruil voor een boterham. Het briefje werd ontdekt en ze werd nog zwaarder gestraft. In september 1988, toen haar kwelgeesten een week van huis waren, verzamelde ze al haar moed en sprak met iemand die regelmatig het huis passeerde en haar dan vaak uit het raam zag staren. Hij wenkte naar haar. Deze buurman hielp haar te ontsnappen, en zij bracht haar werkgevers voor het gerecht. Ze kreeg een schadevergoeding van twintigduizend pond. Ze had evenwel slechts een verblijfsvergunning voor drie maanden, terwijl haar werkgevers haar meer dan drie jaar gehouden hadden. Omdat ze illegaal in het land verbleef werd ze ogenblikkelijk op het vliegtuig gezet".'

Burden was even stil. Toen zei hij: 'De Zoekende probeerde te ontsnappen en werd ook zwaarder gestraft – bedoel je dat?'

'Zij zijn te ver gegaan met hun straf. Ze waren natuurlijk bang voor de publiciteit en schadeclaims. Ze wilden er zeker van zijn dat dat niet zou gebeuren. Ze wilden er zo zeker van zijn dat ze zelfs Annette hebben vermoord, die misschien bij machte was om hun identiteit en verblijfplaats bekend te maken, en ze probeerden ook, tot tweemaal toe, Oni te vermoorden, aan wie de Zoekende misschien hun adres had gegeven.'

'Denk je dat zij net als Roseline als gast het land is binnengelaten? Ze mocht maar drie of zes maanden blijven, maar bleef veel langer.'

'Wie zou er ooit achterkomen als ze nooit naar buiten mocht en met niemand contact had? Als zelfs mensen die daar op bezoek kwamen haar nooit te zien kregen? En de werkgever hoefde alleen maar te dreigen dat ze ogenblikkelijk naar waar dan ook op het vliegtuig zou worden gezet als ze ontdekt werd, dus ze schikte zich wel in zijn wensen.'

'Maar als de omstandigheden zo afschuwelijk zijn, waarom zou ze dan niet terug willen?'

'Dat hangt ervan af wat haar daar te wachten staat. Er zijn heel wat delen van de wereld waar voor een dakloze berooide vrouw alleen nog prostitutie overblijft. Alleen heeft de Zoekende zich er maar tot op zekere hoogte in geschikt. *Voor* ze naar dit land kwam moet ze als het goed is op de hoogte zijn gebracht van de rechten die ze had, moet ze de folder hebben gekregen die uitlegt wat de immigratiewet inhoudt en wat ze moet doen als ze slecht behandeld wordt. Maar dat is allemaal maar betrekkelijk. Als de Zoekende, zoals ik denk, met die familie het land is binnengekomen, als *gast*, dan had ze helemaal geen rechten, en voorzover we weten kon ze niet lezen. In elk geval geen Engels, mogen we aannemen. Waarschijnlijk wist ze maar heel weinig van de buitenwereld, van Engeland, van Kingsmarkham. Ze was zwart, maar ze zag nooit een ander zwart iemand. En toen, op een dag, terwijl ze uit het raam stond te kijken, zag ze Melanie Akande voorbijrennen...'

'Reg, nou draaf je een beetje door.'

'Het is intelligent speculeren,' wierp Wexford tegen. 'Zij zag Melanie. En niet voor de eerste keer. Bijna elke dag vanaf het midden van juni. Daar buiten zag ze een zwart meisje, en misschien voelde ze dat Melanie van Afrikaanse afkomst was, een Nigeriaanse, net als zij.'

'Stel dat dat zo zou zijn, wat ik niet kan geloven, wat dan nog?'

'Ik denk dat het haar zelfvertrouwen heeft gegeven, Mike. Daardoor zag ze dat ontsnapping misschien wel mogelijk was en dat niet de hele wereld vijandelijk gebied was. Dus is ze weggelopen, zonder precies te weten waarheen, en ze wist niets anders...'

'Nee, echt niet,' zei Burden. 'Dat kan echt niet. *Ze wist van het bestaan van het Banencentrum.* Ze wist dat je daar werk kon zoeken en geld krijgen als er geen werk was... O, kijk, ze gaan beginnen.'

Zouden het er honderd zijn? Net als de meeste mensen kon Wexford moeilijk op het eerste gezicht aantallen schatten. Hij zou hen eerst in rijen van vier of acht hebben moeten zien. Ze waren zich nu aan het opstellen, met zijn vieren naast elkaar; twee waren er uitgekozen om de voorhoede te vormen en het spandoek te dragen, twee mannen van middelbare leeftijd. Burden dacht een van hen een aantal keren in het uitkeringskantoor te hebben gezien. Op dat moment zag hij de twee agenten van de uniformdienst opeens op het bordes van de Korenbeurs verschijnen.

De stoet zette zich in beweging. Het was niet duidelijk wat voor teken daartoe was gegeven. Misschien een woord dat van de ene rij naar de andere werd doorgefluisterd, of misschien het spandoek dat plotseling in de hoogte werd gehouden. De twee agenten op het bordes gingen terug naar hun auto die op het met vierkante flagstones geplaveide marktplein stond geparkeerd, een witte Ford met de scharlaken streep en adelaarskop van de politie van Midden-Sussex.

'We rijden achter ze aan,' zei Wexford.

Ze liepen achteruit om de stoet te laten passeren. Zoals bij alle marsen was het een langzame start. Pas wanneer ze op de hoofdweg naar Kingsmarkham waren konden ze er tempo in zetten. Bijna iedereen droeg een spijkerbroek met een overhemd of T-shirt, en sportschoenen, het alomtegenwoordige uniform. De oudste deelnemer was een man van ver in de zestig die vast niet meer op werk zou hopen en wel mee zou doen uit gemeenschapszin, solidariteit of gewoon omdat hij er plezier in had. De jongste was een baby in een wandelwagen wier moeder een tweelingzus van Kimberley Pearson had kunnen zijn voordat deze in goeden doen raakte.

De rijen van de achterhoede werden gesloten met het spandoek: 'Een Baan voor Iedereen. Is Dat Te Veel Gevraagd?' Het werd gedragen door twee vrouwen die zo veel op elkaar leken dat het moeder en dochter moesten zijn. De menigte ging verder door High Street en de politieauto kroop erachteraan. Wexford en Burden stapten weer in hun auto en Donaldson reed achter de witte Ford aan.

'Iemand moet het haar hebben gezegd,' zei Wexford koppig, hiermee op Burdens afwijzing reagerend alsof hun gesprek nooit was onderbroken. 'Iemand moet haar hebben gezegd dat ze bij het uitkeringskantoor moest zijn.'

'Wie dan?' Burden liet zich niet uit het veld slaan. 'En als dat zo is, waarom heeft diegene dan niet gezegd hoe ze er moest komen? Of nu we het daar toch over hebben, waarom heeft diegene haar niet helpen ontsnappen? Of gezegd hoe ze wettelijke bescherming kon krijgen?'

'Dat weet ik niet.'

'Als degene haar heeft verteld hoe ze werk en een uitkering kon krijgen en hoe ze kon ontsnappen, waarom heeft diegene ons dan niet ingeschakeld?'

'Dat is van later zorg, Mike. Die vragen zullen heus wel beantwoord worden. Op dit moment weten we niet waar ze is mishandeld of waar ze is gestorven. Maar we weten wel waarom. Omdat ze, nu ze geen hulp van Annette kreeg, geen andere keus had dan terug te gaan naar dat huis. Waar kon ze anders heen?'

De stoet sloeg linksaf naar Angel Street, waar ze nu in sneller tempo op de verkeersrotonde afliepen. De eerste afslag ging naar Sewingbury, de tweede naar Kingsmarkham, de derde naar het industrieterrein waar Wexford twee dagen geleden was geweest. De stoet zou tussen de fabrieksterreinen door marcheren en weer uitkomen op Kingsmarkham Road bij een pub die Halfway Home heette.

'Ik zie daar het nut niet van,' zei Burden. 'De meeste fabrieken zijn gesloten.'

'Dat zal het 'm juist wel zijn,' zei Wexford.

De zon, die op het marktplein van Stowerton nog helder had geschenen, had zich nu teruggetrokken achter een dunne wolkensluier en was niet meer dan een verre, witte poel van licht waarlangs zwartgerande wolken dreven. Maar de hitte bleef onverminderd en nam zelfs toe. Twee jonge demonstranten trokken hun T-shirt uit en bonden het om hun middel.

Op de hoek van Southern Drive kreeg de stoet versterking van zes mannen en een jonge vrouw die hun eigen spandoek droegen met de raadselachtige tekst: 'Ja voor Euro-Werk'.

Voor werklozen is er misschien geen troostelozer aanblik dan een aaneenschakeling van lege fabrieken. Aan dichtgetimmerde winkels valt tenminste niets meer te zien. Bij alle fabrieken, waaronder twee gloednieuwe, waren de ramen in deze hitte gesloten, zaten er hangsloten op de deuren en waren er borden met te koop of te huur aangebracht in het hoge gras van de niet langer onderhouden gazons. Toen ze erlangs liepen wendden de betogers weer op een of ander teken als één man het hoofd als om deze monumenten van werkloosheid eer te betuigen, zoals een regiment doet aan een monument voor gesneuvelden.

Niet alle bedrijven waren gesloten. Een fabriek die machineonderdelen vervaardigde was opengebleven en een andere die kruidencosmetica produceerde scheen zelfs een bloeitijd door te maken. Burden merkte op dat ook de drukkerij op de hoek van Southern Drive en Sussex Mile weer was geopend en dat de persen weer draaiden. Het was een goed teken, een teken dat aan de recessie een einde kwam en dat de welvaart weer terugkeerde, voegde hij eraan toe. Wexford zei niets. Hij dacht na en niet alleen over economische problemen. Waar de betogers net gezwegen hadden, zouden ze hier moeten staan juichen. Maar het bleef rustig. Kennelijk deelden ze Burdens optimisme niet. De stoet trok de lange, lage helling op. Het was zeker anderhalve kilometer, en Wexford zou Donaldson gevraagd hebben de stoet te passeren en vooruit te rijden als ze erlangs hadden gekund. De weg werd een smal landweggetje, een wit paadje tussen hoge heggen en reusachtige bomen.

Ze kwamen maar één auto tegen voor ze de bocht op Kingsmarkham Road hadden bereikt. De wagen stopte, de witte Ford eveneens. Maar voordat de agent zijn portier had geopend, waren de marcheerders al uiteengeweken en hadden ze zich in één rij opgesteld, waarbij ze de spandoeken plat tegen de heg gedrukt hielden. Langzaam reed de auto naar voren. Toen hij de inzittenden kon onderscheiden zag Wexford dat de bestuurder dokter Akande was; zijn zoon zat naast hem. Akande knikte en hief zijn hand op in het klassieke dankende gebaar. De hand ging weer naar beneden voordat hij Wexford zag, of misschien had hij hem ook niet gezien. De jongen naast hem zag er nors en verongelijkt uit. Dit gezin zou hem nooit vergeven dat hij hen gewaarschuwd had zich voor te bereiden op de dood van een dochter, een zuster. Hoewel de verkeersdrukte op Kingsmarkham Road op vrijdag tegen lunchtijd niet zo erg was als tijdens het spitsuur, was het er ook niet bepaald rustig. De witte Ford reed de stoet langs en nam nu positie in aan de kop. Er sloten zich meer mensen aan op de kruising met Forby Road, waar gestopt werd om een tiental auto's uit de richting van Kingsmarkham te laten passeren. Er waren nu bijna honderdvijftig betogers, berekende Wexford. Heel wat mensen schenen zich op deze plek bij de marcheerders te willen aansluiten. Complete families die hun auto's in de grasberm hadden achtergelaten, vrouwen met drie of vier kinderen die dit als een dagje uit beschouwden, een stel pubers van wie Burden zei dat die alleen maar meededen om herrie te schoppen.

'We zullen wel zien. Misschien.'

'Dat wou ik je nog zeggen. Dat was ik bijna vergeten door al dat slavengedoe. Annette heeft een testament gemaakt, en aan wie denk je dat ze haar flat heeft nagelaten?'

'Aan Bruce Snow,' zei Wexford.

'Hoe wist je dat? Jammer, ik had je zo graag willen verrassen.'

'Ik wist het niet. Ik raadde het maar. Je zou er niet zo dramatisch over hebben gedaan als het haar ex-man was geweest of Jane Winster. Ik hoop dat hij het weet te waarderen. Dan heeft hij tenminste een dak boven zijn hoofd als zijn vrouw hem financieel heeft kaalgeplukt. Hoewel hij het wel niet zo aangenaam zal vinden dat Diana Graddon aan de overkant woont.'

De stoet kwam nu bij de buitenwijken van Kingsmarkham. Zoals in de meeste Engelse plattelandsstadjes waren de toegangswegen omzoomd door grote huizen uit het midden en eind van de negentiende eeuw, 'villa's' met hoge heggen en ouderwetse tuinen. Ze ademden een net iets andere sfeer dan Winchester Avenue en Ashley Grove. De rijkdom van deze huizen was binnen de muren verscholen en uitte zich niet in die pronkzucht waarachter een onverschilligheid verborgen was die weinig meer was dan armoede.

Er kwam een vrouw over de lange oprijlaan van een van de huizen rennen om zich bij de stoet aan te sluiten. Ze had een werkgeefster of een werkneemster kunnen zijn, dat viel niet op te maken uit haar spijkerbroek en mouwloze blouse. Zou Sylvia thuisblijven nu de noodzaak was weggevallen? Of zou ze meedoen, uit solidariteit met de anderen? Burden, die al een tijdje in gedachten was verzonken, zei opeens: 'Staat in dat verhaal dat je daarstraks vertelde ook de nationaliteit van de werkgever?'

'Nee. Maar waarschijnlijk was het een Britse familie.'

'Jawel, maar misschien ook Nigeriaans.' Wexford zag Burden in gedachten worstelen, maar hielp hem niet. 'Ik bedoel, ze kunnen wel Nigeriaans zijn geweest voordat ze Brits werden.' Hij gaf het op. 'Waren ze zwart?'

'Dat stond er niet bij.'

Voor hen uit was de brug over de Kingsbrook in zicht gekomen. Dankzij massaal verzet tegen de aanleg van rotondes was het stadscentrum van Kingsmarkham, althans op het oog, vrijwel onaangetast gebleven. Maar de smalle brug was zo'n knelpunt geworden dat zoveel verkeersopstoppingen veroorzaakte, dat hij twee jaar geleden verbreed was. Het was niet langer de smalle stenen boog die zo vaak op ansichtkaarten was afgebeeld, maar een meedogenloze constructie van grijs geverfd staal die uitkeek op de moteldependance van het Olive and Dove Hotel. De bomen waren er nog bijna allemaal, de elzen, de wilgen en de reusachtige paardekastanjes.

Dit was de plek waar jongens tussen het verkeer door renden om de voorruit schoon te maken van auto's die voor het stoplicht stonden te wachten. De jongens waren er vandaag ook, maar ze hadden hun ondankbare en vaak onwelkome werk neergelegd om aan de mars mee te doen. Aan deze kant van de brug sloot een groepje van zo'n twaalf mensen zich in de achterhoede aan. Onder hen was Sophie Riding, het meisje met het lange goudblonde haar dat Wexford voor het eerst had gezien toen ze in het uitkeringskantoor op haar beurt zat te wachten, en wier naam hij van Melanie Akande had gehoord. Zij en de vrouw die bij haar was droegen een zorgvuldig gemaakt, roodzijden spandoek met de woorden: 'Geef Afgestudeerden een Kans'. De letters waren in wit uitgeknipt en op de zijde vastgenaaid.

De stoet wachtte. Een politieagent gebaarde de drie auto's die voor het stoplicht stonden te wachten door te rijden, en vervolgens wenkte hij de betogers naar de brug. Wexford zag dat de terrasbezoekers van de Olive reikhalzend van hun tafeltje opstonden om de steeds langer wordende processie voorbij te zien komen. Burden zei: 'O ja, nog iets dat ik vergeten ben te zeggen. Mevrouw Khoori is gekozen.'

'Niemand vertelt me ook eens wat,' zei Wexford.

'Met een meerderheid van zeven. Dat was wat je noemt een nek-aan-nek-race.'

'Moet ik erachteraan, meneer?' vroeg Donaldson.

Het zag ernaar uit dat de stoet Brook Road zou inslaan. De spandoekdragers aan de kop hielden stil aan de andere kant van de brug. Een van hen hield zijn hand op en wees naar links. Er moest een onzichtbare golf van eensgezindheid door de mensenmassa zijn gegaan, want de stoet draaide zich linksom als een trein die een scherpe bocht in de rails moet nemen.

'Parkeer maar tegenover het uitkeringskantoor,' zei Wexford.

Voor hen uit deed de witte Ford hetzelfde. Op de muurtjes aan weerszijden van de stoeptreden zaten Rossy, Danny en Nige. Raffy zat ook bij hen. Voor één keer had hij zijn muts niet op en bood hij vrij uitzicht op de gigantische bos vlechtjes die zijn schedel bekroonde en als een waterval langs zijn rug naar beneden viel. Toen de stoet dichterbij kwam en langzaam tot stilstand kwam, kwam Danny van de muur af en drukte zijn sigaret uit.

'Wat gaat er nu gebeuren?' zei Burden.

'Er zal wel iets gezegd of gedaan worden.'

Terwijl Wexford dat zei, gaf Sophie Riding haar kant van het 'Geef Afgestudeerden een Kans'-spandoek aan de man naast haar. Ze maakte zich los van de menigte en liep de stoeptreden op. In haar hand had ze een vel papier, een petitie misschien, of een verklaring. Rossy, Danny, Raffy en Nige staarden haar na toen ze in het kantoor verdween.

Ze was niet langer dan vijftien seconden binnen. Het document was overhandigd en er was een standpunt duidelijk gemaakt. Enkele ogenblikken nadat ze zich weer tussen de mensen had gevoegd, gingen de dubbele deuren van het kantoor open en kwam Cyril Leyton naar buiten. Hij keek van links naar rechts, toen direct naar de stoet, die nu geen stoet meer was maar een vormloze mensenmassa. Leyton keek hen dreigend aan. Hij scheen op het punt te staan om iets te zeggen, en zou dat misschien ook gedaan hebben als hij op dat moment niet de politie-auto in het oog had gekregen die aan de overkant van de weg stond.

De deuren achter hem bleven even open en dicht zwaaien toen hij naar binnen ging. Het was het soort deuren dat je niet kunt dichtsmakken, wat gezien de aard van het kantoor wel zo wijs was. Zonder merkbaar woord of gebaar schoof de menigte weer ineen in rijen van vier, als een vlucht vogels die gevolg geven aan de stille, onkenbare aanwijzingen van hun leider, draaide zich om – de twee die voorop hadden gelopen waren niet van plan hun trotse positie prijs te geven – en ging terug in de richting waaruit ze gekomen was.

De jongens op de muur sloten zich aan bij de achterhoede. Sophie Riding nam haar kant van de spandoek weer op en de vrouw die bij haar was de andere. Toen de stoet High Street in liep, begon de klok van de St.-Peterskerk twaalf uur te slaan.

24

De hitte leek nu op die van een tropisch regenwoud of van een sauna. Er stond geen zuchtje wind. De zon was verdwenen in schuimende witte wolkenbanken tegen een donkergrijze lucht. De donder was al gaan rollen, maar zo veraf dat het gerommel verloren ging in het gebonk en geronk van het verkeerslawaai.

De stoet nam de linkerbaan van Kingsmarkham High Street in beslag. Al het verkeer richting Stowerton werd omgeleid via Queen Street en de lange, kronkelige, zuidelijke route. De stoet kwam voorbij de St.-Peterskerk toen de laatste klokslag van het middaguur was weggestorven, en ging verder naar het noorden langs de muur van het kerkhof. Op het punt waar het verkeer werd omgeleid, maakten twee politieagenten, een man en een vrouw, ruimte op de weg om de stoet te laten passeren. Bij de poort van het kerkhof hadden zich meer mensen aangesloten, en voor de grootste supermarkt in High Street lieten een man en een meisje het winkelwagentje in de steek dat ze net van het voorplein hadden gehaald en sloten zich aan bij het einde van de stoet.

De politiewagen met de streep aan de zijkant en de adelaar op de deur was teruggereden en vervangen door een Vauxhall zonder politieaanduiding, die werd bestuurd door agent Stafford van de uniformdienst. Agent Rowlands zat naast hem. Wexford en Burden hadden hun auto achtergelaten op een vrij plekje bij het kantoor van Hawkins en Steele, waar Bruce Snow werkte, maar toen Stafford zijn hoofd uit het raampje stak en een lift aanbood, schudde Wexford zijn hoofd en zei dat ze de stoet te voet zouden volgen. Sophie Riding, die de petitie in het uitkeringskantoor had overhandigd, liep vlak voor hen. Achter hen reed de Vauxhall van de politie. Zodoende waren ze van begin tot eind getuige van wat zich vervolgens zou gaan afspelen.

Zo'n vijftig meter voor hen uit stond aan de rechterkant een

Range Rover geparkeerd langs de onderbroken gele streep voor Woolworths. Op een ochtend als deze was het een hoogst ongelegen plek om een auto te parkeren, maar er was geen verkeersregel overtreden. Wexford herkende de Range Rover niet, evenmin als de witte bestelbus erachter of de auto ervoor, maar hij merkte wel bij zichzelf op dat de bestuurder van deze auto en die van de andere wagens van asociaal gedrag beschuldigd mochten worden omdat ze hun auto's op deze plaats hadden achtergelaten. Hij merkte ook de olijfgroene kleur op, en er kwam een herinnering bij hem boven aan de Vrouwen, Wees Waakzaam!-vergadering, aan een briefje dat hem was aangereikt. Op dat moment zag hij ver voor zich uit – alleen iemand die zo lang was als hij kon het zien – Anouk Khoori met uitgespreide armen het grasveld voor het gemeentehuis oversteken. Ze droeg een wijd, golvend gewaad en strekte haar armen uit als een lid van het koninklijk huis dat van een goodwill-reis is teruggekeerd en de kinderen begroet van wie ze een maand gescheiden is geweest.

Wexford kon niet nalaten zich hardop af te vragen of ze tegen de betogers zou zeggen dat ze wist dat ze zouden komen, dat ze het gewoon had gevoeld, toen aan de trottoirkant de deur van de Range Rover werd geopend en Christopher Riding naar buiten stapte. De Range Rover was nu niet meer dan paar meter van Wexford en Burden verwijderd. Het portier aan de andere kant werd geopend en Christophers vader stapte uit. Alles gebeurde toen razendsnel.

Christopher stond met zijn vader bij de Range Rover toen zijn zuster Sophie voorbijkwam. In een en dezelfde beweging grepen hij en Swithun Riding haar bij de armen, waarbij ze met een gil de spandoek liet vallen. Ze tilden haar op, rukten het autoportier naar achteren en duwden haar naar binnen. Met hun grote, krachtige handen en gespierde armen zwaaiden ze haar omhoog en smeten haar op de achterbank.

De betogers in de achterste rijen bleven staan en waaierden uit. Er gilde een vrouw. Iemand raapte de spandoek op. De rest van de stoet liep verder, niet wetend wat er gebeurd was, maar degenen uit de achterhoede bleven staan. Swithun Riding was weer achter het stuur gaan zitten, terwijl zijn zoon zich tussen de motorkap van de Range Rover en de auto ervoor probeerde te wringen. De wagen moest een centraal vergrendelingssysteem hebben, want Sophie kon de deur niet openkrijgen. Ze bonkte met haar vuisten tegen het raam en begon te schreeuwen.

Wexford keek achterom naar de Vauxhall en knikte naar Stafford. Hij schoot naar voren en greep de hendel van het achterportier, kreeg dit niet open zoals hij al verwacht had en begon op de ruit te timmeren. Stafford en Rowlands waren uit de Vauxhall gekomen. Dit hadden ze niet verwacht, dit hadden ze nog nooit meegemaakt, hier in *Kingsmarkham*?

De bestuurder van de auto voor de Range Rover reed, met opzet of zonder iets in de gaten te hebben, zo'n vijf centimeter achteruit. Het was een gevaarlijke manoeuvre die Christopher deed schreeuwen van woede en angst. De wagen had hem bijna vermorzeld, maar de bestuurder had net op tijd geremd. Christopher zat gevangen tussen de achterbumper van de auto voor hem en de voorbumper van de Range Rover, zijn benen zaten volledig klem. Hij stond te wringen en met zijn armen te zwaaien en schreeuwde: 'Naar voren, naar voren, klootzak!'

Het voorste deel van de stoet, dat nog steeds geen notie had van het tumult achter hen, marcheerde onverstoorbaar verder. Als een toneelpaard wiens achterbenen er de brui aan hadden gegeven, begonnen ze in een onbeholpen draf de laatste honderd meter naar het einddoel af te leggen. De achterhoede had zich verspreid tot een menigte geboeid toekijkende toeschouwers. Met een snel knikje naar Wexford glipte Burden achter de Range Rover en voor de witte bestelbus langs, liep langs het schreeuwende meisje en rukte het portier open dat Riding voor zijn zoon ontsloten had.

'Terug! Terug!' schreeuwde de jongen nu.

Riding startte de motor en wilde de wagen in de versnelling zetten, toen Burden vanaf de treeplank op de passagiersstoel klom. Riding had hem nooit eerder gezien en moest hem voor een bemoeial uit het publiek hebben aangezien. Zonder aarzelen zwaaide hij als een discuswerper zijn rechterarm naar achteren en liet vervolgens zijn vuist krachtig op Burdens kaak neerkomen.

Het passagiersportier zwaaide open en Burden sloeg achterwaarts de lege ruimte in. Hij wist zijn val te breken door de deurstijl vast te grijpen, maar tuimelde toch op het trottoir. Het meisje begon nog harder te gillen. Met zwaaiend portier reed Riding achteruit, waarbij de wagen met een galmende klap de witte bestelbus ramde. Toen zag hij de geüniformeerde politieagenten. En hij zag Wexford.

Wexford zei: 'Maak die deur open.'

Riding staarde hem aan. De helft van de menigte had zich aan de Woolworths-kant van de bestelbus verzameld. Iemand hielp Burden overeind. Hij wankelde, bracht versuft een hand naar zijn hoofd en zakte neer op het lage muurtje voor de winkel. Wexford duwde de jongen opzij, liep voor de Range Rover langs en klom via de treeplank de auto in.

'Probeert u dat niet met mij uit te halen,' zei hij.

Hij deed het portier achter hem van het slot en hielp het meisje naar buiten. Haar gezicht was drijfnat van de tranen. Ze greep hem bij de mouwen vast en begon te trillen toen Riding een stroom van scheldwoorden over haar uitstortte. Hij boog zich zijwaarts naar het geopende portier en schreeuwde tegen Burden: 'Wat heb jij ermee te maken als ik niet wil dat mijn dochter zich voor schut laat zetten? Bemoei je d'r goddomme niet mee!'

Het meisje stond te trillen en te klappertanden. Christopher, die nu bevrijd was en over zijn bijna vermorzelde benen wreef, stond op en stak in een verzoenend gebaar zijn hand naar haar uit. Ze schreeuwde hem toe: 'Blijf van me af!'

Wexford zei: 'Jullie gaan allemaal mee naar het politiebureau, *nu.*'

Het bloed stroomde langs Burdens gezicht. Hij mompelde iets terwijl hij aan zijn hoofd voelde. De loeiende sirene van de ambulance die door Stafford was opgeroepen deed de menigte naar achteren wijken, waar ze uiteenviel in een groep die eensgezind achter Burden bleef staan en een andere die zich bij de muur van het kerkhof terugtrok. De overige betogers waren inmiddels uit het zicht verdwenen. De ambulance kwam vanuit York Street en bleef dwars op de weg stilstaan. Toen de brancard uit de wagen werd getild, waar Burden fronsend naar keek, begonnen de eerste regendruppels te vallen.

Riding had het portier aan zijn kant geopend. Met een donkerrood gezicht stapte hij uit en zei tegen Wexford: 'Luister, ik had hier het volste recht toe. Ik heb tegen mijn dochter gezegd dat ik haar zou tegenhouden als ze in die mars meeliep, ze wist wat haar te wachten stond. En die vent scheen te denken dat hij een soort burgerarrestatie...'

'Die vent is een politieambtenaar,' zei Wexford.

'O God, ik...'

'Stapt u maar in de auto, dan rijden we naar het politiebureau. Daar mag u alles uitleggen.'

Het meisje was lang, sterk en zat kaarsrecht. Ze was zoals ze eruitzag: het produkt van twee- of drieëntwintig jaar lang eersteklas verzorging, frisse lucht, liefde en aandacht, de allerbeste scholing. Wexford kon zich niet herinneren ooit zo'n kwetsbaar gezicht te hebben gezien. Het was ongedeerd, maar toch zag het er gehavend uit. De huid was uitzonderlijk zacht, bijna doorzichtig, de ogen gezwollen, de lippen gekloofd, en dat in hartje zomer. Haar haar, dat de kleur had van de rijpe gerst die op de akkers bij Mynford was geoogst, leek een onnatuurlijke omlijsting bij dat gekwelde gezicht, alsof het een pruik was voor een actrice die niet geschikt was voor haar rol.

Ze zei tegen Karen Malahyde: 'Als zij er niet zijn kan ik wel naar huis.'

'Jij gaat even nergens naartoe,' zei Karen vriendelijk. 'Wil je een kop thee?'

Dat wilde Sophie Riding wel. Behoedzaam zei Wexford: 'We gaan maar niet naar de verhoorkamer, dat is niet zo'n prettige omgeving. We gaan naar boven, naar mijn kantoor.' Opeens dacht hij aan Joel Snow, en hij wist dat Karen ook aan hem moest denken. Dit was iets anders natuurlijk, of niet? Joel had ook niet willen meewerken, terwijl dit meisje wist dat er niets anders op zat. In de lift zei hij tegen haar: 'Het duurt maar even.'

'Wat wilt u dat ik doe?'

'Iets dat ik je graag twee weken geleden had willen vragen, maar toen kon het niet.'

Ze gingen zijn kantoor binnen. Het regende zo hevig dat de ramen nauwelijks nog licht doorlieten. Karen deed een lamp aan, waardoor het leek alsof buiten de schemering was ingevallen. Ze schoof een stoel voor Sophie bij.

Wexford ging achter zijn bureau zitten. 'Was jij degene die op die Vrouwen Wees Waakzaam!-bijeenkomst me die vraag over een verkrachter toespeelde?'

Ze wilde graag praten, maar ze was ook bang. 'O, ja! Ik wilde ook daarna naar u toekomen, zoals u gezegd had. Ik zou het ook gedaan hebben als ik kon. Geloof me, alstublieft!'

Ineens, seconden voorafgaand aan de donder, bracht de felle schittering van de bliksemflits alles tot stilstand; de stromende regen leek te verstijven, de donkere lucht leek onzichtbaar geworden, totdat de uitbarsting kwam en de wereld weer verder draaide. Sophie huiverde en bracht een gesmoord geluid uit, als een protest. Na een klop op de deur kwam Pemberton binnen met de thee. Even bedekte ze haar gezicht met haar handen en nam ze toen weg. De tranen stroomden over haar wangen. Karen schoof de doos met tissues naar haar toe.

'Ik geloof je,' zei Wexford. 'Ik begrijp wel waarom je niet naar me toe bent gekomen.'

Sophie pakte een zakdoekje uit de doos. 'Dank u.' Tegen Wexford zei ze: 'Wat wilt u dat ik doe?'

'Ik wil dat je een verklaring aflegt. Dat je ons vertelt wat er is gebeurd. Theoretisch gezien zal dat niet zo moeilijk zijn, maar emotioneel gezien wel.'

'Nou ja,' zei ze. 'Ik had toch niet zo kunnen doorgaan. Het moet ophouden. Ik kan zo geen dag verder, geen minuut.'

Vriendelijk zei hij: 'Er zijn nog andere manieren. Je hoeft geen verklaring af te leggen als je niet wilt. Maar dan vrees ik... dat er misschien nog meer...'

Karen zei in de recorder: 'Sophie Riding op het politiebureau van Kingsmarkham op vrijdag, negenentwintig juli. Het is twaalf uur drieënveertig in de middag. Aanwezig zijn hoofdinspecteur Wexford en agent Malahyde...'

Toen het voorbij was en hij alles gehoord had, ging Wexford naar beneden, waar Sophies vader met agent Pemberton in Verhoorkamer Een zat. Hij zag er schuldbewust uit. Zijn gezicht had weer de normale kleur aangenomen. De twintig minuten dat hij hier beneden had gezeten, hadden hem ongetwijfeld tot inzicht gebracht over zijn overhaast gedrag. Iemand die een andere man heeft geslagen is altijd van zijn stuk gebracht als hij ontdekt dat diegene een politieman is.

Hij stond op toen Wexford binnenkwam en begon zich te verontschuldigen. Zijn verklaring voor zijn gedrag kwam er gemakkelijk en vloeiend uit, het excuus van een man die zich altijd uit de moeilijkheden weet te praten of te kopen.

'Meneer Wexford, ik kan u niet zeggen hoe ik dit alles betreur. Ik hoef er niet bij te zeggen dat ik die man nooit geslagen zou hebben als ik had geweten dat hij van de politie was. Ik dacht dat hij een van de betogers was.'

'Ja, dat neem ik aan.'

'Dit hoeft toch verder geen gevolgen te hebben? Als mijn dochter voor rede vatbaar was geweest en in de auto was gestapt – ze heeft tenslotte het grootste deel van die mars kunnen meelopen – dan zou er niets gebeurd zijn. Ik ben geen moeilijke vader, ik ben gek op mijn kinderen...'

'De manier waarop u uw kinderen behandelt is niet aan de orde,' zei Wexford. 'Voordat u verdergaat moet ik u waarschuwen dat alles wat u zegt zal worden vastgelegd en als bewijsmateriaal gebruikt...'

Riding viel hem schreeuwend in de rede. 'U gaat toch geen aanklacht indienen omdat ik die vent heb geslagen!'

'Nee,' zei Wexford. 'Ik ga u aanklagen wegens moord, wegens aanzetten tot moord en wegens poging tot moord. En als ik dat heb gedaan ga ik naar de kamer hiernaast om uw zoon aan te klagen wegens verkrachting en poging tot moord.'

'Zonder de verklaring van Sophie Riding,' zei Wexford, 'hadden we geen poot om op te staan. We hadden geen getuigen en geen bewijzen, het was allemaal gokwerk.'

Burdens gezicht zag er net zo gezwollen uit als op een Victoriaanse cartoon van een man met kiespijn. 'De aanslag op een politieambtenaar is wel zijn minste probleem. Gek eigenlijk, ik was juist degene die zo geïmponeerd was door wat Mavrikiev zei over doden met je vuisten, en nu krijg ik er zelf mee te maken. Je ziet al die types in films en westerns elkaar in elkaar slaan met zo'n knallende kaakslag, maar de een staat meteen weer op en begint op de ander in te timmeren. En in de volgende scène hebben ze nog geen schrammetje, zijn ze weer helemaal het heertje en gaan ze met een meisje aan hun arm een avondje uit.'

'Heb je veel pijn?'

'Dat niet zozeer, maar het voelt zo groot aan, zo raar, alsof het nooit meer normaal zal worden. Ik heb in elk geval al mijn tanden nog. Nou, ga je het me nu uitleggen?'

'Freeborn is er over een halfuur, ik zal het aan hem moeten uitleggen.'

'Maar je kunt het toch eerst tegen mij zeggen?' zei Burden.

Wexford zuchtte. 'Ik zal het bandje met Sophie Ridings verklaring voor je afspelen. Je snapt natuurlijk wel dat de Zoekende via Sophie van het bestaan van het uitkeringskantoor af wist. Ze had Sophie erover horen praten, dat ze ernaartoe ging voor haar uitkering enzovoort, hoewel ze niet wist waar het was.'

'Praatte ze er met haar ouders over?'

'En met haar broers en kleine zusje ongetwijfeld, voor wie de Zoekende moest zorgen.'

'Hoe hebben ze haar eigenlijk het land in gekregen?'

'Dat weet Sophie niet. Ze studeerde op dat moment al aan de Polytechnische School van Myringham, nu dus de Universiteit van Myringham, en daarvoor had ze hier op kostschool gezeten. Maar ze had de Zoekende bij hen thuis in Koeweit gezien toen ze met vakantie naar huis ging, en ze weet nog wanneer de Zoekende daar voor het eerst kwam. Zij vermoedt dat ze hier als vriendin van haar broer is binnengekomen. Als je die benaming mag

gebruiken voor een vrouw die tot geslachtsverkeer wordt gedwongen.'

'*Wat*?'

'O ja, en ook met de vader, vermoed ik, hoewel ik dat niet zeker
weet, nog niet. Luister maar naar Sophie.'

Wexford spoelde de tape naar voren, drukte op 'play', spoelde
toen terug naar het deel van de verklaring dat hij zocht. De stem
van het meisje klonk zacht en klaaglijk, en toch ook woedend.
Het klonk als een hulproep, maar dat was het niet.

Mijn moeder had me verteld dat een man uit Koeweit haar
voor vijf pond had gekocht van haar vader in Calabar, Nigeria. Hij wilde haar een goede opvoeding geven en haar als
een dochter behandelen, maar hij stierf en ze moest dienstbode worden. Mijn moeder praatte over haar alsof we haar
een grote dienst hadden bewezen, alsof haar niets beters had
kunnen overkomen dan bij ons een 'goed tehuis' te vinden.
Een goed tehuis vinden zeggen ze ook over zwerfhonden,
niet? Ik denk dat ze toen vijftien was.

Ik heb er nooit zo over nagedacht. Ik weet dat ik dat wel
had moeten doen, maar ik was niet zo vaak thuis. Ik vond
het fijn hier in Engeland, ik verlangde er altijd weer naar.
Toen de Golfoorlog uitbrak kwamen ze hier. Voor mijn vader was het geen probleem, die kon overal werk krijgen, hij
is een fantastisch pediatrisch chirurg. Ik zeg het niet graag,
maar het is wel zo. Hij is dol op baby's, je zou hem eens met
baby's moeten zien. En hij is ook dol op ons, zijn gezin, zijn
kinderen. Hij zegt dat wij anders zijn, dat we tot de boven-
laag behoren. Hij zegt dat sommige mensen zijn voorbe-
stemd om houthakkers en waterputters te worden. Dat is
uit de bijbel, geloof ik. Voor hem zijn sommige mensen bestemd om slaven te worden en anderen te bedienen.

Ik moet wel heel naïef zijn geweest. Ik wist niet waar die
blauwe plekken bij haar vandaan kwamen... en die andere
verwondingen. In Koeweit dacht ik dat ze knap was om te
zien, maar in Engeland was ze niet knap. Toen ik was afge-

studeerd en voortdurend thuis was begreep ik er niets van. Ik heb nooit gezien dat iemand haar sloeg, maar ik merkte wel dat ze bang was voor mijn vader en mijn broer. Ook voor mijn broer David wanneer die thuis was, hoewel die meestal op de universiteit in Amerika was. Het ergste is nog dat ik dacht dat ze stom en onhandig was, ik was het zelfs eens met mijn moeder toen ze zei dat ze niet in een echte slaapkamer thuishoorde.

Wexford had de pauzeknop ingedrukt. 'Psychologen zeggen dat iemand die lelijk en smerig is de meeste kans loopt om mishandeld te worden. Dat iemand lelijk is juist omdát je hem hebt mishandeld maakt niet uit. De redenering erachter schijnt te zijn dat lelijkheid gestraft moet worden en vuil en verwaarlozing van je persoonlijke verzorging nog meer. Het ging zover dat de Zoekende voor elke kleine vergissing werd geslagen. Ze werkte twaalf of veertien uur per dag, maar dat was nog niet genoeg. Susan Riding heeft me zelf verteld dat haar huis zes slaapkamers heeft, maar dat wilde niet zeggen dat er daar een bij was voor de Zoekende. Ze sliep in een hok achter de keuken. Alle kamers op de begane grond aan de achterkant hebben tralies voor de ramen, ongetwijfeld om inbrekers buiten te houden, maar ook heel handig als je niet wilt dat iemand ontsnapt. Ik ben net bij het huis geweest, ik heb het gezien, vroeger sliepen daar de honden en ook nu wordt het weer als hondenruimte gebruikt. Susan Riding zegt dat het voor de Zoekende "zo geschikt" was, ik citeer: "voor het geval ze haar 's nachts nog nodig mochten hebben". De matras op de grond was kennelijk "wat ze gewend was", ze "zou niet weten wat ze met een bed moest beginnen". Hier komt Sophie weer.'
De stem van het meisje klonk nu helderder en zelfverzekerder.

Ik moest een baan hebben, dus ik deed wat voor de hand lag en ging naar het Banencentrum om me in te schrijven. Maar mijn ouders vonden het niet zo voor de hand liggen. Mijn vader zei dat het een schande was, dat alleen arbeiders dat deden. Hij zou me wel geld geven. Een opleiding was er alleen voor om een beter, beschaafder mens van je te maken, zei hij. Hij zou me een toelage geven. Had hij niet altijd voor me gezorgd? Mijn moeder zei zelfs dat ze me zouden onderhouden *tot ik zou gaan trouwen.* We hebben daar vaak ruzie over gehad en dat arme kind moet hebben meegeluisterd. Haar Engels liet veel te wensen over, maar ze zou het wel begrepen hebben. Ze wist dus dat er ergens een kantoor in de buurt was waar ze werk voor je konden zoeken en als dat er niet was dat ze je dan geld zouden geven.

Begin juli, de eerste of de tweede, vroeg mijn broer Christopher haar zijn sportschoenen voor hem schoon te maken... nou ja, hij droeg het haar op. Het waren witte sportschoenen. Ze maakte er een rotzooitje van, ik weet niet precies wat ze had gedaan, maar ze was doodsbang. Hoe dan ook, hij sloeg haar bont en blauw. Toen realiseerde ik me voor het eerst wat er aan de hand was. Ik weet dat het absurd klinkt dat ik het al niet veel langer wist, maar waarschijnlijk wilde ik gewoon niet geloven dat mijn eigen broer zoiets deed. Ik hou van mijn broer, of hield van hem, we zijn een tweeling, weet u.

Ik zag Christopher haar kamer ingaan en na ongeveer twintig minuten weer naar buiten komen. Ik had naar binnen kunnen gaan, maar ze gaf geen kik, al die tijd dat hij haar sloeg gaf ze geen kik.

Toen ik haar de volgende dag zag wist ik het. Ik vroeg mijn broer ernaar en hij ontkende het. Ze was onhandig, zei hij, dat wist ik toch ook wel, dat was ze altijd al geweest, ze was niet geschikt om in een beschaafd huis te wonen. Hij had het over lemen hutten, dat ze niet aan meubels gewend was en overal tegenop liep. Nou, ik vond dat geen verklaring en ging ermee naar mijn vader, maar die werd razend. Dat moet je een keer meegemaakt hebben om te begrijpen wat ik bedoel. Dan is hij om doodsbang van te worden. Hij zei dat ik niet loyaal was tegenover mijn familie en vroeg waar ik "dit soort ideeën vandaan had', kwam het soms van die

"communistische vrienden" die ik in het Banencentrum tegenkwam.

Ik weet dat ik meer had moeten doen. Daar voel ik me heel
schuldig over. Op dat moment besefte ik wat ik al die tijd
had weggestopt: dat Christopher haar ook steeds had verkracht. Alle tekenen die daarop wezen had ik daarvoor
nooit willen zien. Het enige wat ik heb gedaan is u die vraag
toespelen op die vergadering. Maar daar kon u weinig mee.
Die maandag nadat ze in elkaar was geslagen, verdween ze.
Mijn vader was in het ziekenhuis en Christopher was in
Londen, voor een sollicitatie nota bene. Ik had zo'n idee dat
ze was weggelopen, mijn moeder ook, maar we wisten niet
wat we moesten doen. 's Avonds moest mijn moeder naar
een voorbespreking van die Vrouwen Wees Waakzaam!-bij-
eenkomst. Ze liet een briefje achter voor mijn vader. Ik zei
dat we naar de politie moesten gaan, maar mijn moeder
werd toen panisch. Natuurlijk begrijp ik nu wel waarom. Ik
had een afspraak en toen ik ongeveer om halftwaalf thuiskwam lag mijn moeder in bed. Christopher was niet thuis,
maar mijn vader wel. Hij zei dat hij tegen mijn moeder had
gezegd dat hij niet begreep waar we zo'n toestand over
maakten. Hij had het meisje naar huis gestuurd, ze was volstrekt waardeloos, hij kon haar niet langer om zich heen
verdragen. Hij zei dat hij haar met British Airways had teruggestuurd naar Banjul, maar op maandag gaat er geen BA-
vlucht naar Banjul, alleen op zondag en vrijdag, dat heb ik
gecheckt. Mijn broer was de hele avond weg en mijn vader
zei tegen mij en mijn moeder dat hij haar naar Heathrow
had gebracht, maar dat kan niet omdat er die avond geen
vlucht ging.

Ik geloofde er niets van. Om een of andere reden dacht ik
dat ze op haar kamer zou zijn, dat ze haar geslagen hadden
toen ze was teruggekomen en dat ze daar op haar matras
zou liggen. Ik wilde de deur opendoen, maar die was op
slot. Nou ja, weet u, in ons huis – in *hun* huis – past een ka-
mersleutel op alle andere kamerdeuren in huis. Ik ging een

andere sleutel halen en deed de deur open. Alles was weg. Ze had niet veel, alleen twee jurken van mijn moeder, afdankertjes van jaren geleden, en die vreselijke zwarte canvas veterlaarzen die mijn moeder voor haar had gekocht, goedkoper kun je ze niet krijgen. Maar alles was weg, behalve de matras en haar hoofddoek. Ik snap niet dat ze die niet gezien hebben toen ze de bloedvlekken kwamen schoonmaken. Hij lag op de matras, een soort rood met blauw. Ik bedoel, de hoofddoek was rood met blauw – rood van het bloed.

Ik heb hem bewaard, uit een soort bezetenheid denk ik. Ik wilde hem weggooien, maar kon het niet. Zelfs toen kwam het niet bij me op dat ze dood zou kunnen zijn. Mijn broer bleef die avond uren weg. Ik hoorde hem binnenkomen, het moet halfdrie of drie uur zijn geweest, en omdat hij de volgende morgen op vakantie naar Spanje zou gaan, heb ik hem niet meer gesproken. Maar ik zou toch bang zijn geweest om met hem te praten, dit was mijn broer niet, dit was niet de Chris met wie ik me nauwer verbonden voelde dan met wie dan ook. Toen vond ik zijn trui in de wasmand, die onder het bloed zat.

Ik dacht dat mijn vader haar misschien in het geheim naar het ziekenhuis had gebracht omdat mijn broer te ver was gegaan. Mijn vader heeft enorm veel invloed, ik weet niet of hij zoiets zou doen, maar ik dacht toen van wel. Ik kon er op dat moment alleen maar aan denken dat mijn broer haar verkracht had, dat hij *iemand verkracht* had. Mijn vader rekende ik het niet zo aan, ik dacht dat hij gewoon zijn eigen zoon beschermde. Ik ben met hem naar die Vrouwen Wees Waakzaam!-vergadering gegaan en heb in een opwelling die vraag voor u opgeschreven. Mijn vader had niet gezien wat ik opschreef. Ik zei dat ik gevraagd had of je een spuitbusje traangas bij je mocht hebben. Maar ik kon naderhand niet naar u toekomen om het uit te leggen, ik kwam niet bij hem weg.

Hoofdcommissaris Freeborn scheen Wexfords vrolijke portret in de kranten vergeten te zijn. Als het aan hem knaagde dat het drie weken had gekost voordat de moord op de twee vrouwen was opgelost, dan liet hij er niets van merken. Hij was de minzaamheid zelve. Ze zaten in het 'oude hoekje', een kleine nis diep achter in de Olive and Dove met een tafel en drie stoelen, waar de dienster de drie biertjes kwam brengen die hij had besteld. Wexford ging in de stoel met de armleuningen zitten. Hij vond dat hij die wel had verdiend.

'U moet beseffen,' begon hij, 'dat ze geen notie had van de rechten die ze genoot onder de immigratiewet, ze wist niet eens dat er een immigratiewet *bestond*. Ze wist dat ze niet mocht werken, maar zoals haar lang geleden al was uitgelegd was "werk" iets waarvoor je werd betaald. Zij werd niet betaald, ze kreeg een "goed tehuis". Susan Riding noemde haar de "au pair"– althans zo noemde ze de Zoekende tegenover mij toen ze al dood was. Om mevrouw Riding recht te doen, en dat verdient ze als ieder ander, moet ik zeggen dat ik niet geloof dat ze precies wist wat er met de Zoekende was gebeurd. Ze liet haar op een matras in de "hondenruimte" slapen, omdat zij nu eenmaal zo'n type is dat vindt dat je arme mensen geen badkamer moet geven omdat ze het bad toch alleen maar gebruiken om er kolen in te bewaren. Dat ze de goedkoopste schoenen voor de Zoekende heeft gekocht die ze maar kon vinden, vond ze waarschijnlijk een grote weldaad van zichzelf. Ik vraag me af hoe ze gereageerd zou hebben als ze wist dat de schoenenverkoopster haar had aangezien voor een zwerfster die op straat sliep. Maar ze wist niets af van de verkrachting of het geweld, en als ze het al vermoedde dan wilde ze het niet erkennen, dan zei ze bij zichzelf dat haar verbeelding op hol was geslagen. Toen ze die avond thuiskwam van die voorbespreking zei haar man dat hij het meisje had teruggestuurd en dat Christopher haar naar het vliegveld bracht. Volgens mevrouw Riding was de Zoekende "smerig en lui" geworden, en volstrekt waardeloos. Hoewel ze hulp in huis nodig had, was ze blij dat ze was vertrokken.

In feite was de Zoekende die maandagmiddag weggelopen.

Riding was niet thuis, Christopher was in Londen, en het jongste zusje was op school. Ze wist niet waar ze heen moest, ze was nooit eerder buiten geweest, althans niet buiten hun terrein, maar ze wist dat je je ergens kon aanmelden om werk te vinden. Ze moet gedacht hebben dat ander werk waar dan ook niet zo erg kon zijn als wat ze nu had.'

Freeborn onderbrak hem. 'Je zegt dat ze niet wist waar ze heen moest. Winchester Avenue is nog een heel eind van het – hoe heet het – het ASB. Hoe wist ze welke kant ze uit moest?'

'Dat wist ze niet. Misschien heeft ze de rivierloop gevolgd. Vanuit de tuinen daar kun je de Kingsbrook zien. Om diezelfde reden volgde Melanie Akande zo graag die route als ze ging joggen. Misschien is de Zoekende instinctief de rivier stroomafwaarts gevolgd, misschien wist ze dat een stad vaak aan een rivier ligt. En zo kwam ze bij Glebe Road, waar ze Oni Johnson ontmoette die haar de weg wees naar het uitkeringskantoor. De rest is u bekend: hoe ze Annette naar huis volgde, geen hulp kreeg en weer naar het huis terugging waar ze vandaan was gekomen.'

'Jammer dat die Annette haar niet naar ons heeft gestuurd,' zei Freeborn.

Hij had het niet zwakker kunnen uitdrukken, dacht Wexford, maar dat zei hij natuurlijk niet. 'Ze schijnt niet direct naar huis te zijn gegaan, of misschien moest ze een tijdje zoeken voor ze de weg terug had gevonden. In elk geval kwam ze pas terug toen Susan Riding en Sophie al weg waren gegaan. Laten we aannemen dat ze via de achterdeur naar binnen en naar haar kamer is gegaan, waar Swithun Riding haar vond. Ik zeg niet dat het zijn bedoeling was haar te doden. Daar had hij geen reden voor. Hij vroeg haar waar ze was geweest en toen ze het hem zei, vroeg hij of ze met iemand gepraat had. Ja, met de vrouw die kinderen helpt oversteken, en met die vrouw van dat kantoor waar ze je werk geven of geld. Hoe heet ze en waar woont ze? Ze zegt het hem en dan gebeurt het. Ridings dochter heeft verklaard hoe driftig hij kan zijn. Hij werd razend en ging haar met zijn vuisten te lijf. Mike weet wat dat betekent, en zij was een jong, mager en broos meisje, dat slecht te eten kreeg. Niettemin is ze niet aan die klappen gestorven, maar doordat ze met haar hoofd tegen de stalen omlijsting van de tralies is geslagen. Als je in die kamer bent kun je zien hoe het gebeurd moet zijn.'

'En hij riep de hulp van zijn zoon in om haar kwijt te raken,' zei Burden. 'Christopher bracht het lichaam naar Framhurst Woods en begroef het daar.'

'Dat deed hij toen hij zogenaamd hun voormalige slavin naar Heathrow bracht. Waarschijnlijk wist hij nog niet waar hij het lichaam zou verbergen, hij reed gewoon naar het platteland totdat hij een geschikte plek had gevonden. Er is daar weinig verkeer op de weg, bovendien zal hij gewacht hebben tot het donker was.'

'En daarna moest Riding besluiten wat hij met Annette en Oni zou doen.'

'Ik geloof niet dat hij iets met Oni van plan was. Tenslotte was het een nogal vaag contact geweest. Oni zou niet naar de politie gaan, ze had er geen reden voor, maar Annette was een ander verhaal. Hij moet bijna gek zijn geworden van onzekerheid hoeveel de Zoekende aan Annette had verteld. Hij zal die nacht niet veel geslapen hebben. Vlak nadat Annette de volgende dag naar het uitkeringsbureau had gebeld, kwam er een man aan de lijn die naar haar vroeg. Ingrid Pamber dacht dat het Snow was, maar die was het niet, het was Riding. En hij kreeg iets te horen dat hem weer wat opluchtte: Annette lag thuis ziek in bed.'

'Hoe wist hij hoe ze heette?' wilde Freeborn weten.

'Dat wist de Zoekende van het naamplaatje boven de bel van Ladyhall Court. Zijn volgende stap was contact te zoeken met Zack Nelson. Nelson stond nog bij hem in het krijt, ziet u. Het was Riding die Zacks zoon had geopereerd toen bij het kind een hartafwijking werd geconstateerd toen het nog maar een paar weken oud was. Ongetwijfeld had Nelson hem toen de uitzinnigste beloften gedaan – "Alles zal ik voor u doen, dokter, alles wat in mijn vermogen ligt, zo lang als ik leef, u hoeft het maar te vragen", dat soort dingen. Zack had ook geld nodig. Hij had nieuwe woonruimte nodig voor zijn vriendin en hun kind. Maar Zack verknoeide het, Percy Hammond had hem gezien, en op instructie van Riding moest hij terug voor een minder ernstig misdrijf – inbraak. Hij wist dat hij daarvoor gepakt zou worden, hij *wilde* ervoor gepakt worden, en hij liet Riding het bloedgeld overmaken op een rekening die hij voor Kimberley Pearson had geopend.

Het leek dus alsof Riding en zijn zoon niets te vrezen hadden, totdat onze goudzoekende loodgieter het lichaam opgroef. Ook op dat moment moet Riding zich veilig hebben gewaand met het idee dat niemand ook maar enige notie had wie de Zoekende was. Hij begon pas bang te worden toen hij zijn jongste dochter van de Thomas Proctor-school afhaalde en mij met Oni Johnson zag praten. Op de dag dat Oni werd aangevallen zag ik die Range Rover wegrijden bij de school, maar toen zag ik natuurlijk het verband niet. Ik leefde in de veronderstelling dat we haar zoon Raffy moesten ondervragen, niet Oni. Riding kon makkelijk bij Castlegate zijn voordat Oni thuiskwam – of anders is zijn zoon erheen gegaan. Misschien heeft Christopher me daar wel gezien, want hij zat daar in de roze Escort van de Epsons te wachten om hun oudste zoontje op te halen. Trouwens, hoe onaangenaam die gedachte ook is, ik geloof dat Christopher Melanie die keer naar Stowerton is gevolgd omdat hij een voorliefde voor zwarte meisjes had gekregen. Gelukkig voor haar viel Melanie niet op hem, en een vrije, onafhankelijke jonge vrouw durfde hij waarschijnlijk niet te verkrachten. Ik weet nog niet wie van de twee de moordaanslag op Oni heeft gepleegd. Daar komen we nog wel achter. Ik weet wel dat het Riding was die de volgende dag naar de intensive care-afdeling ging en – met maar heel weinig tijd om onopgemerkt te blijven – de infuusslang uit Oni's arm heeft getrokken. Het heeft niets uitgehaald, maar het was de moeite van het proberen waard.'

'Wie haalde de dochter van Riding van school op de dag dat de Zoekende wegliep?' vroeg Burden. 'Niet Riding of zijn vrouw kennelijk. Een kennis waarschijnlijk, mogelijk hadden ze een soort afsprakenrooster. Want als hij of zijn vrouw dat had gedaan dan hadden ze de Zoekende al gevonden voordat ze bij Annette of Oni terecht was gekomen en dan zou dit alles niet gebeurd zijn. Zou hij daar nu ook aan denken?'

Freeborn, die in één lange teug zijn glas leegdronk, zei geïrriteerd: 'Waarom noemen jullie haar zo, wat betekent die naam?'
'Juffrouw X leek me niet zo geschikt. We wisten haar naam niet.'
'Maar nu wel, mag ik aannemen?'
'O, zeker,' zei Wexford. 'Nu wel. Als ze ooit een achternaam heeft gehad, dan weet niemand zich die te herinneren. Sophie is nooit de voornaam vergeten die ze opgaf toen ze van die gestorven man werd overgenomen, maar de anderen waren hem vergeten. Ze heette Simisola.'
Hij stond op. 'Zullen we gaan?'

Lees ook van A.W. Bruna Uitgevers B.V.

Ruth Rendell

De fruitplukker

De rust in het pittoreske plaatsje Flagford wordt ernstig verstoord wanneer er een lijk wordt gevonden. Inspecteur Wexford en zijn team worden op de zaak gezet.

Tijdens het onderzoek naar de identiteit van het slachtoffer en de toedracht, stuiten ze op een tweede lijk. De twee zaken lijken niets met elkaar te maken te hebben.

Maar hoe verder Wexford met zijn onderzoek komt, des te vreemder sommige inwoners van Flagford zich gaan gedragen. Hebben ze iets te verbergen...?

ISBN 978 90 229 9366 8